GEVAARLIJKE FLIRT

Van Simone Elkeles is eerder verschenen:
Perfect Chemistry

Simone Elkeles

Gevaarlijke flirt

Vertaald door Linda Broeder

MOURIA

© 2010 Simone Elkeles
Published by arrangement with Sane Töregard Agency AB
All rights reserved
© 2011 Nederlandse vertaling uitgeverij Mouria, Amsterdam
Alle rechten voorbehouden
Oorspronkelijke titel: *Rules of Attraction*
Vertaling: Linda Broeder
Omslagontwerp: Rudy Vrooman
Omslagfotografie: Anthony Marsland/Getty Images

ISBN 978 90 458 0216 9
NUR 285

Dit boek is ook als e-book verkrijgbaar

www.mouria.nl
www.watleesjij.nu

Voor Karen Harris, een fantastische vriendin, mentor, criticus, schrijver, en nog veel meer. Zonder jouw hulp en vriendschap in de afgelopen zeven jaar zou ik nergens zijn geweest.
Duizendmaal dank dat je me op deze reis wilde vergezellen.

1

Carlos

Ik wil zelf bepalen hoe ik leef. Maar ik ben Mexicaans, dus *mi familia* is er altijd om me bij te staan in alles wat ik doe, of ik nou wil of niet. Nou, 'bijstaan' is zacht uitgedrukt. Ik zou het eerder 'commanderen' noemen.

Mi'amá heeft me niet gevraagd of ik weg wilde uit Mexico om in Colorado bij mijn broer Alex te gaan wonen voor mijn laatste jaar high school. Zij nam de beslissing om me terug te sturen naar Amerika 'voor mijn eigen bestwil' – haar woorden, niet die van mij. De rest van mi familia was het met haar eens, dus er viel niets meer tegen in te brengen.

Denken ze echt dat ze kunnen voorkomen dat ik in het lijkenhuis of in de gevangenis beland door mij terug te sturen naar de VS? Twee maanden geleden ben ik ontslagen bij de suikerfabriek en vanaf dat moment heb ik *la vida loca* geleefd. Dat zal echt niet gaan veranderen.

Ik kijk uit het raampje terwijl het vliegtuig over de besneeuwde Rocky Mountains vliegt. Het is wel duidelijk dat ik niet meer in Atencingo ben... en ook niet in de buitenwijken van Chicago, waar ik mijn hele leven heb gewoond tot mi'amá ons dwong onze spullen te pakken en naar Mexico te verhuizen tijdens mijn eerste jaar high school.

Als het vliegtuig is geland, kijk ik toe hoe de andere passagiers zich naar buiten haasten. Ik blijf achter en laat de situatie langzaam tot me doordringen. Zo meteen zal ik mijn broer weer zien, voor het eerst in ruim twee jaar. Shit man, ik weet niet eens of ik hem wel wil zien.

Het vliegtuig is bijna leeg, dus ik kan het niet langer uitstellen. Ik pak mijn rugzak en volg de borden naar de bagageband. Wanneer ik de terminal uit loop, zie ik dat mijn broer Alex op me staat te wachten achter de douane. Ik dacht dat ik hem misschien niet zou herkennen, of het gevoel zou hebben dat we vreemden waren in plaats van familie. Maar ik herken mijn grote broer uit duizenden... zijn gezicht is me net zo vertrouwd als dat van mezelf. Tevreden merk ik op dat ik nu langer ben dan hij, en dat ik totaal niet meer lijk op het iele broertje dat hij achterliet.

'*Ya estás en Colorado*,' zegt hij terwijl hij me omhelst.

Als hij me weer loslaat, zie ik vage littekens boven zijn wenkbrauwen en bij zijn oren die er nog niet zaten toen ik hem voor het laatst zag. Hij ziet er ouder uit, maar dat waakzame dat altijd om hem heen hing als een soort schild, is verdwenen. Volgens mij heb ik dat schild geërfd.

'*Gracias*,' zeg ik mat. Hij weet dat ik hier niet wil zijn. Oom Julio heeft me helemaal tot aan het vliegtuig vergezeld en dreigde op het vliegveld te blijven wachten tot hij er zeker van was dat ik was opgestegen.

'Ben je het Engels nog niet vergeten?' vraagt mijn broer als we naar de bagageband lopen.

Ik rol met mijn ogen. 'We hebben maar twee jaar in Mexico gewoond, Alex. Of beter gezegd, *mamá*, Luis en ik zijn in Mexico gaan wonen. Jij hebt ons in de steek gelaten.'

'Ik heb jullie niet in de steek gelaten. Ik ben gaan studeren zodat ik echt iets van mijn leven kan maken. Zou je ook eens moeten proberen, weet je.'

'Nee, dank je. Ik ben dik tevreden met mijn onproductieve leventje.'

Ik pak mijn weekendtas van de band en volg Alex het vliegveld uit.

'Wat heb je om je nek hangen?' vraagt mijn broer.

'Dat is een rozenkrans,' antwoord ik, spelend met de zwart-witte kralenketting met een kruis eraan. 'Ik ben ondertussen bekeerd.'

'Daar geloof ik geen reet van. Ik weet dat het een gangstersymbool is,' zegt hij, als we bij een zilverkleurige bmw-cabrio aankomen. Mijn broer kan zo'n vette auto niet betalen. Hij moet hem hebben geleend van zijn vriendin, Brittany.

'Nou en?' Alex zat ook bij een gang in Chicago. En *mi papá* was ook al een gangster. Het zit in mijn bloed om een *bad ass* te zijn, of hij dat nu wil of niet. Ik heb geprobeerd me netjes aan de regels te houden. Ik heb nooit geklaagd toen ik minder dan vijftig peso per dag verdiende en me na schooltijd uit de naad moest werken. Toen ik was ontslagen en mee ging doen met de *Guerreros del barrio*, verdiende ik ineens meer dan duizend peso per dag. Het was dan misschien wel vuil geld, maar het bracht wel brood op de plank.

'Heb je dan niets geleerd van mijn fouten?' vraagt hij.

Man, Alex was juist mijn grote held toen hij nog bij de Latino Blood zat in Chicago. 'Geloof me, dat wil je niet weten.'

Alex schudt gefrustreerd zijn hoofd, pakt mijn tas uit mijn hand en gooit hem achterin. Wat maakt het uit dat hij uit de Latino Blood is getrapt? Die tattoos zal hij de rest van zijn leven met zich meedragen. Ook al wil hij het misschien niet geloven, hij zal altijd met de LB worden geassocieerd, of hij er nu nog lid van is of niet.

Ik bekijk mijn broer eens goed. Hij is zeker veranderd, dat merkte ik al vanaf het moment dat ik hem zag. Hij mag er dan misschien uitzien als Alex Fuentes, maar ik kan merken dat zijn oude vechtlust helemaal is verdwenen. Nu hij studeert, denkt hij dat hij een net leven kan leiden en de wereld een stukje mooier kan maken. Het is onvoorstelbaar hoe snel hij is vergeten dat we nog niet zo lang geleden in een achterbuurt van Chicago woonden. Sommige delen van de wereld zullen er nooit mooier op worden, hoe hard je ook je best doet om ze op te poetsen.

'Y mamá?' vraagt Alex.

'Met haar is alles goed.'

'En Luis?'

'Met hem ook. Ons kleine broertje is bijna net zo slim als jij, Alex. Hij denkt dat hij astronaut kan worden, zoals José Hernández.'

Alex knikt als een trotse vader, en volgens mij gelooft hij echt dat Luis zijn droom kan waarmaken. Ze houden zichzelf alle twee voor de gek... mijn broers zijn allebei dromers. Alex denkt dat hij de wereld kan redden door geneesmiddelen tegen allerlei ziektes te ontdekken, en Luis denkt dat hij de wereld achter zich kan laten om op zoek te gaan naar nieuwe werelden.

Als we de snelweg op rijden, zie ik een muur van bergen in de verte. Het doet me denken aan het ruige landschap van Mexico.

'Dat is de Front Range,' vertelt Alex. 'De universiteit ligt aan de voet van die bergen.' Hij wijst naar links. 'Die daar heten de Flatirons, de strijkijzers, omdat de rotsen zo vlak zijn als een strijkplank. Ik neem je er wel een keer mee naartoe. Brit en ik gaan er vaak wandelen als we even weg willen van de campus.'

Hij kijkt vluchtig mijn kant op. Ik zit naar mijn broer te kijken alsof hij zojuist een extra hoofd heeft gekregen.

'Wat?'

Maakt hij een grapje? *Me está tomando los pelos?* 'Ik vraag me alleen maar af wie je bent en wat je in godsnaam met mijn broer hebt gedaan. Vroeger was mijn broer Alex altijd zo'n rebel, maar nu heeft hij het ineens over bergen, strijkplanken en wandelen met zijn vriendin.'

'Hoor je me liever praten over zuipen en knetterstoned worden?'

'Ja!' zeg ik, zogenaamd opgewekt. 'Dan kun je me vertellen waar ik hier kan zuipen en knetterstoned worden, want ik hou het hier nog geen vijf dagen uit zonder verdovende middelen,' lieg ik. Mi'amá heeft hem vast verteld dat ze vermoedt dat ik aan de drugs zit, dus ik kan het spel net zo goed meespelen.

'Tuurlijk. Bewaar dat gelul maar voor mamá, Carlos. Ik geloof het net zo min als jij.'

Ik leg mijn voeten op het dashboard. 'Wat weet jij daar nou van.'

Alex duwt ze eraf. 'Doe eens niet. Dit is Brittany's auto.'

'Je zit echt onder de plak, man. Wanneer dump je die *gringa* nou eens zodat je als een normale student achter de meiden aan kunt gaan?' vraag ik.

'Brittany en ik daten niet met andere mensen.'

'Waarom niet?'

'Dat heet verkering hebben.'

'Dat heet je gedragen als een *panocha*. Mannen zijn er niet voor gemaakt om maar met één meisje samen te zijn, Alex. Ik ben zo vrij als een vogel en dat wil ik ook zo houden.'

'Laat ik één ding duidelijk maken, *señor* Vrije Vogel, je gaat niet met iemand liggen rampetampen in mijn appartement.'

Hij mag dan wel mijn oudere broer zijn, maar hij moet niet denken dat-ie mijn vader kan spelen. Ik zit niet te wachten op zijn kloteregels. Het wordt tijd dat ik mijn eigen regels bepaal. 'Laat ik één ding duidelijk maken, ik doe wat ik wil zolang ik hier ben.'

'Doe ons nou allebei een plezier en luister naar me. Misschien leer je er nog wat van.'

Ik begin te lachen. Gelooft-ie het zelf? Wat kan ik nou van hem leren: hoe ik een inschrijfformulier voor de universiteit moet invullen? Hoe ik scheikunde-experimenten moet uitvoeren? Dat was ik geen van beide van plan.

De volgende vijfenveertig minuten rijden we in stilte verder. De bergen komen met de kilometer dichterbij. We rijden over de campus van de Universiteit van Colorado-Boulder. Her en der staan gebouwen van rode bakstenen en er lopen overal studenten met rugzakken rond. Denkt Alex nou echt dat hij tegen alle verwachtingen in een goedbetaalde baan kan vinden zodat hij niet de rest van zijn leven arm hoeft te blijven? Dat gaat dus echt niet gebeuren. Eén blik op hem en zijn tattoos en ze schoppen hem overal meteen de deur uit.

'Ik moet over een uur op m'n werk zijn, maar ik zal jou eerst even wegwijs maken,' zegt hij terwijl hij een parkeerplek in draait.

Ik weet dat hij bij een garage werkt om een hele berg aan leningen van de universiteit en de overheid af te kunnen betalen.

'We zijn er,' zegt hij, wijzend naar het gebouw voor ons. '*Tu casa.*'

Dit ronde, spuuglelijke gebouw van acht verdiepingen dat nog het meest weg heeft van een gigantische maïskolf, lijkt in de verste verte niet op een thuis, maar goed. Ik pak mijn weekendtas uit de kofferbak en volg Alex naar binnen.

'Ik hoop dat dit het arme deel van de stad is, Alex,' zeg ik. 'Want ik ben allergisch voor rijkelui.'

'Ik baad niet in luxe, als je dat soms bedoelt. Dit zijn sociale huurwoningen voor studenten.'

We nemen de lift naar de derde verdieping. De gang ruikt naar beschimmelde pizza en het tapijt zit onder de vlekken. We komen twee sexy meiden in sportkleding tegen. Alex glimlacht naar ze. Ze kijken hem zo dromerig aan dat ik er niet van had opgekeken als ze plotseling op de knieën waren gegaan om de grond onder zijn voeten te kussen.

'Mandi en Jessica, dit is mijn broer Carlos.'

'Hallóóó, Carlos...' Jessica bekijkt me van top tot teen. Ik ben in het walhalla van geile studenten aanbeland, en dat kan ik merken ook. 'Waarom heb je ons niet verteld dat hij zo'n stuk was?'

'Hij zit nog op high school,' zegt Alex.

Wat loopt hij me nou ineens te naaien? 'Laatstejaars,' zeg ik snel, zodat ze hopelijk niet al te geschokt zijn door het nieuws dat ik nog geen student ben. 'Over een paar maanden word ik achttien.'

'Dan houden we een verjaardagsfeest voor je,' zegt Mandi.

'Cool,' zeg ik. 'Mag ik jullie twee dan als cadeautje?'

'Als Alex het niet erg vindt,' zegt Mandi.

Alex haalt zijn hand door zijn haar en loopt verder. 'Daar ga ik maar niet op in, want dan kom ik toch alleen maar in de problemen.'

Dit keer moeten de meiden lachen. Dan joggen ze weg door de gang, maar voor ze de hoek om slaan kijken ze nog even om en zwaaien ons gedag.

We gaan Alex' appartement binnen. Hij baadt inderdaad niet bepaald in luxe. Aan de ene kant van de kamer staat een eenpersoonsbed met een dunne, zwarte fleece deken en aan de andere kant een tafel met vier stoelen. Naast de voordeur bevindt zich nog een keukentje waar amper twee mensen tegelijk in kunnen staan. Dit is niet eens een eenkamer-appartement. Het is een studio. Een kleine studio.

Alex wijst naar een deur naast zijn bed. 'Daar is de badkamer. Je kunt je kleren kwijt in de kast tegenover de keuken.'

Ik gooi mijn weekendtas in de kast en loop verder het appartement in. 'Eh, Alex... waar moet ik slapen?'

'Ik heb een luchtbed geleend van Mandi.'

'*Está buena* – wat een lekker ding.' Ik kijk nog eens rond door de kamer. In ons huis in Chicago moest ik een veel kleinere kamer met Alex en Luis delen. 'Waar is de tv?' vraag ik.

'Heb ik niet.'

Shit. Dat is balen. 'Wat moet ik dan in godsnaam doen als ik me verveel?'

'Lees een boek.'

'*Estás chiflado*, je bent gek. Ik lees niet.'

'Vanaf morgen wel,' zegt hij, terwijl hij het raam openzet om wat frisse lucht binnen te laten. 'Ik heb je lesprogramma al door laten sturen. Ze verwachten je morgen op Flatiron High.'

School? Mijn broer die het over school heeft? Man, dat is wel het laatste waar een zeventienjarige jongen aan wil denken. Ik dacht dat hij me op z'n minst een week de tijd zou geven om weer te wennen aan het leven in de VS. Tijd voor een andere aanpak. 'Waar verstop je je wiet?' vraag ik, wetend dat hij zijn geduld al aardig begint te verliezen. 'Je kunt het me maar beter nu vertellen, zodat ik niet je hele huis overhoop hoef te halen om het te vinden.'

'Ik heb geen wiet.'

'Oké. Wie is je dealer?'

'Je snapt het niet, Carlos. Ik gebruik die troep niet meer.'

'Je zei dat je werkte. Dan verdien je toch geld?'

'Ja, geld om van te eten en te studeren, en de rest stuur ik op naar mamá.'

Deze informatie is nog maar amper tot me doorgedrongen als ineens de deur van het appartement opengaat. Ik herken de blonde vriendin van mijn broer meteen, met haar handtas en de sleutels van zijn appartement in de ene hand en een grote bruine papieren zak in de andere. Ze lijkt wel een levende barbiepop. Mijn broer pakt de zak van haar aan en ze geven elkaar een kus alsof ze al jaren getrouwd zijn. 'Carlos, je kent Brittany nog wel.'

Ze spreidt haar armen uit en omhelst me. 'Carlos, wat fijn dat je er bent!' zegt Brittany opgewekt. Ik was bijna vergeten dat ze vroeger cheerleader was, maar daar word ik weer aan herinnerd zodra ze haar mond opendoet.

'Fijn voor wie?' zeg ik nors.

Ze stapt naar achteren. 'Voor jou. En voor Alex. Hij mist zijn familie.'

'Vast.'

Ze schraapt haar keel en kijkt nogal ongemakkelijk. 'Eh... oké, nou, ik heb wat Chinees voor jullie meegenomen voor de lunch. Ik hoop dat jullie honger hebben.'

'We zijn Mexicaans,' zeg ik. 'Waarom heb je geen Mexicaans gehaald?'

Brittany fronst haar perfect gevormde wenkbrauwen. 'Je maakt zeker een grapje?'

'Niet echt.'

Ze draait zich om naar de keuken. 'Alex, help eens even.'

Alex haalt plastic borden en bestek tevoorschijn. 'Carlos, wat is er met jou?'

Ik haal mijn schouders op. 'Niets. Ik vroeg je vriendin alleen waarom ze geen Mexicaans heeft gehaald. Zij schiet meteen in de verdediging.'

'Hou gewoon je fatsoen en zeg "dank je wel" in plaats van haar een rotgevoel te geven.'

Het is glashelder aan wiens kant mijn broer staat. Alex heeft ooit eens gezegd dat hij bij de Latino Blood was gegaan om ons gezin te beschermen, zodat Luis en ik geen gangsters hoefden te worden. Maar nu realiseer ik me dat hij geen reet om zijn familie geeft.

Brittany steekt haar handen op. 'Ik wil niet dat jullie ruzie krijgen door mij.' Ze trekt haar handtas hoger om haar schouder en zucht. 'Ik denk dat ik maar beter kan gaan, zodat jullie kunnen bijpraten.'

'Blijf nou,' zegt Alex.

Dios mío, volgens mij heeft mijn broer ergens tussen hier en Mexico zijn ballen verloren. Of misschien heeft Brittany ze wel in dat hippe handtasje weggestopt. 'Alex, laat haar gaan als ze wil.' Het is tijd om hem uit haar greep te verlossen.

'Het geeft niet, echt niet,' zegt ze, waarna ze mijn broer een kus geeft. 'Geniet van de lunch. Ik zie je morgen. Dag, Carlos.'

'Uh huh.' Zodra ze weg is, gris ik de bruine zak van het aanrecht en zet hem op tafel. Ik lees de benamingen op elk bakje. Kip chow mein... Chow fan met rundvlees... *Pu-pu Platter*. 'Pu-pu Platter?'

'Dat zijn allemaal voorgerechtjes,' legt Alex uit.

Ik ga dus echt geen gerecht eten met het woord pu-pu erin, en het irriteert me dat mijn broer überhaupt weet wat een Pu-pu Platter is. Ik sla dat bakje over en schep een bord vol identificeerbaar Chinees eten op, dat ik vervolgens naar binnen begin te werken. 'Hoef je niet?' vraag ik Alex.

Hij kijkt me aan alsof ik een vreemde ben.

'*Qué pasa?*' vraag ik.

'Brittany gaat echt nergens heen, hoor.'

'Dat is juist het probleem. Zie je dat niet?'

'Nee. Wat ik zie is mijn zeventienjarige broer die zich gedraagt alsof hij vijf is. Tijd om volwassen te worden, *mocoso*.'

'En dan net zo retesaai worden als jij zeker? Nee, dank je.'

Alex pakt zijn sleutels.

'Waar ga je heen?'

'Mijn excuses aanbieden aan mijn vriendin, en dan naar mijn werk. Doe alsof je thuis bent,' zegt hij, en hij gooit een bos reservesleutels naar me toe. 'En werk je niet in de nesten.'

'Als je toch met Brittany gaat praten,' zeg ik, terwijl ik een hap van een loempia neem, 'vraag dan meteen je *huevos* terug.'

2

Kiara

'Niet te geloven dat hij je per sms heeft gedumpt, Kiara,' zegt Tuck, die aan het bureau in mijn kamer zit terwijl hij de drie regels op het scherm van mijn mobieltje leest. 'T=ovr. Srry. Niet boos zyn.' Hij gooit het mobieltje terug naar mij. 'Hij had het op zijn minst helemaal uit kunnen schrijven. "Niet boos zyn"? Wat een loser. Natuurlijk ben je boos op hem.'

Ik ga achteroverliggen op mijn bed en staar naar het plafond, terugdenkend aan de eerste keer dat Michael en ik elkaar zoenden. Het was op het zomerfeest in Niwot, achter het ijskraampje. 'Ik vond hem leuk.'

'Nou, ik heb hem nooit gemogen. Iemand die je in de wachtkamer van je therapeut ontmoet, moet je nooit vertrouwen.'

Ik draai me om en leun op mijn ellebogen. 'Het was spraaktherapie. En hij kwam alleen zijn broer naar zijn afspraak brengen.'

Tuck, die nog nooit een van mijn dates heeft gemogen, haalt een schrift met roze doodskoppen uit mijn bureaula. Hij steekt berispend zijn wijsvinger naar me op. 'Een jongen die al op de tweede date zegt dat hij van je houdt, is niet te vertrouwen. Is mij ook eens gebeurd. Sloeg nergens op.'

'Hoezo? Geloof je niet in liefde op het eerste gezicht?'

'Nee. Ik geloof in lust op het eerste gezicht. En aantrekkingskracht. Maar geen liefde. Michael zei alleen maar dat hij van je hield om je in bed te krijgen.'

'Hoe weet jij dat nou?'

'Ik ben een jongen, daarom weet ik dat.' Tuck fronst. 'Je hebt het toch niet met hem gedaan, of wel?'

'Nee,' zeg ik, en ik schud mijn hoofd om mijn antwoord meer kracht bij te zetten. We hebben wel wat geflikflooid, maar ik wilde niet verdergaan. Ik was gewoon, ik weet het niet... ik was er nog niet klaar voor.

Ik heb hem niet meer gezien of gesproken sinds het begin van het nieuwe schooljaar, twee weken geleden. We hebben elkaar wel een paar keer ge-sms't, maar hij zei telkens dat hij het te druk had en dat hij zou bellen als hij tijd had. Hij is laatstejaars in Longmont, twintig minuten verderop, en ik ga in Boulder naar school, dus ik dacht gewoon dat hij het te druk had met schooldingen. Maar nu weet ik dat zijn drukke leventje helemaal niet de reden was dat we elkaar niet spraken. Dat was omdat hij het uit wilde maken.

Was het vanwege een ander meisje?

Was het omdat hij me niet knap genoeg vond?

Was het omdat ik niet met hem naar bed wilde?

Het kan niet geweest zijn omdat ik stotter. Daar heb ik de hele zomer aan gewerkt en ik heb sinds juni niet één keer meer gestotterd. Ik ben elke week naar logopedie gegaan, oefen elke dag voor de spiegel en let elke minuut van de dag bewust op alles wat ik zeg. Hiervoor lukte het me maar niet om die verbaasde blikken van anderen te negeren, gevolgd door die openbaring op hun gezicht: 'O, ik snap het, ze heeft een spraakgebrek'. Daarna keken ze me aan met een blik vol medelijden om vervolgens automatisch aan te nemen dat ik dom was. Of mijn gestotter was een bron van vermaak, zoals voor enkele meiden bij mij op school.

Maar nu stotter ik niet meer.

Tuck weet dat dit het jaar is waarin ik vastbesloten ben om mijn zelfverzekerde kant te laten zien – de kant die ik verborgen heb gehouden voor mijn klasgenoten. De eerste drie jaar high school ben ik verlegen en gesloten geweest, omdat ik doodsbang was dat mensen me zouden uitlachen om mijn gestotter. Van nu af aan zal Kiara Westford niet langer worden herinnerd als een verlegen meisje, maar als iemand die niet bang was om haar mond open te trekken.

Ik had niet verwacht dat Michael het uit zou maken. Ik dacht dat we samen naar het *Homecoming*-bal zouden gaan, en naar het examenfeest...

'Vergeet Michael toch gewoon,' zegt Tuck.

'Hij was schattig.'

'Een harige fret is ook schattig, maar daar zou ik ook niet mee uit willen. Je kunt veel beter krijgen. Doe jezelf niet tekort.'

'Kijk dan naar me,' zeg ik. 'Wees eerlijk, Tuck, ik ben geen Madison Stone.'

'Gelukkig niet. Ik heb een hekel aan Madison Stone.'

Madison geeft een heel nieuwe betekenis aan het woord 'bitch'. Ze blinkt uit in alles wat ze doet en ze is zonder twijfel het populairste meisje van de school. Elk meisje wil haar vriendin zijn zodat ze ook bij het populaire clubje hoort. Madison Stone bepaalt wie er cool zijn. 'Iedereen is dol op haar.'

'Omdat ze bang voor haar zijn. Stiekem heeft iedereen een hekel aan haar.' Tuck begint iets in mijn schrift te krabbelen en geeft het dan aan mij. 'Hier,' zegt hij, en hij gooit me een pen toe.

Ik staar naar de bladzijde. VOORWAARDEN VOOR AANTREKKELIJK-HEID, staat er bovenaan geschreven, met een dikke verticale streep door het midden van de pagina.

'Wat is dit?'

'In de linkerkolom moet je al jouw pluspunten opschrijven.'

Maakt hij een grapje? 'Nee.'

'Kom op, begin maar met schrijven. Zie het als een zelfhulpoefening, en als een manier om je te realiseren dat meiden als Madison niet eens aantrekkelijk zijn. Maak deze zin af: "Ik, Kiara Westford, ben geweldig omdat..."'

Ik weet dat Tuck hierover zal blijven doorzeuren, dus schrijf ik maar wat onzinnige dingen op en geef het schrift aan hem terug.

Hij krimpt ineen als hij leest wat ik heb opgeschreven. '"Ik, Kiara Westford, ben geweldig omdat... ik een football kan werpen, de olie van mijn auto kan verversen en een vierduizender kan beklimmen." Alsje-blieft zeg, dat kan een jongen toch allemaal geen reet schelen.' Hij pakt de pen van me af, gaat op de rand van mijn bed zitten en begint ijverig te schrijven. 'Laten we eerst de basisvoorwaarden vaststellen. Je moet aantrekkelijkheid op drie vlakken meten om tot een volledig oordeel te kunnen komen.'

'Wie heeft die voorwaarden bedacht?'

'Ik. Dit zijn Tuck Reese' voorwaarden voor aantrekkelijkheid. We beginnen met karakter. Je bent slim, grappig en sarcastisch,' zegt hij, terwijl hij elk punt in het schrift noteert.

'Ik weet niet of dat allemaal wel zo positief is.'

'Jawel. Maar wacht, ik ben nog niet klaar. Je bent ook een trouwe vriendin, je houdt wel van een uitdaging, en je bent een geweldige zus voor Brandon.' Hij kijkt op als hij klaar is met schrijven. 'Dan komen we bij je vaardigheden. Je weet veel van auto's, je bent sportief, en je weet wanneer je je mond moet houden.'

'Dat laatste is geen vaardigheid.'

'Jawel, schat, geloof mij nou maar.'

'Je bent mijn speciale salade met spinazie en walnoten vergeten.' Ik kan niet koken, maar die salade is wel een topper.

'Die salade is inderdaad moorddadig lekker,' zegt hij, en hij voegt dit toe aan de lijst. 'Oké, door naar het laatste onderdeel: uiterlijke kenmerken.' Tuck bekijkt me kritisch van top tot teen.

Ik kreun en vraag me af wanneer er een eind zal komen aan deze vernedering. 'Ik voel me net een koe op de veemarkt.'

'Ja ja, niet zeuren. Je hebt een egale huid en een wipneusje, passend bij je vooruitstekende tieten. Als ik geen homo was, zou ik misschien wel...'

'Ah nee.' Ik sla zijn hand weg van het papier. 'Tuck, wil je dat woord alsjeblieft niet gebruiken?'

Hij strijkt zijn lange haar uit zijn gezicht. 'Wat, tieten?'

'Getsie. Ja, dat woord. Zeg alsjeblieft gewoon boezem of borsten. Het T-woord klinkt gewoon zo... plat.'

Tuck grinnikt en rolt met zijn ogen. 'Oké, vooruitstekende... borsten.' Hij lacht geamuseerd. 'Sorry, Kiara, maar dat klinkt als iets wat je op de grill zou gooien of in een restaurant zou bestellen.' Hij doet alsof mijn schrift een menukaart is en leest voor met een overdreven Brits accent: 'Ja, ober, ik wil graag de gegrilde vooruitstekende borsten met een salade erbij.'

Ik pak Mojo, mijn grote blauwe knuffelbeer, en smijt hem naar Tucks hoofd. 'Noem het maar gewoon boezem, dan kunnen we snel verder.'

Mojo stuitert tegen hem aan en belandt op de grond. Mijn beste vriend is niet van de wijs gebracht. 'Vooruitstekende tieten, streep. Vooruitstekende borsten, streep.' Met veel omhaal streept hij beide woorden door. 'Vervangen door... vooruitstekende boezem.' Hij dreunt de woorden op terwijl hij ze opschrijft. 'Lange benen en lange wimpers.' Hij bekijkt mijn handen en trekt zijn neus op. 'En niet lullig bedoeld, maar je kunt wel een manicure gebruiken.'

'Was dat het?' vraag ik.

'Ik weet het niet, kun je nog wat anders bedenken?'

Ik schud mijn hoofd.

'Oké, nu we weten hoe geweldig jij bent, moeten we een lijst maken met de eigenschappen die je zoekt in een jongen. Dit schrijven we aan de rechterkant van de bladzijde. Laten we beginnen met karakter. Je zoekt een jongen die puntje, puntje, puntje.'

'Ik zoek een jongen die zelfverzekerd is. Heel zelfverzekerd.'

'Mooi,' zegt hij en hij schrijft het op.

'Ik zoek een jongen die lief voor me is.'

Tuck schrijft verder. 'Lieve jongen.'

'Ik val wel op slimme jongens,' voeg ik eraan toe.

'Heb je het dan over wijsheid uit boeken of wijsheid van de straat?'

'Allebei?' zeg ik aarzelend, niet wetend of dit wel het goede antwoord is.

Hij aait me over mijn hoofd alsof ik een klein kind ben. 'Goed zo. Laten we doorgaan naar vaardigheden.' Hij steekt zijn hand op nog voor ik iets kan zeggen. Mij best. 'Ik zal dit deel wel voor je invullen. Je wilt een jongen die dezelfde vaardigheden heeft als jij, plus nog wat extra. Iemand die van sport houdt, iemand die in ieder geval waardering heeft voor je gesleutel aan die stomme oude rammelbak van je, en...'

'O, verdorie.' Ik spring op van mijn bed. 'Dat was ik bijna vergeten. Ik moet nog naar de stad om iets op te halen bij de garage.'

'Toch alsjeblieft geen pluizige dobbelstenen voor aan je achteruitkijkspiegel, hè?'

'Nee, geen pluizige dobbelstenen. Een radio. Een vintage radio.'

'O, jippie. Een vintage radio, passend bij je vintage auto!' zegt Tuck sarcastisch, waarna hij een paar keer zogenaamd enthousiast in zijn handen klapt.

Ik rol met mijn ogen naar hem. 'Wil je mee?'

'Nee.' Hij slaat mijn schrift dicht en legt het terug in mijn la. 'Ik heb echt geen zin om maar een beetje rond te hangen terwijl jij over auto's staat te praten met mensen die dat daadwerkelijk interessant vinden.'

Het kost me vijftien minuten om naar McConnell's Garage te rijden, nadat ik Tuck bij hem thuis heb afgezet. Ik rij mijn auto de garage binnen en zie Alex, een van de monteurs, onder de motorkap van een Volkswagen Kever staan kijken. Alex was een student van mijn vader. Na afloop van een werkgroep vorig jaar hoorde mijn vader dat Alex auto's repareert. Hij vertelde Alex over de Monte Carlo uit 1972 die ik aan het opknappen ben, en sindsdien helpt Alex me aan onderdelen te komen.

'Hé, Kiara,' zegt hij. Hij veegt zijn handen af aan een doek en vraagt of ik even wil wachten terwijl hij de radio voor me gaat halen. 'Hier is-ie,' zegt hij, en hij maakt de doos open. Hij haalt de radio uit de doos en wikkelt het bubbeltjesplastic eraf. Er steken draden uit de achterkant, als spichtige poten, maar hij is helemaal perfect. Ik weet dat ik niet zo opgewonden zou moeten zijn over een radio, maar zonder zou het dashboard niet compleet zijn. De radio die er al in zat, heeft nooit gewerkt en het frontje was gebarsten, dus Alex is op internet voor me op zoek gegaan naar een origineel exemplaar ter vervanging.

'Ik heb alleen nog geen tijd gehad om hem te testen,' zegt hij, terwijl hij aan elke draad morrelt om er zeker van te zijn dat ze stevig vastzitten. 'Ik moest mijn broer ophalen van het vliegveld, dus ik kon niet vroeger beginnen.'

'Is hij op bezoek vanuit Mexico?' vraag ik.

'Hij is niet op bezoek. Vanaf morgen is hij laatstejaars op Flatiron,' zegt hij terwijl hij een factuur uitschrijft. 'Jij zit ook op Flatiron, toch?'

Ik knik.

Hij stopt de radio terug in de doos. 'Heb je hulp nodig met aansluiten?'

Ik dacht eerst van niet, maar nu ik het ding van dichtbij heb gezien, ben ik daar niet meer zo zeker van. 'Misschien,' antwoord ik. 'De vorige keer dat ik draden moest solderen, ging het helemaal mis.'

'Dan hoef je hem nu nog niet te betalen,' zegt hij. 'Kom morgen maar langs als je tijd hebt na school, dan zal ik hem aansluiten. Kan ik hem van tevoren nog even testen.'

'Bedankt, Alex.'

Hij kijkt op van de factuur en tikt met zijn pen op de toonbank. 'Dit klinkt vast *loco*, maar zou je mijn broer soms wegwijs kunnen maken op school? Hij kent hier niemand.'

'We hebben een leerling-voor-leerlingprogramma,' zeg ik, trots om te kunnen helpen. 'Ik kan morgenochtend wel tegelijk met jullie naar het

kantoor van de directeur komen om me op te geven als zijn begeleider.'
De oude Kiara zou te verlegen zijn geweest om dit aan te bieden, maar
de nieuwe Kiara niet.

'Ik moet je wel waarschuwen...'

'Waarvoor?'

'Mijn broer kan soms nogal vervelend zijn.'

Er verschijnt een brede grijns op mijn gezicht, want zoals Tuck al op-
merkte: Ik hou wel van een uitdaging.

3

Carlos

'Ik heb geen begeleider nodig.'

Dat is het eerste wat ik zeg als meneer House, de directeur van Flatiron High, me voorstelt aan Kiara Westford.

'We zijn trots op onze leerling-voor-leerlingprogramma's,' zegt meneer House tegen Alex. 'Ze helpen de leerlingen zich snel thuis te voelen.'

Mijn broer knikt. 'Ik vind het prima. Het lijkt me een uitstekend idee.'

'Mij niet,' mompel ik. Ik heb helemaal geen klotebegeleider nodig, want ten eerste is het wel duidelijk dat Alex Kiara kent, gezien de manier waarop hij haar een paar minuten geleden begroette, ten tweede is ze helemaal niet knap; ze heeft haar haar in een paardenstaart, ze draagt leren wandelschoenen, een driekwartstretchbroek met een Under Armour-logo en een te groot T-shirt tot aan haar knieën met het woord BERGBEKLIMMER erop, en ten derde zit ik niet te wachten op een babysitter, laat staan eentje die mijn broer heeft geregeld.

Meneer House zit in zijn grote, bruine leren stoel en geeft Kiara een kopie van mijn rooster. Fijn, nu weet dat meisje precies waar ik elk moment van de dag hoor te zijn. Als de situatie niet zo vernederend was, zou ik erom lachen.

'Dit is een grote school, Carlos,' zegt House, alsof ik de plattegrond niet zelf zou kunnen ontcijferen. 'Kiara is een voorbeeldige leerling. Ze zal je je kluisje wijzen en je de eerste week naar je lessen brengen.'

'Ben je zover?' vraagt het meisje met een grote grijns. 'De laatste bel voor het eerste uur is al gegaan.'

Kan ik misschien om een andere begeleider vragen, eentje die het niet zo leuk vindt om al om halfacht 's ochtends op school te zijn?

Alex gebaart me te gaan en ik ben geneigd mijn middelvinger naar hem op te steken, maar ik denk niet dat de directeur dat zal waarderen.

Ik volg de 'voorbeeldige leerling' door de verlaten gangen en krijg het gevoel dat ik in de hel ben beland. Er staan overal kluisjes langs de muren en er hangen posters met kreten als YES WE KAHN! – STEM OP MEGAN KAHN ALS KLASSENVERTEGENWOORDIGER en JASON BANK – DE IDEALE PENNINGMEESTER VAN DE LEERLINGENRAAD, naast posters van andere mensen die serieus pleiten voor GEZONDERE SCHOOLMAALTIJDEN ALS NORM! STEM OP NORM REDDING.

Gezondere schoolmaaltijden?

Man, in Mexico nam je wat mee van thuis of je at de troep die je werd voorgezet. Je had niks te kiezen. Waar ik woonde at je om te overleven, zonder je druk te maken om calorieën of koolhydraten. Dat wil niet zeggen dat er in Mexico geen mensen zijn die als een vorst leven. Net als in Amerika heeft elk van de eenendertig Mexicaanse staten welvarende regio's... maar daar heeft mijn familie nooit gewoond.

Ik hoor niet thuis op Flatiron High, en ik heb al helemaal geen zin om de hele week achter dat meisje aan te lopen. Ik ben benieuwd hoeveel de 'voorbeeldige leerling' kan hebben voor ze ermee kapt.

Ze wijst me mijn kluisje en ik stop mijn spullen erin. 'Mijn kluisje zit vlak naast dat van jou,' deelt ze mee, alsof dat iets positiefs is. Als ik klaar ben, bestudeert ze mijn rooster terwijl ze al wegloopt door de gang. 'Het lokaal van meneer Hennesey is op de eerste verdieping.'

'*Dónde está el servicio*?' vraag ik haar.

'Pardon? Ik heb geen Spaans. *Je parle français* – ik spreek Frans.'

'Waarom? Wonen er veel Fransen in Colorado?'

'Nee, maar in mijn tweede jaar aan de universiteit wil ik een semester in Frankrijk gaan studeren, net als mijn moeder.'

Mijn moeder heeft haar high school niet eens afgemaakt. Ze raakte in verwachting van Alex en trouwde met mijn vader.

'Je bent een taal aan het leren die je maar één semester nodig zal hebben? Lijkt me nogal stom.' Ik blijf staan als we langs een deur lopen met een mannetje erop geverfd. Ik wijs met mijn duim naar de deur. 'Servicio betekent toilet... ik vroeg waar het toilet was.'

'O.' Ze kijkt wat verslagen, alsof ze niet precies weet wat ze moet doen als er van het schema wordt afgeweken. 'Nou, dan zal ik hier maar even op je wachten.'

Tijd om wat lol te trappen en mijn begeleider in de zeik te nemen.

'Tenzij je mee naar binnen wilt om me de weg te wijzen... Ik bedoel, ik weet niet hoe letterlijk je dit hele begeleidingsgebeuren wilt opvatten.'

'Niet zó letterlijk.' Ze perst haar lippen op elkaar alsof ze net in een citroen heeft gehapt en schudt haar hoofd. 'Ga maar. Ik wacht wel.'

Eenmaal op de toiletten leun ik met mijn handen op de wastafel en haal diep adem. In de spiegel zie ik alleen maar een jongen die door zijn hele familie als een totale mislukkeling wordt gezien.

Misschien had ik mi'amá de waarheid moeten vertellen: dat ik bij de fabriek werd ontslagen omdat ik het had opgenomen voor de kleine vijftienjarige Emilie Juarez, die werd lastiggevallen door een leidinggevende. Het was al erg genoeg dat ze met school moest stoppen en aan het werk moest om brood op de plank te brengen voor haar familie. Dus toen onze baas dacht dat hij met zijn vuile poten aan haar kon zitten alleen maar omdat hij *el jefe* was, ging ik helemaal door het lint. Ja, dat heeft me mijn baan gekost... maar het was het waard, en ik zou het zo weer doen, ondanks de gevolgen die het had.

Er wordt op de deur geklopt, wat me weer terugbrengt naar het heden en het feit dat ik naar mijn lessen moet worden begeleid door een meisje dat zich kleedt alsof ze gaat bergbeklimmen. Ik kan me niet voorstellen dat een meisje als Kiara ooit door een jongen in bescherming hoeft te worden genomen, want ze zou iedere gast die haar lastigviel meteen verstikken met haar veel te grote T-shirt.

De deur gaat een klein stukje open. 'Ben je daar nog?' galmt Kiara's stem door de toiletruimte.

'Yep.'

'Ben je bijna klaar?'

Ik rol met mijn ogen. Als ik even later het toilet uit stap en in de richting van de trap loop, merk ik dat mijn begeleider me niet achterna komt. Ze staat in de verlaten gang, nog steeds met die zure uitdrukking op haar gezicht. 'Je hoefde niet eens,' zegt ze op geïrriteerde toon. 'Je was gewoon tijd aan het rekken.'

'Scherp opgemerkt, hoor,' zeg ik mat, waarna ik met twee treden tegelijk de trap op loop.

1-0 voor Carlos Fuentes.

Ik hoor haar snelle voetstappen achter me als ze me probeert bij te houden. Terwijl ik verder loop door de gang op de eerste verdieping probeer ik te bedenken hoe ik haar kan lozen. 'Dankzij jou ben ik nu veel te laat voor mijn les, helemaal voor niks. Bedankt,' zegt ze, zich achter me aan haastend.

'Daar hoef je mij niet de schuld van te geven. Het was niet mijn idee om een babysitter toegewezen te krijgen. Ik kan hier zelf de weg wel vinden.'

'O ja?' vraagt ze. 'Je bent anders net het lokaal van meneer Hennesey voorbijgelopen.'

Shit.

Eén punt voor de 'voorbeeldige leerling'.

Het staat 1-1. Maar ik hou niet van gelijkspel. Ik wil winnen... met grote voorsprong.

Ik kan er niets aan doen, maar die geamuseerde twinkeling in de ogen van mijn begeleider irriteert me.

Ik ga vlak naast haar staan, heel dichtbij. 'Heb je wel eens gespijbeld?' vraag ik op een ondeugende, flirterige toon. Ik probeer haar in de war te brengen zodat ik weer de baas ben.

'Nee,' antwoordt ze langzaam, met nerveuze blik.

Mooi zo. Ik leun nog dichter naar haar toe. 'Dat zouden we eens moeten doen samen,' zeg ik zacht, waarna ik de deur naar het lokaal open.

Ik hoor haar naar adem happen. Luister, ik heb niet gevraagd om een gezicht en een lichaam waar alle meiden op vallen. Maar die heb ik nu eenmaal, dankzij de combinatie van het DNA van mijn ouders, en ik schaam me er niet voor om er gebruik van te maken. Dat ik een knap gezicht heb waar Adonis nog jaloers op zou worden, is een van de weinige voordelen die me gegeven zijn in het leven, dus dat benut ik dan ook zo veel mogelijk, of het nu voor iets goeds of voor iets slechts is.

Kiara stelt me snel voor aan meneer Hennesey, en verdwijnt dan weer even snel de deur uit. Ik hoop dat mijn geflirt haar voorgoed heeft afgeschrikt. Zo niet, dan moet ik de volgende keer misschien nog beter mijn best doen. Ik ga in het wiskundelokaal zitten en kijk de klas rond. Alle leerlingen hier zien eruit alsof ze uit rijke gezinnen komen. Deze school is totaal anders dan die in Fairfield, de buitenwijk van Chicago waar ik woonde voor we naar Mexico verhuisden. Op Fairfield High hadden we rijke leerlingen en arme leerlingen. Flatiron High lijkt meer op die dure privéscholen van Chicago, waar elke leerling designerkleding draagt en in luxe auto's rijdt.

Vroeger lachten we die lui uit. Nu zit ik er midden tussen.

Kiara staat meteen na de wiskundeles voor het lokaal te wachten. Ongelooflijk.

'En, hoe was het?' vraagt ze onder het lawaai van de leerlingen die zich naar hun volgende les haasten.

'Wil je echt dat ik daar eerlijk antwoord op geef?'

'Waarschijnlijk niet. Kom op, we hebben maar vijf minuten.' Ze zigzagt tussen de leerlingen door. Ik volg haar en zie haar staart bij elke stap die ze zet heen en weer zwaaien, net als bij een paard. 'Alex heeft me gewaarschuwd dat je nogal rebels kan zijn.'

Dit is nog maar het begin. 'Waar ken je mijn broer van?'

'Hij is een oud-leerling van mijn vader. En hij helpt me bij het opknappen van mijn auto.'

Deze *chica* is echt niet te geloven. Een auto opknappen? 'Wat weet jij nou van auto's?'

'Meer dan jij,' zegt ze over haar schouder.

Ik lach. 'Wedden van niet?'

'Wie weet.' Ze blijft staan voor een klaslokaal. 'Hier is het biologielokaal.'

Ik zie een sexy chick voorbijlopen en het lokaal binnenstappen. Ze draagt een strakke spijkerbroek en een nog strakker shirt. 'Wauw, wie was dat?'

'Madison Stone,' antwoordt Kiara zacht.

'Stel me eens aan haar voor.'

'Waarom?'

Omdat ik weet dat je je daar kapot aan zou ergeren. 'Waarom niet?'

Ze klemt haar boeken tegen haar borst, bijna als een soort schild. 'Ik kan zo vijf redenen bedenken.'

Ik haal mijn schouders op. 'Noem maar op dan.'

'Geen tijd, de bel gaat zo. Je kunt je zelf wel voorstellen aan mevrouw Sjevelenko, toch? Ik bedenk net dat ik mijn huiswerk voor Frans in mijn kluisje heb laten liggen.'

'Ga dan maar gauw.' Ik kijk naar mijn pols, waar helemaal geen horloge om zit, maar dat lijkt ze niet door te hebben. 'De bel kan elk moment gaan.'

'Ik kom wel weer hiernaartoe na de les.' Ze rent weg door de gang.

In het lokaal wacht ik tot Sjevelenko opkijkt van haar bureau en mijn aanwezigheid opmerkt. Ze is druk bezig op haar laptop, zo te zien met het sturen van privé-e-mails.

Ik schraap mijn keel om haar aandacht te trekken. Ze kijkt me vluchtig aan en opent dan een ander programma. 'Ga maar ergens zitten. Ik zal zo de presentielijst nalopen.'

'Ik ben nieuw,' zeg ik. Dat had ze zelf ook wel kunnen bedenken aangezien ik de afgelopen twee weken niet bij haar in de klas heb gezeten, maar goed.

'Ben jij die uitwisselingsscholier uit Mexico?'

Niet helemaal. Ik ben een overgeplaatste scholier, maar ik geloof niet dat deze vrouw zich druk maakt om de details. 'Ja.'

Mijn blik dwaalt onwillekeurig af naar een zweetdruppeltje in het donshaar op haar bovenlip. Ik weet vrij zeker dat er mensen zijn die je daar vanaf kunnen helpen, weet je. Mijn tante Consuela had hetzelfde probleem, tot mijn moeder haar te pakken kreeg en haar in de badkamer opsloot met een pot hete was.

'Spreek je thuis Spaans of Engels?' vraagt Sjevelenko.

Ik weet niet eens of ze dat officieel wel mag vragen, maar goed. 'Allebei.'

Ze kijkt op en speurt het klaslokaal af. 'Ramiro, kom eens hier.'

Er komt een latinojongen naar haar bureau toe. Hij lijkt op Alex' beste vriend Paco, maar dan langer. Toen ze laatstejaars waren, zijn Alex en Paco neergeschoten, en ineens stond ons hele leven op zijn kop. Paco heeft het niet gered. Ik weet niet of we daar ooit helemaal overheen zullen komen. Meteen nadat mijn broer uit het ziekenhuis werd ontslagen zijn we naar onze familie in Mexico verhuisd. Sinds die schietpartij is alles veranderd.

'Ramiro, dit is...' Sjevelenko kijkt me aan. 'Hoe heet je?'

'Carlos.'

Ze kijkt naar die Ramiro. 'Hij is Mexicaans, net als jij. Jullie twee Spaanssprekende leerlingen moeten maar samenwerken.'

Ik volg Ramiro naar een van de practicumtafels. 'Meent ze dat nou echt?' vraag ik.

'Waarschijnlijk wel. Vorig jaar heeft Linke Lenko iemand zes maan-

den lang Ivan De Rus genoemd voor ze eindelijk zijn naam kon onthouden.'

'Linke Lenko?' vraag ik.

'Je hoeft niet naar mij te kijken,' zegt Ramiro. 'Ik heb het niet bedacht.
Die bijnaam heeft ze al zeker twintig jaar.'

De bel gaat, maar iedereen zit nog te praten. Linke Lenko is weer druk
aan het e-mailen op haar computer.

'*Me llamo* Ramiro, maar dat is zo'n typische bonenvretersnaam dat
iedereen me Ram noemt.'

Ik heb ook een bonenvretersnaam, maar ik vind het niet nodig om
mijn afkomst te dissen en mijn naam te veranderen in Carl, alleen om
erbij te horen. Je ziet meteen dat ik een latino ben, dus waarom zou ik
doen alsof dat niet zo is? Ik heb Alex er altijd van beschuldigd dat hij
blank wil zijn omdat hij weigert zijn officiële naam, Alejandro, te gebruiken.

'*Me llamo Carlos*. Noem me maar Carlos.'

Nu ik hem wat beter bekijk, zie ik dat Ram een polo met een desig-
nerlogo draagt. Hij heeft dan misschien familie in Mexico, maar ik durf
te wedden dat *su familia* in een heel andere buurt woont dan die van
mij.

'Wat voor leuke dingen zijn hier allemaal te doen?' vraag ik hem.

'Je kunt beter vragen wat er niet te doen is,' zegt Ram. 'Je kunt rondhangen in het Pearl Street-winkelcentrum, naar de bioscoop, hiken,
snowboarden, raften, bergbeklimmen, feesten met chicks uit Niwot en
Longmont.'

Dat zijn allemaal nou niet echt dingen die ik leuk zou noemen, behalve dan dat feesten.

Madison, die lekkere chick, zit voor ons. Naast die strakke kleren die
ze draagt, heeft ze ook nog eens lang, blond haar, volle lippen en grote
chichis die aardig kunnen concurreren met die van Brittany. Niet dat ik
op die manier naar de vriendin van mijn broer kijk, maar je kunt ze
moeilijk over het hoofd zien.

Madison leunt over onze tafel. 'Ik hoor dat je hier nieuw bent,' zegt
ze. 'Ik ben Madison. En jij bent...'

'Carlos,' flapt Ram er uit voor ik iets kan zeggen.

'Hij kan zich vast zelf wel voorstellen, Ram,' sist ze. Dan strijkt ze haar

haar achter haar oor om een stel diamanten oorbellen te showen die zo
glinsteren in de zon dat je er nog door verblind zou raken. Ze leunt naar
me toe en bijt op haar lip. 'Dus jij bent die nieuwe jongen uit *Meh-hee-co*?'

Wat is het toch irritant als die blanke lui hun best doen om Mexicaans te klinken. Ik vraag me af wat ze nog meer over me heeft gehoord.
'*Sí*,' zeg ik.

Ze werpt me een sexy glimlach toe en leunt nog verder naar voren.
'*Estás muy caliente.*' Volgens mij probeert ze te zeggen dat ik lekker ben.
Zo zouden wij dat niet zeggen in Meh-hee-co, maar ik snap wat ze bedoelt. 'Ik zoek nog een goede bijlesleraar voor Spaans. Mijn vorige bleek
een complete loser te zijn.'

Ram schraapt zijn keel. '*Qué tipa!* Voor het geval je het nog niet had
geraden, dat was ik dus.'

Ik kijk nog steeds naar Madison. Ze heeft echt een lekker lijf en ze
heeft er duidelijk geen problemen mee om haar pluspunten te showen.
Meestal val ik meer op donkere, exotische Mexicaanse chicas, maar volgens mij kan geen enkele jongen Madison weerstaan. En dat weet ze.

Als ze door een ander meisje terug naar hun tafel wordt geroepen,
draai ik me om naar Ram. 'Gaf je haar echt bijles of gingen jullie met
elkaar?' vraag ik hem.

'Allebei. Soms tegelijkertijd. We zijn een maand geleden uit elkaar gegaan. Als je slim bent, blijf je bij haar uit de buurt. Ze bijt.'

'Letterlijk?' vraag ik grappend.

'Je wilt echt niet dicht genoeg bij haar in de buurt komen om daar
antwoord op te krijgen. Maar tegen het eind van onze relatie was ik de
leerling en zij de leraar, dat kan ik je wel vertellen. En dan heb ik het
niet over Spaanse les.'

'*Está sabrosa.* Ik waag het er wel op.'

'Ga ervoor, zou ik dan zeggen,' zegt Ram schouderophalend, net wanneer Linke Lenko opstaat om met de les te beginnen. 'Maar ik heb je
gewaarschuwd.'

Ik ben niet van plan om iemands vriendje te worden, maar ik zou het
niet erg vinden om een paar meiden van Flatiron High mee te nemen
naar Alex' appartement, gewoon om te bewijzen dat ik totaal anders ben
dan hij. Ik kijk weer even naar Madison, en ze werpt me een glimlach

toe die meer lijkt te beloven. Ja, zij is echt het perfecte meisje om mee naar Alex' huis te nemen. Ze lijkt op Brittany, maar dan zonder dat brave.

Met veel moeite sla ik me door mijn eerste lessen heen, en ik ben blij dat ik daarna lunchpauze heb. Kiara staat niet zoals beloofd voor het lokaal te wachten als de bel is gegaan, dus loop ik maar naar mijn kluisje om mijn lunch te halen.

Misschien is mijn begeleider ermee gekapt. Ik vind het wel best, alleen kost het me nu tien minuten om de kantine te vinden. Ik loop de lunchzaal binnen en wil net in mijn eentje aan een van de ronde tafels gaan zitten als Ram me naar zich toe wenkt.

'Fijn dat je me hebt afgeschud,' hoor ik een stem achter me zeggen. Ik kijk om naar mijn begeleider. 'Ik dacht dat je ermee was gekapt.'

Ze schudt haar hoofd alsof ze nog nooit zoiets belachelijks heeft gehoord. 'Natuurlijk ben ik er niet mee gekapt. Ik kon alleen niet eerder weg uit de les.'

'Jammer,' zeg ik, zogenaamd meelevend. 'Als ik dat had geweten, had ik wel op je gewacht...'

'Geloof je het zelf?' Ze knikt naar Rams tafel. 'Ga maar bij Ram zitten. Ik zag hem naar je zwaaien.'

Ik kijk haar quasigeschokt aan. 'Geef je me nou serieus toestemming om bij hem te gaan zitten?'

'Je mag ook bij mij komen zitten,' zegt ze, alsof ze me daar een groot plezier mee zou doen.

'Nee, dank je.'

'Dat dacht ik al.'

Kiara gaat in de rij voor de warme lunch staan en ik loop naar Rams tafel. Ik ga op de rugleuning van een stoel zitten terwijl Ram me voorstelt aan zijn vrienden, allemaal blanke gasten die precies op elkaar lijken. Ze praten over meiden en sport en hun droom-footballteam. Ik denk dat geen van hen het ook maar een dag zou uithouden in de suikerfabriek in Mexico. Sommigen van mijn vrienden verdienden nog geen vijftien dollar per dag. De horloges van deze gasten hebben waarschijnlijk al meer gekost dan een heel jaarsalaris van mijn vrienden.

Als Ram weer in de rij gaat staan voor het eten, verschijnt Madison aan onze tafel. 'Hé, jongens,' zegt ze. 'Mijn ouders gaan een weekendje weg. Ik geef vrijdagavond een feest en jullie zijn allemaal uitgenodigd. Maar niets tegen Ram zeggen.'

Madison haalt een tube lipgloss uit haar handtas tevoorschijn. Ze beweegt het kwastje een paar keer op en neer, tuit haar lippen en begint ze te stiften. Net als ik denk dat ze klaar is, vormt ze een perfect ronde O met haar lippen en trekt rondjes met het kwastje. Ik kijk om me heen om te zien of de rest ook naar deze erotische lipgloss-show zit te kijken. En ja hoor, twee van Rams vrienden zijn gestopt met praten, volledig gebiologeerd door dit bijzondere kunstje van Madison. Ram komt terug en richt al zijn aandacht op het eten van zijn peperoni-pizzapunt.

Het gesmak van Madisons lippen brengt mijn aandacht weer bij haar. 'Carlos, ik zal mijn contactinfo even voor je opschrijven,' zegt ze, waarna ze een pen tevoorschijn haalt en mijn arm beetpakt. Ze begint haar telefoonnummer en haar adres op mijn onderarm te schrijven, boven mijn tattoos, alsof ze een artiest is. Als ze klaar is, wuift ze met haar vingers en gaat weer bij haar vriendinnen zitten.

Ik neem een hap van mijn boterham en speur de kantine af op zoek naar Kiara, de tegenpool van Madison. Ze zit naast een jongen met warrig blond haar dat voor zijn gezicht valt. De jongen is ongeveer van mijn lengte en postuur. Is dat haar vriendje? Als dat zo is, heb ik medelijden met hem, want Kiara is het soort meisje dat verwacht dat haar vriendje onderdanig is en haar hielen likt.

Mijn lichaam en geest zijn er niet op ingesteld om onderdanig te zijn, en ik ga nog liever dood dan dat ik iemands hielen moet likken.

4

Kiara

'En, hoe was het om begeleider te zijn?' vraagt mijn moeder me aan de eettafel. 'Ik weet dat je ernaar uitkeek vanmorgen.'

'Niet geweldig,' antwoord ik, terwijl ik mijn kleine broertje een derde servet aangeef omdat zijn hele gezicht onder de spaghettisaus zit.

Ik denk terug aan het eind van het achtste uur, toen ik bij Carlos' klaslokaal aankwam en ontdekte dat hij al naar huis was gegaan. 'Carlos heeft me twee keer laten zitten.'

Mijn vader, een psycholoog die andere mensen ziet als proefpersonen om zijn analyses op los laten, fronst zijn wenkbrauwen terwijl hij een tweede portie sperziebonen opschept. 'Laten zitten? Waarom zou hij dat doen?'

Eh... 'Omdat hij zichzelf te stoer vindt om door de school te worden geleid.'

Mijn moeder aait over mijn hand. 'Het is helemaal niet stoer om je begeleider te laten zitten, maar heb wat geduld met hem. Hij is pas verhuisd. Dat is niet makkelijk.'

'Je moeder heeft gelijk. Niet te snel oordelen, Kiara,' zegt mijn vader. 'Waarschijnlijk probeert hij gewoon uit te zoeken waar hij bij hoort. Alex kwam vanmiddag na school bij me op kantoor langs en we hebben een lang gesprek gevoerd. Arme ziel. Hij is zelf pas twintig, maar is nu ineens ook verantwoordelijk voor een zeventienjarige.'

'Waarom vraag je Carlos morgen niet mee naar huis na schooltijd,' stelt mijn moeder voor.

Mijn vader wijst naar haar met zijn vork. 'Wat een goed idee.'

Carlos zal echt geen zin hebben om bij mij thuis te komen, dat weet ik zeker. Hij heeft maar al te duidelijk gemaakt dat hij deze week alleen maar met me optrekt omdat het moet. Als mijn taak als begeleider er eenmaal op zit vrijdag, hangt hij waarschijnlijk meteen de vlag uit. 'Ik weet niet.'

'Gewoon doen,' zegt mijn moeder, zonder te letten op mijn aarzeling. 'Ik zal koekjes met sinaasappelmarmelade bakken, volgens een nieuw recept dat ik van Joanie heb gekregen.'

Ik weet niet of Carlos wel zo dol is op koekjes met sinaasappelmarmelade, maar... 'Ik zal het hem vragen. Maar je moet niet vreemd opkijken als hij nee zegt.'

'Jij moet niet vreemd opkijken als hij ja zegt,' zegt mijn vader, optimistisch als altijd.

De volgende ochtend, wanneer ik Carlos tussen het derde en het vierde uur naar zijn les begeleid, raap ik de moed bij elkaar om het hem te vragen. 'Heb je zin om na school bij mij thuis langs te komen?'

Hij trekt zijn wenkbrauwen op. 'Vraag je me mee uit?'

Ik klem mijn tanden op elkaar. 'Nee! Helemaal niet.'

'Mooi, want je bent niet mijn type. Ik hou meer van sexy meiden die niet al te slim zijn.'

'Jij bent ook niet mijn type,' snauw ik terug. 'Ik val op slimme, grappige jongens.'

'Ben ik niet grappig dan?'

Ik haal mijn schouders op. 'Misschien ben ik gewoon te slim om je grapjes te snappen.'

'Waarom nodig je me dan bij jou thuis uit?'

'Mijn moeder heeft... koekjes gebakken.' Ik krimp ineen zodra de woorden uit mijn mond rollen. Wie nodigt een jongen nou uit om koekjes te komen eten? Mijn broertje misschien, maar die zit op de kleuterschool. 'Het is geen date of zo,' zeg ik snel, voor hij het idee krijgt dat ik hem stiekem probeer te versieren. 'Alleen maar... koekjes eten.'

Ik wou dat ik dit hele gesprek over kon doen, maar daar is het nu te laat voor.

Als we bij de deur van zijn klaslokaal aankomen, heeft hij nog steeds geen antwoord gegeven.

'Ik zal erover nadenken,' zegt hij, en laat me dan alleen achter in de gang.

Hij zal erover nadenken? Alsof hij míj een groot plezier zou doen door langs te komen in plaats van ik hem?

Aan het eind van de dag zie ik hem weer bij de kluisjes. Ik hoop stiekem dat hij is vergeten dat ik hem heb uitgenodigd, maar hij gaat tegen de kluisjes aan geleund staan, stopt zijn handen in zijn zakken en vraagt: 'Wat voor koekjes?'

Waarom moet hij nou net die vraag stellen?

'Sinaasappel,' zeg ik. 'Sinaasappelmarmelade.'

Hij leunt dichter naar me toe, alsof hij me niet goed heeft verstaan. 'Sinaasappel-wat?'

'Marmelade.'

'Hè?'

'Marmelade.'

Sorry, maar het woord marmelade valt gewoon echt niet op een coole manier uit te spreken, en door al die m's vlak achter elkaar klink ik nogal belachelijk. Maar ik stotterde tenminste niet.

Hij knikt. Ik kan zien dat hij serieus probeert te blijven kijken, maar het lukt niet. Hij barst in lachen uit. 'Kun je dat nog één keer zeggen?'

'Zodat je me uit kunt lachen?'

'Sí. Dat is het enige waar ik nog plezier uit haal in dit leven. Je trapt er ook zo makkelijk in.'

Ik smijt de deur van mijn kluisje dicht. 'Bij deze trek ik mijn uitnodiging officieel in.' Ik loop weg, maar herinner me dan dat ik al mijn huiswerk in mijn kluisje heb laten liggen, dus ik moet weer terug om het open te maken. Snel pak ik de drie boeken die ik nodig heb, stop ze in mijn rugzak en loop naar buiten.

'Als het nu *chocolate chip*-koekjes waren geweest, dan was ik wel gekomen,' roept hij me na, en hij begint te lachen.

Tuck staat op me te wachten op de parkeerplaats voor laatstejaars. 'Waarom ben je zo laat?'

'Ik had ruzie met Carlos.'

'Alweer? Luister, Kiara, het is pas dinsdag. Je zit nog drie dagen met hem opgescheept. Waarom stop je niet gewoon als zijn begeleider, dan ben je van al die ellende af.'

'Omdat dat precies is wat hij wil,' zeg ik, als we in mijn auto zijn gestapt en de parkeerplaats af rijden. 'Ik gun hem het plezier niet om mij telkens te slim af te zijn. Hij is zo irritant.'

'Er moet toch een manier zijn om hem een koekje van eigen deeg te geven.'

Tucks opmerking brengt me op het perfecte idee. 'Dat is het! Tuck, je bent geniaal,' zeg ik opgewekt. Ik maak rechtsomkeert.

'Waar gaan we heen?' vraagt Tuck, naar achteren wijzend. 'Je huis is die kant op.'

'We rijden eerst langs de supermarkt en de bouwmarkt. Ik heb de ingrediënten voor chocolate chip-koekjes nodig.'

'Sinds wanneer bak jij koekjes,' vraagt Tuck. 'En waarom chocolate chip-koekjes?'

Ik werp hem een duivelse glimlach toe. 'Om Carlos een koekje van eigen deeg te geven.'

5

Carlos

Op woensdag loop ik na school naar de garage om Alex op te zoeken. Net als ik de straat wil oversteken, komt er een rode Mustang naast me rijden. Madison Stone zit achter het stuur en de raampjes staan wijd open. Als ik dichterbij kom vraagt ze me waar ik naartoe ga.

'Naar McConnell's. Daar werkt mijn broer,' vertel ik haar. Hij zei dat ik hem kon helpen wat extra geld te verdienen.

'Stap in. Ik breng je wel.'

Madison verbant haar vriendin Lacey naar de achterbank en zegt mij voorin te gaan zitten, naast haar. Ik heb nog nooit ergens gewoond waar je niet werd beoordeeld op je huidskleur of de bankrekening van je ouders, dus ik ben op mijn hoede voor Madisons onmiddellijke belangstelling voor mij. Shit man, ik heb flink proberen te flirten met Kiara voor de les van Linke Lenko maar ze vertrok geen spier en bleef haar lippen stijf op elkaar persen. Ik kreeg alleen een walgende zucht als reactie, al nodigde ze me gisteren wel uit om koekjes te komen eten. Koekjes met sinaasappelmarmelade. Wie vraagt iemand nou om koekjes met sinaasappelmarmelade te komen eten? Het grappigste was nog wel dat ze het volgens mij nog meende ook. Vandaag bracht ze me van lokaal naar lokaal zonder ook maar iets tegen me te zeggen. Ik probeerde haar zelfs aan het praten te krijgen door haar te plagen, maar ze hapte niet.

Madison voert het adres van McConnell's garage in op haar navigatiesysteem.

'Hé, Carlos,' zegt Lacey, die naar voren leunt tussen de twee stoelen door terwijl Madison wegrijdt. Ze tikt me op mijn schouder alsof ik haar niet heb gehoord. 'Is het waar dat je van je oude school bent geschorst omdat je iemand in elkaar hebt geslagen?'

Ik zit hier pas drie dagen op school en er wordt nu al over me geroddeld. 'Drie jongens en een pitbull om precies te zijn,' zeg ik voor de grap, maar volgens mij gelooft ze me nog ook, want ze slaat geschokt haar hand voor haar mond.

'Wauw!' Ze tikt nog eens op mijn schouder. 'Mag je in Mexico honden mee naar school nemen?'

Lacey is nog stommer dan een burrito zonder bonen. 'Ja. Maar alleen pitbulls en chihuahua's.'

'Zou het niet geweldig zijn als ik Puddles mee naar school mocht nemen!' Weer tikt ze op mijn schouder. Ik heb de neiging een paar keer flink terug te tikken zodat ze weet hoe irritant dat is. 'Puddles is mijn labradoodle.'

Wat is een labradoodle nou weer? Wat het ook is, ik durf te wedden dat de pitbull van Lana, mijn nicht, Puddles de Labradoodle wel rauw lust.

'Is je broer degene die je maandag naar school kwam brengen om je in te schrijven?' vraagt Madison.

'Ja,' antwoord ik, terwijl we de parkeerplaats van de garage op rijden.

'Mijn vriendin Gina zei me dat ze jullie twee in het kantoor van de directeur zag. Waren je ouders er niet?'

'Ik woon bij mijn broer. De rest van mijn familie woont in Mexico.' Ik heb geen zin om mijn hele levensverhaal te vertellen, over mijn vader die is omgekomen bij een drugsdeal toen ik vier was en over mi'amá die me praktisch het huis uit heeft geschopt en me hierheen heeft gestuurd.

Madison kijkt geschokt. 'Woon je bij je broer? Zonder ouders?'

'Zonder ouders.'

'Wat een mazzel heb jij,' zegt Lacey. 'Mijn ouders zijn altijd thuis, en mijn zus is compleet gestoord, maar ik vlucht meestal naar Madison, omdat zij geen broers of zussen heeft en haar ouders er nooit zijn.'

Madison kijkt in haar achteruitkijkspiegel. Ze verstijft even als haar ouders worden genoemd, maar dan glimlacht ze weer. 'Ze zijn altijd op reis,' legt ze uit, terwijl ze nog wat van die glanzende lipgloss opdoet. 'Maar ik vind het wel relaxed, want ik kan doen wat ik wil met wie ik maar wil, zonder regels.'

Aangezien mijn leven wordt gedomineerd door mensen die mij hun regels willen opleggen, klinkt haar leven behoorlijk *bueno*.

'*Oh my god*, jij en je broer lijken wel een tweeling,' zegt Lacey als Alex naar de Mustang toe komt lopen.

'Ik zie de gelijkenis niet,' zeg ik terwijl ik het portier opendoe. Madison en Lacey stappen ook uit. Verwachten ze soms dat ik ze voorstel? Ze gaan voor me staan met hun egale blanke huid en hun lipgloss die glinstert in de zon. 'Bedankt voor de lift,' zeg ik.

Ze geven me allebei een *hug*. Madison houdt me extra lang vast. Een duidelijk teken dat ze wel geïnteresseerd is.

Ik kan merken dat Alex niet precies weet wat ik met deze twee chicks moet. Ik sla mijn armen om de schouders van Madison en Lacey. 'Hé, Alex, dit zijn Madison en Lacey. De twee lekkerste chicks van Flatiron High.'

Beide meiden knikken naar Alex en lachen hem stralend toe. Ze genieten van het compliment, al weten ze volgens mij zelf ook wel dat ze lekker zijn en hoeven ze daar niet aan herinnerd te worden.

'Bedankt dat jullie mijn broer een lift hebben gegeven,' zegt Alex, waarna hij zich omdraait en terug naar binnen loopt.

Als de meiden weg zijn, loop ik achter hem aan de garage in, waar hij inmiddels bezig is met de voorbumper van een terreinwagen die zo te zien bij een ongeluk betrokken is geweest.

'Ben je hier alleen?' vraag ik.

'Ja. Help me eens dit ding eraf te halen,' zegt hij, terwijl hij me een kruiskopschroevendraaier toegooit.

Alex en ik werkten vroeger vaak samen aan auto's in de garage van mijn neef Enrique. Het was een van de weinige dingen die we deden als we uit de problemen probeerden te blijven. Mijn broer en neef leerden me alles wat ze wisten over auto's, en de rest heb ik zelf uitgevogeld door de sloopauto's achter in de garage uit elkaar te halen.

Ik duik onder de motorkap van de terreinwagen en begin de schroeven aan de binnenkant los te draaien. Het rinkelende geluid van metaal op metaal galmt door de garage en even heb ik het gevoel dat we weer terug zijn bij Enrique in Chicago.

'Aardige meiden,' zegt mijn broer sarcastisch terwijl we zij aan zij verder werken.

'Ja, vind ik ook. Ik denk erover om hen allebei mee te vragen naar het Homecoming-bal.' Ik stop de schroevendraaier in mijn achterzak. 'O, en voor ik het je vergeet te vertellen: Kiara heeft me gisteren uitgenodigd om bij haar thuis koekjes te komen eten.'

'Waarom ben je niet gegaan?'

'Ik had geen zin, en bovendien heeft ze de uitnodiging weer ingetrokken.'

Alex kijkt op van de bumper naar mij. 'Zeg me alsjeblieft dat je je niet als een complete *pendejo* hebt gedragen.'

'Ik heb haar alleen een beetje geplaagd, meer niet. Als je nog eens een oppas voor me wilt regelen, dan kun je beter iemand zoeken die geen wijde T-shirts draagt met stomme teksten erop. Kiara doet me denken aan een jongen die ik kende in Chicago, Alex. Ik vraag me zelfs af of ze wel een meisje is.'

'Moet ik dat soms b-b-bewijzen?' klinkt de stem van mijn ex-begeleider vanuit de deuropening.

O, shit.

6

Kiara

'Oké,' zegt Carlos met een geamuseerde, uitdagende uitdrukking op zijn gezicht. 'Bewijs het maar.'

Alex steekt zijn hand op. 'Nee. Niet doen.' Hij duwt Carlos tegen de auto en mompelt iets in het Spaans. Carlos mompelt iets terug. Ik heb geen idee wat ze zeggen, maar ze klinken allebei niet blij.

Ik ben ook niet zo blij. Ik kan niet geloven dat ik net weer stotterde. Ik ben echt boos op mezelf dat ik me zo door Carlos heb laten opfokken dat ik over mijn woorden struikelde. Dat betekent dat hij macht heeft over me, en dat maakt me nog kwader. Ik kan niet wachten tot vrijdag, wanneer Operatie Koekje eindelijk van start zal gaan. Ik moet wachten tot de koekjes goed oudbakken zijn, anders werkt het niet. Hij zal het in ieder geval niet verwachten.

Alex beent gefrustreerd weg van Carlos en haalt een doos achter de toonbank vandaan. 'Ik heb je radio getest, maar volgens mij mist er een veertje. Ik denk niet dat hij het doet, maar ik wil het graag even uitproberen. Geef me je sleutels maar, dan rij ik je auto naar binnen.' Hij draait zich naar Carlos. 'Jij zegt niets terwijl ik weg ben.'

Zodra Alex de deur uit is, zegt Carlos: 'Als je toch een keer wilt bewijzen dat je geen jongen bent, dan ben ik van de partij.'

'Je vindt jezelf zeker heel wat als je je als een rotzak gedraagt?' vraag ik.

'Nee. Maar ik vind het wel leuk om mijn broer kwaad te krijgen. En als ik jou kwaad maak, wordt hij ook kwaad. Sorry dat jij daaronder moet lijden.'

'Hou mij erbuiten.'

'Dat kun je voorlopig wel vergeten.' Carlos hurkt neer voor de auto waar ze mee aan de slag waren en trekt aan de bumperkap.

'Je moet eerst de haakjes losmaken,' zeg ik, blij dat ik kan laten zien dat ik meer weet van auto's dan hij. 'Je krijgt hem pas los als je de haakjes los hebt gemaakt.'

'Heb je het over bh's of over bumpers?' vraagt hij, en grijnst me dan verwaand toe. 'Want die kan ik allebei heel goed loshaken.'

Ik had het niet moeten doen. Het was kinderachtig. Maar het kwam door die stomme, seksistische opmerking van Carlos. Die opmerking, plus het feit dat hij me uitlachte om de manier waarop ik 'marmelade' uitspreek, was wat me ertoe dreef om hem een koekje van eigen deeg te geven.

Het is vrijdag. Tuck en ik zijn vanmorgen vroeg naar school gekomen om Carlos' kluisje te prepareren. Dinsdag na school hebben Tuck en ik honderd chocolate chip-koekjes gebakken. Toen ze waren afgekoeld, hebben we bij elk koekje een klein maar krachtig magneetje op de achterkant gelijmd. Nu zijn het oudbakken koekjesmagneten. Als Carlos deze ochtend zijn kluisje opendoet, zal de binnenkant versierd zijn met honderd kleine koekjesmagneten.

Als hij er een los probeert te trekken, zal het koekje breken en in zijn hand verkruimelen. Ik heb supersterke magneetjes gekocht ter grootte van een stuiver. Dat wordt echt een zooitje. Dus heeft hij twee opties: de koekjesmagneten in zijn kluisje laten zitten of ze een voor een lostrekken en bedolven worden onder de koekkruimels.

'Help me onthouden dat ik nooit ruzie met jou moet krijgen,' zegt Tuck terwijl hij voor me op de uitkijk staat. De lessen beginnen pas over drie kwartier dus er lopen maar weinig mensen door de gang.

Ik open Carlos' kluisje met de cijfercode die boven aan zijn rooster stond geschreven, dat meneer House aan mij heeft gegeven. Ik voel me schuldig, maar niet schuldig genoeg om het af te blazen. Ik hang een paar koekjesmagneten op en kijk dan naar Tuck. Hij staat op de uitkijk voor Carlos, of iemand anders die argwaan zou kunnen krijgen. Elke keer dat ik een koekje ophang, moet Tuck grinniken om het geklik van de magneet tegen het metalen kluisje.

Klik. Klik. Klik. Klik. Klik. Klik.

'Hij zal helemaal flippen,' zegt Tuck. 'Hij zal weten dat jij het was, hoor. Eigenlijk is het de bedoeling dat je anoniem blijft als je een grap met iemand uithaalt, zodat je niet wordt gesnapt.'

'Daar is het nu te laat voor.' Ik hang nog meer koekjesmagneten op, maar vraag me af hoe ik ze er alle honderd in moet krijgen. Ik hang ze aan de bovenkant, de achterkant, de binnenkant van de deur, de zijkanten... Er is haast geen plek meer, maar ik ben bijna klaar. Het lijkt wel of de binnenkant van zijn kluisje bruine mazelen heeft.

Ik graai in de tas. 'De laatste.'

Tuck tuurt in het kluisje. 'Dit zou wel eens de beste grap in de geschiedenis van Flatiron High kunnen worden, Kiara. Ik ben trots op je. Hang die laatste maar op de buitenkant, vol in het zicht.'

'Goed idee.' Ik doe het kluisje dicht voor iemand ons kan betrappen, hang het laatste koekje op en kijk dan op mijn horloge. Het mentoruur begint over twintig minuten. 'Nu is het afwachten.'

Tuck kijkt de gang door. 'Er komen mensen aan. Moeten we ons niet verstoppen?'

'Ja, maar ik wil zijn reactie zien,' zeg ik. 'Laten we ons in het lokaal van mevrouw Hadden verstoppen.'

Vijf minuten later komt Carlos aanlopen door de gang. Tuck en ik gluren door het raampje in de deur van het lokaal.

'Daar heb je hem,' fluister ik. Mijn hart bonst in mijn keel.

Carlos fronst zijn wenkbrauwen als hij bij zijn kluisje aankomt en er een groot bruin koekje op ziet hangen. Hij kijkt om zich heen om te zien wie het heeft gedaan. Als hij het koekje eraf probeert te trekken, verkruimelt het in zijn hand, maar het magneetje blijft op zijn kluisje zitten.

'Hoe reageert-ie?' vraag ik aan Tuck, die langer is dan ik en het beter kan zien.

'Hij glimlacht. En hij schudt zijn hoofd. Nu gooit hij het verkruimelde koekje in de prullenbak.'

Het lachen zal Carlos wel vergaan als hij zijn kluisje opendoet en nog negenennegentig koekjesmagneten aantreft.

'Ik ga ernaartoe,' zeg ik tegen Tuck. Ik verlaat het veilige lokaal van mevrouw Hadden en loop naar mijn kluisje alsof er niets aan de hand is.

'Hoi,' zeg ik tegen Carlos, terwijl hij kijkt naar zijn geopende kluisje vol koekjes.

'Je krijgt een tien voor originaliteit en uitvoering.'

'Irriteert het je dat ik overal goede cijfers voor haal, zelfs voor een grap?'

'Ja.' Hij trekt zijn wenkbrauw op. 'Ik ben onder de indruk. Pissig, maar onder de indruk.' Hij doet zijn kluisje weer dicht, met de negenennegentig koekjes nog steeds vastgeklonken aan de binnenkant. Alsof de koekjes niet bestaan lopen we samen naar zijn eerste les.

De hele weg naar zijn lokaal moet ik onwillekeurig glimlachen. Hij schudt zijn hoofd een paar keer, alsof hij niet kan geloven dat ik dit echt heb gedaan.

'Wapenstilstand?' vraag ik.

'Mooi niet. Je mag deze slag dan misschien gewonnen hebben, chica, maar de strijd is pas net begonnen.'

7

Carlos

Ik krijg die koekjesgeur maar niet weg. Hij hangt aan mijn handen, mijn boeken... jezus man, zelfs mijn rugzak ruikt ernaar. Ik heb er een paar uit mijn kluisje proberen los te trekken, maar het werd zo'n zooitje dat ik het maar heb opgegeven. Ik laat ze maar zitten tot ze beginnen te beschimmelen... en dan gooi ik alle kruimels in Kiara's kluisje. Of nog beter, dan lijm ik ze vast aan de binnenkant.

Ik moet Kiara en die koekjes uit mijn hoofd zetten. Er gaat niets boven mi'amá's kookkunsten, maar als ik vandaag uit school thuiskom, probeer ik een echt Mexicaanse maaltijd voor ons te maken met alles wat ik maar kan vinden in Alex' appartement. Dan hoef ik tenminste niet meer aan die stomme chocolate chip-koekjes te denken. Daar word ik gestoord van, net als van het feit dat ik hier nu al bijna een week ben en nog steeds geen pittige, typisch Mexicaanse maaltijd heb gegeten.

Alex buigt zich over de pan met stoofvlees en snuift de geur op. Ik zie aan zijn gezicht dat het hem aan thuis doet denken.

'Het heet *carne guisada*. Het is Mexicaans,' zeg ik extra langzaam, alsof hij er nog nooit van heeft gehoord.

'Ik weet wat het is, wijsneus.' Hij legt het deksel terug op de pan, dekt de tafel en gaat dan weer verder studeren.

Een uur later gaan we aan tafel. Ik kijk toe terwijl mijn broer zijn eerste portie naar binnen schrokt en snel nog eens opschept.

'Weinig gegeten?'

'Dat was allemaal niet zo lekker als dit.' Alex likt zijn vork af. 'Ik wist niet dat je kon koken.'

'Er zijn nog wel meer dingen die je niet van me weet.'

'Vroeger wist ik alles van je.'

Ik speel met het eten op mijn bord, maar heb ineens geen honger meer. 'Dat was lang geleden.' Ik blijf naar mijn eten staren. Ik ken mijn eigen broer niet eens meer. Nadat hij was neergeschoten, was ik volgens mij gewoon te bang om daar met hem over te praten, omdat het dan echt zou worden. Alex heeft nooit verteld wat er precies is gebeurd toen hij uit de Latino Blood werd geschopt, en ik heb er nooit naar gevraagd. Maar gisterochtend kreeg ik er wel een idee van. 'Ik heb je littekens gezien toen je gisteren uit de douche kwam.'

Hij stopt met eten en legt zijn vork neer. 'Ik dacht dat je nog sliep.'

'Niet dus.' Het beeld van de lelijke littekens op zijn rug die eruitzagen als zweepslagen, staat in mijn geheugen gegrift. Toen ik de bobbelige huid tussen zijn schouderbladen zag met de letters LB er permanent ingebrand alsof hij een stuk vee was, voelde ik zoveel haat en woede in me opborrelen dat ik er kippenvel van kreeg.

'Vergeet het maar gewoon,' zegt Alex.

'Dacht het niet.' Alex is niet de enige Fuentes die erg beschermend is voor zijn familie. Als ik terugkom in Chicago en de klootzak vind die Alex heeft gebrandmerkt, dan is hij er geweest. Ik mag me dan misschien afzetten tegen mi familia, maar ze zijn nog steeds mijn bloedverwanten.

Alex is niet de enige met littekens. Ik heb meer gevechten op mijn naam staan dan een professionele bokser. En als Alex naast die littekens ook de tattoos van de Guerrero op mijn rug zou zien, zou hij pisnijdig worden. Ik woon dan wel in Colorado, maar ik ben nog steeds aan ze verbonden.

'Brittany en ik gaan vanavond bij haar zus Shelley op bezoek. Zin om mee te gaan?'

Ik weet dat Brittany's zus gehandicapt is en in een huis voor begeleid wonen zit vlak bij de universiteit. 'Ik kan niet. Ik ga vanavond uit,' zeg ik tegen Alex.

'Met wie?'

'Volgens mij is onze papá toch echt dood. Ik hoef me tegenover jou niet te verantwoorden.'

Alex en ik staren elkaar uitdagend aan. Vroeger kon hij me gemakkelijk de baas, maar nu niet meer. We staan op het punt elkaar aan te vliegen, maar dan gaat de deur open en komt Brittany binnen.

Ze moet de spanning in de lucht voelen hangen, want haar glimlach verdwijnt van haar gezicht als ze bij de tafel komt. Ze legt haar hand op Alex' schouder. 'Alles goed?'

'Alles is *perfecto*. Toch, Alex?' zeg ik. Dan pak ik mijn bord en loop langs haar heen naar de keuken.

'Nee. Ik stelde hem een simpele vraag en hij wil niet eens antwoord geven,' zegt Alex.

Dat soort dingen horen toch alleen ouders te zeggen? Ik slaak een gefrustreerde zucht. 'Ik ga alleen maar naar een feest, Alex. Ik ga heus niet iemand omleggen of zo.'

'Een feest?' vraagt Brittany.

'Ja. Ooit van gehoord?'

'Ik heb er wel van gehoord, ja. En ik weet ook wat er op feestjes gebeurt.' Ze gaat naast Alex zitten. 'Wij gingen ook naar feestjes toen we op high school zaten, maar we hebben van onze fouten geleerd, en hij zal ook van zijn fouten leren. Je kunt hem niet tegenhouden,' zegt ze tegen mijn broer.

Alex wijst me beschuldigend aan. 'Je zou die meiden eens moeten zien met wie hij van de week rondhing, Brittany. Ze leken precies op die gestoorde Darlene. Herinner je je haar nog? Dat meisje zou nog met het hele footballteam naar bed zijn gegaan als dat haar populariteit zou hebben vergroot.'

Mijn broer doet weer eens hard zijn best om het voor me te verpesten. Bedankt, bro.

'Nou, het was erg gezellig om jullie te horen discussiëren over mijn leven terwijl ik er zelf bij zat, maar ik moet gaan.'

'Hoe ga je?' vraagt Alex.

'Lopend. Tenzij...' Ik werp een blik op Brittany's sleutels die boven op haar tas liggen.

'Hij mag mijn auto wel lenen,' zegt ze tegen mijn broer. Ze zegt het niet tegen mij, want stel je toch eens voor dat een van hen een keer iets zou besluiten zonder de ander eerst om toestemming te vragen. 'Maar geen drank. Of drugs.'

Alex schudt zijn hoofd. 'Slecht idee.'

Ze pakt zijn hand vast. 'Ik vind het prima, Alex. Echt. We wilden toch al met de bus naar mijn zus gaan.'

Heel even begin ik de vriendin van mijn broer zowaar aardig te vinden, maar dan herinner ik me weer hoe ze zijn leven dicteert en is dat warme, prettige gevoel als sneeuw voor de zon verdwenen.

Ik pak Brittany's sleutels en zwaai ze in het rond. 'Kom op, Alex. Maak mijn kloteleven nou niet nog erger dan het al is.'

'Oké,' zegt hij. 'Maar als die auto niet in perfecte staat terugkomt, dan zwaait er wat.'

Ik salueer naar hem. 'Ja, meneer.'

Hij haalt zijn mobieltje uit zijn achterzak en gooit het naar me toe. 'En neem dit mee.'

Snel loop ik de deur uit, voor een van hen van gedachten kan veranderen. Ik ben vergeten te vragen waar haar auto staat geparkeerd, maar hij is niet moeilijk te vinden. De BMW staat fonkelend als een diamant voor de deur van het appartementencomplex en roept me naar zich toe.

Ik haal een stuk papier met Madisons adres uit mijn achterzak. Ik heb het opgeschreven voor ik het van mijn arm heb gewassen. Nadat ik eenmaal heb uitgevogeld hoe het navigatiesysteem werkt, voer ik het adres in, doe het dak open en scheur weg. Vrijheid... eindelijk.

Ik parkeer aan de straat en loop de lange oprit naar Madisons huis op. Ik weet dat ik op het juiste adres ben, want er schalt muziek uit het raam op de eerste verdieping en er hangen wat jongeren rond op het gazon. Het huis is gigantisch. In eerste instantie weet ik niet zeker of het één woning is of een heel appartementencomplex, tot ik dichterbij kom en zie dat het één grote villa is. Ik stap het wanstaltige bouwwerk binnen en herken een paar klasgenoten.

'Carlos is er!' gilt een meisje. Ik doe net of ik de reeks gilletjes die volgen niet hoor.

Madison, gekleed in een kort zwart jurkje, baant zich een weg door de menigte met een blikje bier in haar hand en slaat haar armen om me heen. Volgens mij morst ze bier over mijn rug. 'O my god, je bent er.'

'Yep.'

'Laten we eerst wat te drinken voor je pakken. Kom mee.'

Ik loop achter haar aan naar de keuken, die zo uit een tijdschrift lijkt te komen. De apparatuur is van roestvrij staal en het aanrechtblad bestaat uit grote blokken graniet. Naast de gootsteen staat een enorme emmer die tot aan de rand toe is gevuld met ijs en bierblikjes. Ik pak een blikje.

'Is Kiara er ook?' vraag ik.

Madison haalt haar neus op. 'Wat denk je zelf?'

Dat zegt eigenlijk wel genoeg.

Ze haakt haar arm door die van mij en leidt me naar een gang, en dan een trap op. 'Ik wil je aan iemand voorstellen.' Ze stopt voor een kamer die vol staat met vijf kolossale speelautomaten, een pooltafel en een airhockeytafel.

Het is de droom van elke jongen.

En het stinkt er naar wiet. Volgens mij word ik al stoned van de lucht alleen.

'Dit is de recreatieruimte,' legt Madison uit.

Volgens mij geeft deze kamer een heel nieuwe betekenis aan het concept recreatieruimte.

Er zit een blanke jongen onderuitgezakt op een bruine leren bank, alsof hij daar wel voor altijd zou willen blijven zitten. Hij draagt een wit T-shirt, een zwarte spijkerbroek en laarzen, en ik zie meteen dat hij zichzelf erg stoer vindt. Er staat een hasjpijp op een klein tafeltje voor hem.

'Carlos, dit is Nick,' zegt Madison.

Nick knikt naar me.

Ik knik terug. '*Wha's up.*'

Madison gaat naast Nick zitten, pakt de hasjpijp en de aansteker die ernaast ligt, en neemt een flinke hijs. Fuck, die meid kan blowen, zeg.

'Nick wilde je graag ontmoeten,' vertelt ze me. Ik zie dat ze bloeddoorlopen ogen heeft en vraag me af hoeveel ze al heeft geblowd voor ik aankwam.

Lacey steekt haar hoofd door de deuropening. 'Madison, ik heb je nodig!' krijst ze. 'Kom snel!'

Madison zegt dat ze zo terug is en stommelt de kamer uit.

Nick wenkt me naar zich toe op de bank. 'Ga zitten.'

Deze gast is veel te gladjes, dus ik ben meteen op mijn hoede. Ik ken dit spelletje, want ik heb in mijn leven al honderden jongens als Nick ontmoet. Shit man, in Mexico was ik zelf een 'Nick'.

'Deal jij dit spul?' vraag ik.

Hij grinnikt. 'Als je wat wilt kopen wel, ja.' Hij reikt me de hasjpijp aan. 'Wil je een trekje?'

Ik hou mijn blikje bier omhoog. 'Misschien later.'

48

Hij kijkt me met samengeknepen ogen aan. 'Je bent toch niet van de narcoticabrigade, of wel?'

'Zie ik eruit als iemand van de narcoticabrigade?'

Hij haalt zijn schouders op. 'Je weet maar nooit. Narcoticalui heb je tegenwoordig in alle soorten en maten.'

Ik moet meteen aan Kiara denken. Zij is inmiddels zeker mijn dagelijkse bron van vermaak. Telkens als ik mijn best doe om haar kwaad te krijgen, probeer ik haar reactie te peilen. Als ik een grove opmerking maak of loop te flirten met een meisje perst ze haar roze lippen stijf op elkaar. Maar wat ik ook allemaal tegen haar heb gezegd en hoeveel koekkruimels er ook in mijn kluisje liggen, ik zal haar nog gaan missen als mijn begeleider.

Ik heb nog niet besloten wat ik ga doen om haar terug te pakken voor die koekjesstunt. Maar wat het ook wordt, ze zal het niet zien aankomen.

'Ik heb gehoord dat Madison met je naar bed wil,' zegt Nick, terwijl hij een zak pilletjes uit zijn broekzak haalt. Hij strooit ze uit over de tafel.

'O ja?' vraag ik. 'Van wie heb je dat gehoord?'

'Van Madison. En weet je wat?'

'Nou?'

Hij stopt een klein blauw pilletje in zijn mond en gooit zijn hoofd in zijn nek om het door te slikken. 'Meestal krijgt Madison wat ze wil.'

8

Kiara

'Ik ben kleurenblind,' klaagt meneer Whittaker met zijn norse, krakende stem, terwijl hij een penseel in een potje met bruine verf doopt en het op het schilderdoek smeert. 'Is dit groen? Hoe kan ik nou ooit iets schilderen als er niet op staat welke kleur het is?'

De schilderles in The Highlands, Verblijfhuis voor Ouderen, ook wel bekend als het verzorgingstehuis, is nooit saai. De vaste tekenleraar is ermee gestopt, maar omdat ik toch al als vrijwilliger bij het schilderuurtje meehielp heb ik de les maar min of meer overgenomen. De leiding zorgt voor de verf, en ik bedenk opdrachten voor de mensen die graag willen schilderen op vrijdagavond na het eten.

Terwijl ik me naar meneer Whittaker haast, komt er een klein oud dametje met sneeuwwit haar genaamd Sylvia op ons af geschuifeld. 'Hij is niet kleurenblind,' zegt Sylvia schor terwijl ze achter een nog vrije schildersezel plaatsneemt. 'Hij is gewoon blind.'

Meneer Whittaker kijkt me aan met zijn magere, verweerde gezicht terwijl ik naast hem neerkniel en met een dikke zwarte stift per potje aangeef welke kleur erin zit. 'Ze is gewoon gepikeerd omdat ik niet met haar wilde dansen op de dansavond vorige week,' zegt hij.

'Ik ben gepikeerd omdat je gisteren met het avondeten je gebit was vergeten in te doen.' Ze gebaart met haar hand. 'Ik zat continu tegen je tandvlees aan te kijken. Mooie casanova ben jij,' zegt ze verontwaardigd.

'Troela,' gromt meneer Whittaker.

'Misschien moet u bij de volgende dansavond toch maar een keer met haar dansen,' opper ik. 'Dan voelt ze zich weer jong.'

Hij pakt me vast met zijn eeltige, reumatische vingers en trekt me naar zich toe. 'Ik heb twee linkervoeten. Maar zeg dat maar niet tegen Sylvia, want daar zou ze me flink mee plagen.'

'Geven ze hier geen dansles?' fluister ik in zijn oor, luid genoeg zodat hij het kan verstaan maar de rest van de groep niet.

'Ik kan amper lopen. Een Fred Astaire zal ik nooit worden. Maar als jij nu de danslerares was in plaats van die oude heks van een Frieda Fitzgibbons, dan zou ik zeker naar de les komen.' Hij beweegt zijn borstelige wenkbrauwen op en neer en geeft me een tik op mijn kont.

Ik steek berispend mijn vinger op en zeg plagend: 'Heeft niemand u ooit verteld dat dat seksuele intimidatie is?'

'Ik ben een vieze ouwe snoeperd, liefje. In mijn tijd bestond seksuele intimidatie nog helemaal niet en stonden vrouwen nog gewoon toe dat een man een drankje voor hen bestelde en de deur voor hen openhield... en in hun kont kneep.'

'Ik laat jongens wel de deur voor me openhouden, zolang ze er maar niets voor terug willen. Maar op mijn kont slaan of erin knijpen hoeft van mij niet zo nodig.'

Hij wuift me weg. 'Ach, die meiden van tegenwoordig willen alles hebben... en nog een schepje erbovenop.'

'Luister maar niet naar hem, Kiara,' zegt Sylvia, en ze wenkt me. 'Je moet een lieve jongen zoeken... een echte heer.'

'Die bestaan niet,' zegt Mildred naast haar.

Een lieve jongen. Ik dacht dat Michael lief was, maar hij kon me niet eens dumpen als 'een echte heer'. 'Misschien blijf ik gewoon de rest van mijn leven vrijgezel.'

Mildred en Sylvia schudden allebei zo wild hun hoofd dat hun witte haar heen en weer zwaait. 'Nee!' roepen ze allebei.

'Dat wil je ook weer niet,' zegt Sylvia.

'Nee?'

'Nee.' Ze kijkt naar meneer Whittaker. 'Want we hebben ze nodig... zelfs al zijn ze de duivel zelve.' Ze gebaart me dichterbij te komen. 'Ik zou het niet erg vinden als hij míj een tik op mijn billen gaf.'

'Wat je zegt, meid,' zegt Mildred terwijl ze met haar penseel over het doek veegt. Ze schildert een figuur die verdacht veel weg heeft van een naakte man. 'Waarom vraag je die aardige jongen, Tuck, niet of hij voor ons wil komen poseren? Je zei dat we een keer naar levend model zouden gaan schilderen.'

'Ik dacht eerder aan een hond,' antwoord ik.

'Nee, zeg. Regel maar een mannelijk model voor ons.'

'Ik ga niet een of andere vent schilderen,' roept meneer Whittaker vanaf de andere kant van de zaal. 'Dan moet Kiara ook poseren.

'Ik beloof niets,' zeg ik tegen de klas. Eens zien wat Tuck zegt als ik hem vanavond bel om te vragen of hij als mannelijk model voor mijn schilderklasje wil poseren. Misschien doet hij het nog ook.

9

Carlos

'Hééé,' lalt Madison. 'Daar ben ik weer.'

En ze heeft nog een stuk of tien mensen bij zich. Ze gaan allemaal rond de hasjpijp zitten, geven hem aan elkaar door en nemen om de beurt een hijs. Ik vraag me af wat Kiara en haar vrienden vanavond aan het doen zijn. Ze zit vast te leren voor haar eindexamen of zoiets, zodat ze naar een goede universiteit kan, terwijl ik op een feest met een hasjpijp en blauwe pilletjes ben.

Nick heeft de pilletjes op een schaaltje gelegd. Het doet me denken aan die Pu-pu Platter van Alex.

Met een brede glimlach geeft Madison me de hasjpijp aan, en ik wil alle gedachten aan Kiara en eindexamens en braaf zijn maar wat graag verdrijven. Ik ben een gangster, dus het wordt hoog tijd dat ik me ook zo gedraag.

Ik neem een trekje en inhaleer de zoete rook krachtig. Het spul is behoorlijk sterk, want ik voel de effecten nog voor ik de pijp zelfs maar kan doorgeven aan de persoon naast me. Als de pijp voor de tweede keer langskomt, neem ik een flinke hijs. Na de vierde keer ben ik zo stoned dat Kiara met haar koekjes me niets meer kan schelen, net zomin als Alex die me continu aan mijn kop loopt te zeuren.

Op dit moment wil ik me alleen nog maar bezighouden met belangrijke levensvragen, zoals... 'Waarom scheert Linke Lenko haar snor niet?'

'Misschien is ze een vermomde kerel,' zegt Nick.

'Maar waarom zou hij zich dan als lelijke vrouw verkleden?' Ik bedoel, serieus.

'Misschien is hij een lelijke man en moet hij wel.'

'Klinkt logisch.' Ik kijk toe terwijl Madison nog een hijs neemt. Ze ziet me naar haar kijken en glimlacht dan naar me terwijl ze op mijn schoot kruipt en langs haar lippen likt. Gezien de lengte en het spitse puntje van haar tong zou ik bijna gaan denken dat ze familie is van een leguaan. Ze leunt naar voren, met haar chichis vlak voor mijn gezicht.

'Nick heeft het beste spul,' kirt ze, waarna ze achteroverleunt en zich uitrekt op mijn schoot als een kat op een kleedje. Het lijkt me wel duidelijk dat ik dan het kleedje ben. Ze draait zich om, komt weer boven op me zitten en slaat haar armen om mijn nek. Haar oogleden hangen op halfzeven. 'Je bent sexy.'

'Jij ook.'

'We passen perfect bij elkaar.' Ze strijkt met haar vinger langs mijn kin en leunt naar voren. Die leguanentong van haar komt weer tevoorschijn en ze begint met haar lichaam tegen me aan te schuren. Ze likt over mijn kin, iets wat eerlijk gezegd nog nooit een meisje bij me heeft gedaan. En ik zit er eigenlijk niet op te wachten dat dit meisje het een tweede keer doet.

We beginnen te tongen waar iedereen bij is. Volgens mij vindt Madison het wel leuk om in het middelpunt van de belangstelling te staan, want als een van de meiden tegen een van de jongens zegt dat hij niet zo naar ons moet staren, leunt Madison achterover en begint haar shirt langzaam omhoog te trekken, als een stripper die me een lapdance geeft. Het is wel duidelijk dat Madison graag wil worden bekeken en bewonderd door alle jongens, en benijd door alle meiden.

Dit meisje is echt een exhibitionist, maar als ik naar links kijk en Lacey topless zie tongen met Nick, begin ik me af te vragen of het soms de bedoeling is dat we allemaal onze seksuele vaardigheden aan elkaar showen.

Zo ben ik niet. 'Laten we een rustig plekje opzoeken,' zeg ik, als ze haar hand omlaag steekt en me door mijn broek heen begint te strelen.

Ze schuift langzaam van mijn schoot af en steekt haar hand uit. 'Kom mee.'

De avond gaat veel te snel. Ik zou liever een beetje chillen, en in mijn achterhoofd bedenk ik dat Ram me voor Madison heeft gewaarschuwd, maar ze pakt mijn hand en trekt me overeind.

'Veel plezier, jullie twee,' roept Nick ons na.

Twee minuten later stappen we een gigantische kamer binnen met een kingsize bed tegen de muur.

'Jouw kamer?' vraag ik.

Madison schudt haar hoofd. 'Die van mijn ouders, maar ze zijn er bijna nooit. Op dit moment zitten ze in Phoenix.' Ik bespeur iets verbitterds in haar stem, en ik weet zeker dat vrijen in hun bed haar manier is om wraak op hen te nemen.

Moet ik tegen haar zeggen dat ik het liever op de grond doe dan in het bed van haar ouders?

'Laten we naar jouw kamer gaan,' zeg ik.

Ze schudt haar hoofd en trekt me mee naar het bed.

'Wat heeft Ram over mij gezegd?' vraagt ze.

'Dat kan ik me op dit moment niet echt herinneren,' antwoord ik. 'Ik ben net zo stoned als jij.'

'Probeer het je nou gewoon te herinneren. Heeft hij verteld waarom het uitging tussen ons? Want het was heus niet allemaal mijn schuld, hoor. Ik bedoel, het is niet zo dat ik wist wat hij wist en dat ik niet wist waar ik mee bezig was. En als ik dat wel had geweten, deed ik het heus niet omdat ik wist dat hij het wist. Het is niet zo dat zijn moeder erachter zou zijn gekomen en ons allemaal zou hebben laten arresteren.'

Ik krijg hoofdpijn van haar geklets. 'Oké,' zeg ik. Ik heb geen idee wat ze nou precies zei, maar 'oké' lijkt me wel een gepaste reactie. Hoop ik.

'Echt?' zegt ze glimlachend.

Wat? Ik heb geen flauw idee waar ik het over heb. Of waar zij het over heeft.

Ze omhelst me stevig en haar chichis worden tegen mijn borst gedrukt. Ik hoop maar dat ze niet uit elkaar knappen onder al die druk.

Het beeld van uit elkaar knappende chichis geeft me de rillingen. Mijn gedachten dwalen af naar Kiara en hoe zij eruit zou zien onder die gigantische T-shirts van haar. Even denk ik zelfs dat het onbekende van Kiara's lichaam veel sexyer is dan datgene waar Madison elke dag mee te koop loopt.

Ik knijp mijn ogen dicht. Wat loop ik nu weer te ijlen? Kiara is niet sexy. Ze is irritant en loopt me nog meer uit te dagen dan mijn eigen familie.

'Heb ik je al verteld wat Kiara met mijn kluisje heeft gedaan?' vraag ik.

Ze haalt haar schouders op. 'Het kan me niet echt schelen wat Kiara doet. Hou eens op met praten over een ander meisje als je hier bij mij bent.' Ze heeft gelijk. Ik moet ophouden over Kiara. Ik hou juist van dingen waar ik helemaal niets voor hoef te doen, en daar hoort Kiara niet bij. Madison wel.

Voor ik het weet, gaat het er ineens aardig verhit aan toe tussen mij en Madison in het bed van haar ouders. Ze zit boven op me en haar haren vallen over mijn gezicht. Volgens mij hebben we haar haar in onze mond tijdens het zoenen, maar zij lijkt het niet te merken.

Ze leunt naar achteren. 'Wil je hét doen?' lispelt ze.

Natuurlijk wil ik hét doen. Maar als ik opzij kijk en haar ouders naar ons zie glimlachen vanaf een foto op het nachtkastje, wordt het me ineens duidelijk. Ze wil me niet om wie ik ben – ze wil me omdat ik een stonede gangster ben, precies het tegenovergestelde van degene met wie haar ouders haar graag zouden zien.

Mezelf voorhouden dat ik een gangster ben is één ding, maar mezelf ook zo gedragen is iets heel anders. 'Ik moet ervandoor,' zeg ik snel.

'Wacht. O nee, ik voel me niet zo lekker. Volgens mij moet ik overgeven.' Ze hijst zichzelf overeind, rent naar de badkamer en doet de deur achter zich op slot. Een paar tellen later klinken er kokhals- en kotsgeluiden door de kamer.

Ik klop op de deur. 'Gaat het?'

'Ja.'

'Doe de deur open, Madison.'

'Nee. Ga Lacey halen.'

Ik doe wat ze zegt, en even later stormen Lacey en een stel andere meiden de kamer binnen om haar te helpen. Ik sta toe te kijken vanuit de deuropening terwijl zij Madison behandelen alsof ze echt heel ziek is, en niet gewoon moet kotsen omdat ze dronken en stoned is.

Als ik daar twintig minuten volkomen genegeerd heb gestaan en er zeker van ben dat Madison in goede handen is, besluit ik dat ik wel klaar ben met dit feest.

Buiten haal ik Brittany's sleutelbos met roze hartjessleutelhanger te-voorschijn. Ik start de motor en zet de auto in zijn één, maar als ik op-kijk en de strepen op de weg voor mijn ogen zie dansen, weet ik dat dit niet gaat lukken. Ik ben te stoned, te dronken, of allebei.

Shit. Ik heb twee opties. Terug naar binnen gaan en daar een plek zoe-ken om te pitten, of in de auto blijven slapen.

Die keuze is snel gemaakt.

Ik trek aan de hendel om de stoel te laten zakken en sluit mijn ogen. Hopelijk kan ik morgen achterhalen wat er vanavond nou precies is gebeurd.

Licht. Te veel licht. Als ik mijn ogen opendoe, schijnt het ochtendzonnetje recht in mijn gezicht. Ik lig nog steeds in Brittany's auto. Met het dak open. Als ik weer bij Alex' appartement aankom, zit hij aan tafel met een kop koffie in zijn hand.

Hij staat op als ik Brittany's sleutels op de tafel gooi.

'Je zei dat je met een paar uur weer thuis zou zijn. Weet je dat het al negen uur is? *Por la mañana.*'

Ik wrijf in mijn ogen. 'Alsjeblieft, Alex,' kreun ik. 'Kun je op z'n minst tot vanmiddag wachten voor je me gaat uitkafferen?'

'Ik ga je niet uitkafferen. Ik laat je alleen nooit meer in Brittany's auto rijden.'

'Mij best.' Ik zie dat het luchtbed er nog ligt. Ik plof erop neer en doe mijn ogen dicht.

Alex trekt het kussen onder mijn hoofd vandaan. 'Ben je stoned?'

'Niet meer, helaas.' Ik pak het kussen terug.

Ik hoor dat mijn broer op zijn bed gaat zitten en een diepe zucht slaakt. Die arme jongen heeft vast gewoon wat wiet nodig om te ontspannen. Ik zweer dat ik zijn ogen als twee laserstralen in mijn schedel voel branden.

'Wat moet je?' mompel ik in mijn kussen.

'Denk je dan verdomme echt alleen maar aan jezelf?'

'Eigenlijk wel, ja.'

'Heb je er misschien aan gedacht dat ik me zorgen om je zou maken?'

'Nee. Dat is totaal niet bij me opgekomen.'

Er klopt iemand op de deur waardoor hij godzijdank ophoudt met vragen stellen.

'Hé, chica,' hoor ik mijn broer zeggen.

Laat me raden: het is Brittany.

'Carlos is vergeten het dak dicht te doen,' zegt ze tegen Alex. 'En het begint te regenen. Hij heeft je mobieltje op de passagiersstoel laten liggen. Ik hoop dat-ie het nog doet.'

Als die twee ooit gaan trouwen, heb ik medelijden met hun kinderen. Hopelijk maken die *niños* er nooit een puinhoop van... want Brittany en Alex kijken me allebei aan alsof ze me levenslang huisarrest willen geven.

Maar dan hebben ze pech, want ze zijn mijn ouders niet.

10

Kiara

Op maandag doen de wildste geruchten de ronde over het feest van Madison Stone. De meeste gaan erover dat Madison en Carlos in het bed van haar ouders hebben liggen flikflooien.

Op dinsdag en woensdag zie ik dat Madison tijdens de lunch bij Carlos aan tafel zit.

Op donderdag is Carlos er niet eens in de lunchpauze. Madison ook niet. Het kersverse koppel heeft vast samen een rustig plekje opgezocht.

Op vrijdagochtend staat Carlos bij zijn kluisje, dat nog steeds vol hangt met koekjes. 'Hoi,' zegt hij.

'Hoi,' zeg ik terug.

Ik voer mijn cijfercode in, maar mijn kluisje gaat niet open.

Ik probeer het nog eens. Ik weet dat ik de cijfers goed heb, maar de deurhendel geeft niet mee.

Ik probeer het nog een keer.

Carlos kijkt over mijn schouder. 'Lukt het niet?'

'Jawel.'

Weer probeer ik het, en dit keer rammel ik flink aan de hendel, maar weer gebeurt er niets.

Hij tikt met zijn vingers tegen het metaal. 'Misschien ben je de code vergeten.'

'Ik weet mijn code heus wel. Ik ben niet dom.'

'Weet je dat zeker? Want dat vind ik namelijk heel aantrekkelijk.'

Ik denk weer aan de roddels over hem en Madison. Ik weet niet eens waarom, maar het idee van hen samen wakkert mijn woede aan. 'Ga nou maar weg.'

Hij haalt zijn schouders op. 'Wat jij wil.' De eerste bel gaat. 'Nou, succes. Als je het mij vraagt, lijkt het erop dat iemand ermee heeft geknoeid.' Hij pakt zijn boeken uit zijn kluisje en wandelt door de gang.

Ik ren hem achterna en grijp hem bij de arm. 'Wat heb je met mijn kluisje gedaan?'

Hij blijft staan. 'Het zou kunnen dat ik de code heb veranderd.'

'Hoe?'

Hij grinnikt. 'Als ik je dat vertel, zal ik je moeten vermoorden.'

'Heel grappig. Zeg me wat de nieuwe code is.'

'Dat zal ik je zeker vertellen...' Hij tikt met zijn vinger op mijn neus. 'Zodra alle koekjes uit mijn kluisje zijn verdwenen. Inclusief alle kruimels. Later!' zegt hij, waarna hij snel het klaslokaal in duikt en mij alleen achterlaat in de gang, zodat ik zelf maar moet uitvogelen hoe ik dit moet oplossen... en wat mijn volgende zet zal zijn.

Bij Engels krijgen we onze opstellen terug van meneer Furie. Hij roept ons een voor een naar zijn bureau.

'Kiara,' roept hij.

Ik loop naar voren om mijn opstel te halen. Meneer Furie glimlacht niet als hij het aan me teruggeeft. 'Je kunt veel beter dan dit, Kiara. Daar ben ik van overtuigd. Doe in het vervolg beter je best, en schrijf niet alleen maar op wat je denkt dat ik wil lezen.'

Als ik terugloop naar mijn tafel, kom ik langs Madison. 'Hoe gaat het met Carlos?' vraagt ze.

'Prima.'

'Je weet dat hij alleen maar met je omgaat omdat hij medelijden met je heeft, toch? Best triest, eigenlijk.'

Ik negeer haar en ga aan mijn tafel zitten. Er staat een dikke rode 6 op het papier dat meneer Furie me zojuist heeft teruggegeven. Niet best, zeker niet als ik een studiebeurs wil aanvragen.

'Ik wil dat jullie in de komende vijftien minuten een betoog schrijven,' zegt meneer Furie.

'Waarover?' vraagt Nick Glass.

'Het betoog moet gaan over...' Meneer Furie pauzeert even om de spanning op te voeren en ieders aandacht te trekken. Hij gaat op de rand van zijn bureau zitten en zegt: '... de vraag of mensen uit realityseries als beroemdheden kunnen worden beschouwd.'

Er stijgt geroezemoes op in de klas.

'Hou het lawaai beperkt, mensen.'

'Hoe kunnen we nou een betoog schrijven als we geen tijd hebben om informatie op te zoeken?' vraagt iemand achter in de klas.

'Ik ben geïnteresseerd in je ideeën hierover, niet in wat je hebt opgezocht. Als je met een vriend staat te praten en hem wilt overhalen om iets te doen of zijn mening over iets te veranderen, dan kun je ook niet zeggen: "Wacht even, dat moet ik eerst onderzoeken of berekenen." Je bedenkt je argumenten gewoon ter plekke. Dat vraag ik jullie nu ook te doen.'

Meneer Furie loopt door het lokaal terwijl we zitten te schrijven. 'Je kunt extra punten verdienen door je betoog hardop voor te lezen voor de klas.'

Mooi. Ik kan wel wat extra punten gebruiken, en ik weet dat ik mijn betoog kan voorlezen zonder te stotteren. Ik wéét dat ik het kan.

'Pennen neer,' beveelt meneer Furie een kwartier later. Hij vouwt zijn handen in elkaar. 'Oké, zijn er vrijwilligers die als eerste willen voorlezen?'

Ik steek mijn hand op.

'Juffrouw Westford, kom maar naar voren om je ideeën met ons te delen.'

'O nee, niet zij,' hoor ik Madison naast me kreunen. Lacey begint te lachen, samen met een stel van hun vriendinnen.

'Is er iets aan de hand, Madison?'

'Nee, meneer Furie. Ik brak bijna mijn nagel!' Ze wuift naar hem met haar gemanicuurde vingers.

'Bewaar je nagelperikelen maar voor na de les. Kiara, kom maar naar voren.'

Ik pak mijn opstel en loop naar voren. Ik hou mezelf voor dat ik rustig moet blijven ademhalen en goed over mijn woorden moet nadenken voor ik iets zeg. Als ik eenmaal voor de klas sta, kijk ik naar mijn leraar. Hij glimlacht me vriendelijk toe. 'Ga je gang.'

Ik schraap mijn keel en slik, maar nog voor ik iets kan zeggen voel ik mijn tong dikker worden. Dat komt door Madison. Ze heeft me in de war gebracht, maar daar kan ik me wel overheen zetten. Ik hoef haar geen macht te geven over mijn gestotter. Ontspan. Bedenk goed wat je wilt zeggen. Vergeet niet te blijven ademhalen.

'Ik d-d-denk...' Ik staar omlaag naar mijn papier. Ik voel dat alle ogen op mij zijn gericht. Sommige klasgenoten zullen me vast meelevend aankijken. Anderen, zoals Madison en Lacey, kijken vast en zeker geamuseerd. 'Ik d-d-denk dat m-m-mensen uit r-r-realityseries...'

Eén meisje barst in lachen uit. Ik weet zonder op te kijken wel wie het is.

'Madison, dit is niet om te lachen. Toon respect voor je klasgenoot,' zegt meneer Furie, waarna hij eraan toevoegt: 'Dat is geen verzoek. Dat is een bevel.'

Madison slaat haar hand voor haar mond. 'Het gaat al,' zegt ze tussen haar vingers door.

'Dat is je geraden,' zegt meneer Furie op strenge toon. 'Ga je gang, Kiara. Ga maar verder.'

Oké. Ik kan dit. Als ik met Tuck praat, stotter ik nooit, dus misschien moet ik doen alsof ik het alleen tegen hem heb. Ik kijk op naar mijn beste vriend. Hij knikt me bemoedigend toe vanaf zijn plek achter in de klas.

'... mensen uit realityseries zijn beroemdheden...' Ik stop even om diep adem te halen en ga dan verder. Ik kan dit. Ik kan dit. '... omdat we de m-m-media...'

Dit keer barst zowel Lacey als Madison in lachen uit.

'Juffrouw Stone en juffrouw Goebbert!' Meneer Furie wijst naar de deur. 'De klas uit, nu.'

'Dat meent u niet,' roept Madison.

'En of ik dat meen. En bovendien mogen jij en juffrouw Goebbert nog drie dagen nablijven.'

'Niet doen,' fluister ik tegen meneer Furie, in de hoop dat niemand anders me kan horen. 'Alstublieft niet doen.'

Er verschijnt een geschokte uitdrukking op Madisons gezicht. 'U laat ons nablijven omdat we moesten lachen? Kom op, meneer Furie. Dat is niet eerlijk.'

'Als je het er niet mee eens bent, bespreek je dat maar met directeur House.' Meneer Furie trekt de bovenste la van zijn bureau open en haalt er twee blauwe nablijfbriefjes uit tevoorschijn. Hij vult ze allebei in en gebaart naar Madison en Lacey dat ze ze moeten komen halen. Beide meiden werpen me een woedende blik toe. O nee, dit is foute boel. Nu heeft Madison mij in het vizier en ik weet niet hoe ik daar weer van af moet komen.

Hij geeft hun de blauwe briefjes en Madison stopt dat van haar in haar handtas. 'Ik kan niet nablijven. Ik moet werken in de boetiek van mijn moeder.'

'Dat had je maar moeten bedenken voor je mijn les verstoorde. En nu allebei je excuses aanbieden aan Kiara,' beveelt onze leraar.

'Dat zit wel goed,' mompel ik. 'D-d-dat hoeft niet.'

Madison en Lacey beginnen weer te giechelen. Zelfs nadat ze snel de deur uit zijn gelopen, hoor ik hun gelach nog door de gang galmen.

'Ik wil me namens hen verontschuldigen voor hun ongepaste gedrag, Kiara,' zegt meneer Furie. 'Wil je nog steeds je betoog met ons delen?'

Ik schud mijn hoofd en hij zucht, maar hij protesteert niet als ik terugloop naar mijn bureau. Ik wou dat de bel ging zodat ik me op het meidentoilet kon verstoppen. Ik ben woedend op mezelf omdat ik me door hen op de kast heb laat jagen.

De volgende vijfentwintig minuten roept meneer Furie andere leerlingen naar voren om hun betoog voor te lezen. Ik blijf maar naar de klok kijken en bid dat de tijd sneller voorbijgaat. De tranen branden in mijn ogen en ik weet ze amper te bedwingen.

Zodra de bel gaat, pak ik mijn boeken en ren zowat de klas uit. Meneer Furie roept me nog, maar ik doe alsof ik hem niet hoor.

'Kiara!' zegt Tuck. Hij pakt me bij mijn elleboog en draait me naar hem toe.

Er rolt een stomme traan over mijn wang. 'Ik wil alleen zijn,' stamel ik, en ren dan de gang door.

Aan het eind van de gang is een trap die leidt naar een lege kleedkamer waar uit spelende teams gebruik van kunnen maken tijdens toernooien. Overdag komt daar niemand, en alleen al het idee om ergens alleen te zijn waar ik geen gemaakte glimlach hoef op te zetten klinkt me als muziek in de oren. Ik weet dat ik nu te laat zal zijn voor het studie-uur, maar mevrouw Hadden loopt meestal toch de presentielijst niet na, en anders kan het me ook niets schelen. Ik wil niet dat iedereen me zo ziet.

Ik duw de deur naar de lege kleedkamer open en laat me op een van de bankjes zakken. Alle energie die het me heeft gekost om niet in te storten tijdens het laatste deel van de Engelse les is nu op. Ik wou dat ik sterker was en me niets aantrok van wat andere mensen denken, maar dat doe ik wel. Ik ben niet zo sterk als Tuck. Ik ben niet zo sterk als Madison.

Ik wou dat ik tevreden was met wie ik ben, Kiara Westford, met gestotter en al.

Na een kwartier loop ik naar de wastafel om mezelf in de spiegel te bekijken. Ik zie eruit alsof ik heb gehuild. Of alsof ik heel erg verkouden ben. Ik maak wat papieren doekjes nat en dep mijn ogen, zodat ze wat minder opgezwollen lijken. Na een paar minuten zie ik er volgens mij weer aardig toonbaar uit. Niemand kan zien dat ik heb gehuild. Hoop ik.

Ik schrik als de deur van de kleedkamer ineens opengaat.

'Is daar iemand?' roept een van de conciërges.

'Ja.'

'Je kunt maar beter naar je les gaan, want er is politie. Ze doen een drugsinval.'

11

Carlos

Bij biologie is Sjevelenko net klaar met haar uitleg over dominante en recessieve genen. Ze laat ons een schema tekenen en zegt dat we alle verschillende mogelijkheden moeten opschrijven voor de kleur ogen van mensen en hun nageslacht.

'Er komen vanavond wat jongens bij me langs,' zegt Ram onder het werken. 'Zin om te komen?'

Ram is best cool, ook al is hij een rijkeluiskindje. Vorige week heeft hij me aantekeningen gegeven van de eerste twee schoolweken, en zijn verhalen over zijn skivakantie afgelopen winter zijn hilarisch.

'*A qué hora?*' vraag ik.

'Uurtje of zes.' Hij scheurt een stuk papier uit zijn schrift en begint erop te schrijven. 'Dit is mijn adres.'

'Ik heb geen auto. Is het ver?'

Hij draait het stuk papier om en geeft me zijn pen. 'Geen probleem, ik haal je wel op. Waar woon je?'

Terwijl ik Alex' adres opschrijf, komt Sjevelenko naar onze tafel. 'Carlos, heb je alle aantekeningen van Ramiro gekregen?'

'Ja.'

'Mooi, want volgende week krijgen jullie een proefwerk.' Ze begint stencils uit te delen, als er ineens vijf piepjes door de intercom klinken.

Iedereen in het lokaal houdt zijn adem in.

'Wat is dat?' vraag ik.

Ram kijkt verschrikt. 'Shit man. Het is een *lockdown*.'

'Wat is een lockdown?'

'Als het een gek met een pistool is, spring ik uit het raam,' zegt een andere leerling die John heet. 'Jullie ook?'

'Het is geen gek met een pistool, man. Dan zouden er drie lange piepen klinken in plaats van vijf korte. Dit is een drugslockdown, een controle op drugs waarbij niemand de klas in of uit mag. Het is vast geen oefening, want ik heb er niets over gehoord.'

John lijkt geamuseerd. 'Bel je moeder eens, Ram. Vraag haar of zij weet wat er aan de hand is.'

Drugslockdown? Ik hoop maar dat Nick Glass zijn Pu-pu Platter vol drugs niet meeneemt naar school. Ik kijk naar Madison, die te laat in de les was. Ze haalt haar mobieltje uit haar tas en begint iemand te sms'en onder de practicumtafel.

'Rustig, allemaal,' zegt Sjevelenko. 'De meesten van jullie hebben dit al eens meegemaakt. Dit is een lockdown, voor het geval je dat nog niet had geraden. Geen enkele leerling mag het gebouw verlaten.'

Madison steekt haar hand op. 'Mag ik naar de wc?'

'Sorry, Madison.'

'Maar ik moet echt nodig! Ik beloof dat ik zal opschieten.'

'In de lockdownregels staat dat er niemand door de gangen mag dwalen.' Sjevelenko werpt een blik op haar computer. 'Gebruik deze tijd maar om te leren voor het proefwerk van volgende week woensdag.'

Vijftien minuten later klopt er een agent op de deur van Sjevelenko's lokaal.

'Wie zou er volgens jullie gesnapt zijn?' fluistert een jongen die Frank heet als Sjevelenko op de gang met de agent staat te praten.

Ram steekt zijn handen op. 'Je hoeft mij niet aan te kijken, man. Ik ga niet het risico lopen dat ik uit het voetbalteam wordt getrapt.'

Sjevelenko stapt het lokaal weer in. 'Carlos Fuentes,' zegt ze luid en duidelijk.

Carajo! Ze zei mijn naam. 'Ja?'

'Hier komen.'

'Man, je bent erbij,' zegt Frank.

Ik loop naar Sjevelenko toe, en het enige waar ik naar kan kijken zijn de haartjes op haar bovenlip, die op en neer bewegen wanneer ze zegt: 'Er zijn wat mensen die met je willen praten. Loop even mee.'

Ik weet dat al mijn klasgenoten weten waarom ik mee moet komen. Het punt is alleen dat ik helemaal geen drugs in mijn zakken of in mijn kluisje heb zitten. Misschien zijn ze erachter gekomen dat ik uit Mexico kom en willen ze me het land uit zetten, ook al ben ik in Illinois geboren en ben ik Amerikaans staatsburger.

Op de gang stappen er twee smerissen op me af. 'Ben jij Carlos Fuentes?' vraagt een van hen.

'Ja.'

'Kun je ons naar je kluisje brengen?'

Mijn kluisje? Ik haal mijn schouders op. 'Ja hoor.'

Ik ga naar mijn kluisje, met de *policía* zo dicht op mijn hielen dat ik hun adem in mijn nek kan voelen. Ik loop de hoek om, gang J in en zie een politiehond naar mijn kluisje blaffen. Wat is dit, verdomme?

De hondengeleider beveelt de hond te gaan zitten.

Meneer House staat naast mijn kluisje.

'Carlos, is dit het aan jou toegewezen kluisje?' vraagt hij me.

'Ja.'

Hij laat een pauze vallen voor hij zegt: 'Ik vraag dit maar één keer. Heb je drugs in je kluisje liggen?'

'Nee.'

'Dan vind je het niet erg om je kluisje open te maken, of wel?'

'Nee hoor.' Ik voer mijn code in en doe het deurtje open.

'Wat zijn dat voor dingen?' vraagt een van de smerissen, wijzend naar Kiara's koekjesmagneten. Hij stapt naar voren om ze van dichtbij te bekijken en de politiehond wordt helemaal wild. Hij port tegen een van de koekjes. 'Het zijn koekjes,' zegt hij schaapachtig.

'Volgens mij heeft uw hond honger,' zeg ik tegen hem.

De tweede smeris kijkt me doordringend aan. 'Stil, jij. Er zitten vast drugs in en jij verkoopt ze.'

Koekjes met drugs erin? Maakt hij een grapje? Het zijn verdomme oudbakken koekjesmagneten. Ik begin te lachen.

'Vind je dit grappig, jochie?'

Ik schraap mijn keel en probeer mijn gezicht in de plooi te houden. 'Nee, meneer.'

'Heb jij deze koekjes gemaakt?'

'Ja, meneer,' lieg ik, omdat zij niet hoeven te weten wie ze heeft gemaakt. 'Maar je kunt ze beter niet lostrekken.'

'Waarom niet? Ben je bang dat we erachter zullen komen wat erin zit?'

Ik schud mijn hoofd. 'Nee. Geloof me, er zitten geen drugs in.'

'Leuk geprobeerd,' zegt de smeris.

De directeur luistert niet naar me en probeert een van de koekjes-magneten los te trekken. Het koekje verkruimelt in zijn hand. Wanneer hij aan de bruine koekkruimels in zijn hand ruikt, schraap ik mijn keel nog eens om mijn lachen te verbergen. Ik vraag me af wat Kiara ervan zou vinden als ze wist dat haar koekjes werden onderzocht.

Een van de smerissen trekt ook een koekje los en neemt een klein hapje om te zien of hij sporen van verboden middelen kan proeven. Hij haalt zijn schouders op. 'Ik proef niets.' Hij houdt de rest van het koek-je onder de neus van de politiehond. De hond blijft stil. 'Er zitten geen drugs in de koekjes,' zegt hij. 'Maar er ligt wel iets anders in zijn kluis-je. Haal alles eruit,' beveelt hij en hij slaat zijn armen over elkaar.

Ik pak een paar boeken van de bovenste plank en leg ze op de grond. Dan pak ik de rest van mijn boeken van de onderste plank. Als ik mijn rugzak eruit pak, begint de hond weer tekeer te gaan.

Die hond is echt geschift. Als we lang genoeg blijven kijken, zien we straks zijn kop nog 360 graden omdraaien en zijn ogen wegrollen in hun kassen.

'Haal al je spullen uit je rugzak en leg ze voor je op de grond,' zegt House.

'Luister,' zeg ik tegen hem. 'Ik heb geen idee waarom die hond het op mijn rugzak heeft gemunt. Ik heb er geen drugs in zitten. Misschien heeft dat beest een afwijking.'

'De hond is het probleem niet, jongen,' buldert de hondengeleider.

Mijn bloed begint te koken als die gast me 'jongen' noemt. Ik zou hem het liefst een dreun geven, maar hij heeft een woeste hond die hij op me af kan sturen. Ik ben dan misschien wel een vechter, maar tegen een getrainde, dolle politiehond kan ik dus echt niet op.

Een voor een haal ik alle spullen uit mijn rugzak. Ik leg ze in een rech-te lijn op de grond.

Eén potlood.

Twee pennen.

Eén notitieblok.

Eén Spaans boek.

Eén blikje cola.

De hond begint weer te blaffen. Wacht, ik heb er helemaal geen blik-je cola in gestopt. De directeur pakt het blikje op, haalt de bovenkant eraf en... o shit. Het is geen blikje cola. Het is een nepblikje met...

Eén zak wiet. Een grote zak. En...

Eén zak met een heleboel witte en blauwe pilletjes.

'Die zijn niet van mij,' zeg ik tegen ze.

'Van wie dan wel?' vraagt de directeur. 'We willen namen horen.'

Ik weet vrij zeker dat Nick de schuldige is, maar ik ga hem niet verraden. Als ik één ding heb geleerd in Mexico, dan is het wel dat je je mond houdt. Altijd. Ook al heb ik helemaal niks met Nick, toch zal ik hiervoor op moeten draaien, of ik dat nou leuk vind of niet. 'Ik weet geen namen. Ik woon hier pas een week, doe me een lol.'

'Daar doen we niet aan. Niet als dergelijke zaken binnen een school worden gevonden, wat dit tot een misdrijf maakt,' zegt een van de smerissen, terwijl hij mijn tattoos bekijkt. Hij pakt de zakjes aan van de directeur en opent dan die met de pillen. 'Dit is Oxycontin. En dit,' zegt hij terwijl hij de zak wiet openmaakt, 'dit is zo'n grote hoeveelheid marihuana dat we wel mogen aannemen dat je het niet alleen zelf rookt, maar ook verkoopt.'

'Begrijp je wat dit betekent, Carlos?' vraagt de directeur.

Ja, ik weet wat dit betekent. Het betekent dat Alex me gaat vermoorden.

12

Kiara

Toen ik hoorde dat Carlos was gearresteerd, heb ik meteen mijn vader gebeld. Hij zei dat hij Alex zou bellen om te horen wat er aan de hand was en waar Carlos naartoe was gebracht.

Thuis wacht mijn moeder me op bij de deur. 'Je vader zei dat hij snel thuis zou zijn met nieuws over Carlos.'

'Dus je weet wat er is gebeurd?'

Ze knikt. 'Alex heeft tegen je vader gezegd dat Carlos blijft volhouden dat de drugs niet van hem waren.'

'Gelooft Alex hem?'

Mijn moeder zucht, en ik weet dat ze me liever beter nieuws had verteld. 'Hij is sceptisch.'

Even later komt mijn vader thuis. Zijn haar piekt alle kanten op, alsof hij er iets te vaak zijn handen door heeft gehaald vandaag. 'Tijd voor een familievergadering,' zegt hij.

Als het hele gezin in de woonkamer is verzameld, schraapt mijn vader zijn keel. 'Wat zouden jullie ervan vinden als Carlos de rest van het schooljaar bij ons komt wonen?'

'Wie is Carlos?' vraagt Brandon, die geen idee heeft.

'De broer van een van mijn oud-leerlingen. En een vriend van Kiara.' Mijn vader kijkt van mij naar mijn moeder. 'Het blijkt dat hij in een gesubsidieerde studentenflat woont, en aangezien Carlos niet aan de universiteit studeert, heeft de rechter geoordeeld dat het tegen de regels is dat hij daar verblijft.'

'Krijg ik een broer? Cool!' roept Brandon. 'Mag hij in mijn kamer slapen? Dan kunnen jullie een stapelbed voor ons kopen en zo.'

'Niet zo snel, Bran. Hij krijgt de gele slaapkamer,' zegt mijn vader tegen mijn broertje.

'Hoe is Carlos eronder?' vraagt mijn moeder.

'Ik weet het niet. Ik denk dat hij diep vanbinnen een goede jongen is, die zal opbloeien in een positieve, stabiele, drugsvrije thuissituatie. Ik zou hem graag helpen als we het daar allemaal mee eens zijn. Als hij niet bij ons kan blijven, moet hij terug naar Mexico. Alex zei dat hij alles zou doen om hem hier te houden.'

'Ik vind het niet erg als hij hier komt wonen,' zeg ik, me meteen erna realiserend dat ik het ook echt meen. Iedereen verdient een tweede kans.

Mijn vader kijkt naar mijn moeder, die zijn gezicht vastpakt en hem dichter naar zich toe trekt. 'Dus mijn man gaat de wereld redden, kind voor kind?'

Hij glimlacht naar haar. 'Als dat nodig is.'

Ze geeft hem een kus. 'Ik zal zorgen dat er schone lakens op het bed in de logeerkamer liggen.'

'Je bent de beste echtgenote die ik me had kunnen wensen,' zegt hij tegen haar. 'Ik zal Alex bellen om te zeggen dat het doorgaat,' voegt hij er opgewekt aan toe. 'Maandag moeten we weer naar de rechter. We gaan ons best doen om hem in een REACH-project van Flatiron High te krijgen, als alternatief voor een schorsing.'

Ik kijk mijn vader na terwijl hij de woonkamer uit loopt en naar zijn kantoor gaat.

'Hij heeft een nieuwe missie,' zegt mijn moeder. 'Zijn ogen twinkelen, zoals altijd wanneer hij voor een uitdaging staat.'

Ik hoop maar dat hij die twinkeling kan vasthouden, want ik heb het idee dat mijn vaders geduld – en hij heeft echt engelengeduld – binnenkort flink op de proef zal worden gesteld.

13

'Stuur me maar gewoon terug naar Chicago, dan ben je van me af,' zeg ik op zondagochtend tegen Alex nadat ik mi'amá heb gebeld. Alex heeft me gedwongen haar te vertellen wat er aan de hand is.

Ik had er geen problemen mee dat de politie me geboeid afvoerde. Toen ik mijn broer op het politiebureau zag aankomen met een mengeling van frustratie en teleurstelling op zijn gezicht, deed dat me niks. Maar toen ik net met mijn moeder praatte en haar hoorde huilen en vragen wat er toch met haar *niñito* was gebeurd, toen brak ik.

Zij zei ook dat ik niet terug naar Mexico moest komen. 'Het is hier niet veilig voor je,' zei ze. '*Auséntese*, Carlos, blijf hiervandaan.' Het verbaasde me niks. Mijn hele leven laten mensen me al in de steek, of zeggen me dat ik bij hen uit de buurt moet blijven: mi papá, Alex, Destiny, en nu mi'amá.

Alex ligt op zijn bed met zijn arm over zijn ogen. 'Je gaat ook niet terug naar Chicago. Professor Westford en zijn vrouw nemen je in huis. Het is allemaal al geregeld.'

Bij de professor gaan wonen betekent dat ik in hetzelfde huis woon als Kiara. Dat lijkt me een slecht plan, op alle fronten. 'Heb ik er dan niets over te zeggen?'

'Nee.'

'*Vete a la mierda!*'

'Tja, het is je eigen schuld dat je zo diep in de shit zit.'

'Ik heb je al gezegd dat die drugs niet van mij waren.'

Hij gaat rechtop zitten. 'Carlos, sinds je hier bent heb je het over niets anders dan over drugs. Ze hebben *chora* in je kluisje gevonden, samen met een belachelijke hoeveelheid Oxycontin. Zelfs al was het allemaal niet van jou, dan nog heb je er zelf voor gezorgd dat jij de zondebok werd.'

'Wat een gelul allemaal.'

Als ik een halfuur later uit de douche kom, is Brittany er weer. Ze zit aan tafel, gekleed in een nauwsluitend, felroze joggingpak van velours. Die chica kan hier net zo goed komen wonen... ze is er toch altijd al.

Ik loop naar mijn bed. Wat zou ik nu graag willen dat dit geen studio was. Ik ben pisnijdig en ik zin op wraak. Ik zal niet rusten tot ik weet wie die drugs in mijn kluisje heeft gestopt. Wie het ook was, ik zal het hem betaald zetten.

'Ik hoop dat je niet wordt geschorst,' zegt Brittany op bedroefde toon. 'Maar ik weet dat Alex en professor Westford er alles aan zullen doen om te helpen.'

'Doe maar niet alsof je het erg vindt,' zeg ik tegen haar. 'Nu ik hier weg moet, kun je langskomen wanneer je maar wil. Bof jij even.'

'Carlos, *retroceda*,' zegt Alex bars.

Waarom zou ik me gedeisd moeten houden? Het is de waarheid.

'Geloof het of niet, Carlos, maar ik wil dat je hier gelukkig bent.' Ze schuift een gloednieuw mobieltje naar me toe. 'Ik heb dit voor je meegenomen.'

'Waarom? Zodat jij en Alex me in de gaten kunnen houden?'

Ze schudt haar hoofd. 'Nee. Ik dacht gewoon dat je er wel een wilde hebben zodat je ons altijd kunt bereiken.'

Ik pak de telefoon op. 'Wie betaalt dit?'

'Maakt dat wat uit?' vraagt ze.

Mijn familie kan dat nooit betalen. Ik draai me weg van Brittany en haar telefoon. 'Ik heb het niet nodig,' zeg ik tegen haar. 'Hou je geld maar in je zak.'

Een paar uur later stappen we met zijn drieën in Brittany's auto. Ik had kunnen weten dat Brittany mee zou gaan met dit uitje om me af te zetten bij het huis van de professor, waarschijnlijk zodat ze zeker weet dat ik haar en mijn broer niet meer zal lastigvallen.

Alex slaat een van de bochtige wegen naar de bergen in. Aan de grote huizen aan weerskanten van de weg te zien, zijn we in het rijke deel van de stad beland. Arme mensen zetten geen borden neer met VERBODEN TOEGANG VOOR ONBEVOEGDEN, PRIVÉOPRIT, PRIVÉTERREIN, CAMERABEWAKING. En ik kan het weten, want ik ben al mijn hele leven arm en de enige die ik ken die ooit zo'n bord heeft neergezet, is mijn vriend

Pedro, en hij had het uit de tuin van een rijke kerel gejat.

We rijden een stenen oprit op naar een huis van twee verdiepingen dat tegen de berg aan is gebouwd. Ik ga rechtop zitten en kijk om me heen. Ik heb nog nooit ergens gewoond waar je niet makkelijk een steen tegen de ramen van de buren kon gooien.

Je zou denken dat ik dolblij zou zijn om in zo'n kast van een huis te mogen wonen, maar het herinnert me er alleen maar aan dat ik een buitenstaander ben. Ik ben niet gek: ik weet dat ik zodra ik hier vertrek, weer net zo arm ben als altijd – of in de gevangenis beland. Deze plek is alleen maar een worst die me wordt voorgehouden, dus ik wil hier gewoon zo snel mogelijk weer weg.

Zodra we parkeren komt Westford het huis uit lopen. Hij is een lange man met grijs haar en veel rimpels rond zijn ogen, alsof hij zoveel heeft gelachen in de loop der jaren dat zijn huid het niet langer aankan.

Voor ik zelfs maar kan uitstappen, drommen er nog drie mensen naar buiten. Het lijkt verdomme wel een optocht van blanke mensen, de een nog witter dan de ander.

Als Kiara naar buiten komt en ik haar vertrouwde gezicht zie, voel ik zowel opluchting als ergernis. Het ene moment stond ik nog haar kluisje te saboteren en het volgende moment werd ik in de boeien geslagen en afgevoerd naar het politiebureau. Mijn leven ging van amusant naar zwaar klote in slechts een paar uur tijd.

Kiara heeft haar lichtbruine haar in een staart gebonden en draagt een korte spijkerbroek en een slobberig, kotsgroen T-shirt. Het is wel duidelijk dat ze zich niet heeft omgekleed om mij te verwelkomen. Er zitten zelfs vegen bruine modder of smeer op haar wangen en handen.

Naast Kiara staat haar broertje. Hij moet vast een ongelukje of een nakomertje zijn geweest want zo te zien zit hij nog op de kleuterschool. Het jochie ziet er niet uit. Zijn hele kin zit onder de chocoladevegen.

'Dit is mijn vrouw, Colleen,' zegt Westford, gebarend naar de magere vrouw naast hem. 'En mijn zoon, Brandon. Mijn dochter Kiara ken je natuurlijk al.'

De professor en zijn vrouw dragen matchende witte polo's. Ik zie ze wel naar een dure golfclub gaan in het weekend. En Brandon zou zo in een film of een reclamespotje kunnen spelen – hij is zo irritant energiek dat je hem bijna een valiumtabletje zou willen geven om hem rustig te krijgen.

Terwijl Brittany en Alex braaf handen schudden met de vrouw en kinderen van de professor, stapt Kiara op mij af.

'Alles goed?' vraagt ze, zo zacht dat ik haar amper kan verstaan.

'Prima,' mompel ik. Ik wil het niet hebben over mijn arrestatie en het feit dat ik achter in een politieauto naar de jeugdgevangenis ben afgevoerd.

Shit man, wat is dit ongemakkelijk. Het kleine jongetje, Brandon, trekt aan mijn broekspijp. Zijn vingers zitten onder de gesmolten chocolade. 'Speel je voetbal?'

'Nee.' Ik kijk naar Alex, maar die lijkt niet te merken dat die snotneus mijn spijkerbroek helemaal smerig maakt, of het kan hem niks schelen.

Mevrouw Westford loodst Brandon glimlachend bij me vandaan. 'Carlos, waarom neem je niet even wat tijd om je te installeren, dan kun je daarna in de achtertuin komen lunchen. Dick, wil jij Carlos even naar boven brengen en rondleiden?'

Dick? Ik schud mijn hoofd. Vindt de professor het niet erg om Dick genoemd te worden? Als ik Richard heette, liet ik me Richard noemen, of Rich... niet Dick. Shit man, zelfs Chard zou nog beter zijn.

Ik pak mijn weekendtas.

'Carlos, volg mij maar,' zegt Westford. 'Ik zal je het huis even laten zien. Kiara, laat jij Alex en Brittany anders je auto eens zien?'

Terwijl ik achter professor Dick aan loop, gaat de rest met Kiara mee.

'Dit is ons huis,' zegt Westford. Binnen is het al net zo gigantisch als buiten, zoals ik al had verwacht. Het is niet zo groot als Madisons huis, maar nog steeds groter dan elk huis waar ik ooit in heb gewoond. De hal hangt vol grote schilderijen en ze hebben een gave flatscreentelevisie aan de muur boven de open haard. 'Doe maar of je thuis bent.'

Tuurlijk. Ik voel me hier net zo min thuis als in het Witte Huis.

'Hier is de keuken,' zegt hij, en hij leidt me een gigantische ruimte binnen met een abnormaal grote roestvrijstalen koelkast en bijpassende apparatuur. De keukenbladen zijn zwart met kleine steentjes erin die wel diamantjes lijken. 'Als je ergens trek in hebt, pak het vooral. Je hoeft er niet om te vragen.'

Dan volg ik hem een beklede trap op. 'Alles duidelijk tot nu toe?' vraagt hij.

'Heb je een plattegrond voor me?'

Hij grinnikt. 'Met een paar dagen vind je hier je weg wel.'

Wedden van niet?

Ik voel een hevige, kloppende hoofdpijn opkomen. Het liefst zou ik ergens zijn waar ik niet hoef te doen alsof ik een tot inkeer gekomen jongen ben die nu in een minikasteel woont samen met een meisje dat zijn kluisje vol heeft gehangen met koekjes en een klein opdondertje dat denkt dat alle Mexicanen voetbal spelen.

Boven, aan het eind van een lange overloop, ligt de ouderslaapkamer. We slaan de hoek om en Westford wijst naar een van de andere kamers. 'Dat is Kiara's kamer. De deur aan de andere kant van de gang, naast Brandons kamer, is van de badkamer die je met de kinderen zult delen.'

Ik gluur de badkamer in, waarin twee wastafels naast elkaar hangen.

Hij doet de deur naast Kiara's kamer open en gebaart me naar binnen te gaan. 'Dit is jouw kamer.'

Ik bekijk de kamer waar ik zal slapen. De muren zijn geel en er hangen gestippelde gordijnen voor de ramen. Het lijkt verdomme wel een meidenkamer. Ik vraag me af of ik straks mijn mannelijkheid nog zal verliezen als ik hier te lang moet blijven. Aan de ene kant staat een bureau met een kast ernaast, aan de andere kant is een ladenkast en bij het raam staat een bed met een gele sprei.

'Ik weet dat het niet echt een mannenkamer is. Mijn vrouw heeft hem een tijdje geleden opgeknapt,' zegt Westford met een verontschuldigende blik. 'Het zou eigenlijk een kamer voor haar porseleinen poppen worden.'

Maakt hij een grapje? Een kamer voor porseleinen poppen? Wat zijn dat in godsnaam, en waarom zou een volwassene er een kamer vol van willen hebben? Misschien is het typisch iets voor rijke blanken, want ik ken geen enkele Mexicaanse familie met een slaapkamer speciaal voor hun godvergeten poppen.

'We kunnen wel wat verf halen om deze kamer wat manvriendelijker te maken,' zegt hij.

Ik kijk naar het gestippelde gordijn. 'Daar is wel wat meer voor nodig dan een likje verf,' mompel ik. 'Maar het maakt niet uit, want ik ben niet van plan hier veel tijd door te brengen.'

'Nou, dan lijkt dit me wel een goed moment om de huisregels door te nemen.' Mijn tijdelijke voogd gaat op de bureaustoel zitten.

'Regels?' Ik vrees meteen het ergste.

'Geen zorgen, het zijn er maar een paar. Maar ik verwacht wel dat ze worden nageleefd. Ten eerste: geen drugs of alcohol. Zoals je al weet, is het in deze stad niet moeilijk om aan marihuana te komen, maar je moet clean blijven op last van de rechter. Ten tweede: geen gevloek. Ik heb een zesjarige in huis die heel snel dingen overneemt, en ik wil hem niet blootstellen aan scheldwoorden. Ten derde: doordeweeks ben je om twaalf uur thuis, in het weekend om twee uur. Ten vierde: we verwachten dat je je eigen rommel opruimt en helpt in het huishouden als we dat vragen, net als onze eigen kinderen. Ten vijfde: geen tv voor je huiswerk af is. Ten zesde: als je een meisje mee naar je kamer neemt, dan hou je de deur open... je weet wel waarom.' Hij wrijft over zijn kin en lijkt zich af te vragen of hij hier nog meer regels aan toe kan voegen. 'Dat was het wel, geloof ik. Nog vragen?'

'Ja, eentje.' Ik stop mijn handen in mijn zakken en vraag me af hoe lang het zal duren voor professor Dick zich realiseert dat ik niet tegen regels kan. Wat voor regels dan ook. 'Wat gebeurt er als ik een van die kloteregels van je overtreed?'

14

Kiara

Ik weet niet of het de rest van mijn familie is opgevallen, maar Carlos keek ons aan alsof we een stel buitenaardse wezens waren die speciaal naar de aarde zijn gekomen om hem te vernietigen. Hij is er duidelijk niet blij mee dat hij bij ons moet wonen.

Ik vraag me af wat hij zal zeggen als hij hoort dat hij na schooltijd naar het REACH-project moet als hij niet geschorst wil worden. REACH is voor tieners uit een risicovolle omgeving die in de problemen raken. Ze mogen op proef terug naar school. Mijn vader zei dat Carlos nog niet weet dat het REACH-project zijn enige optie is. Ik wil er niet bij zijn als Alex en mijn vader hem dat nieuws vertellen.

Alex bekijkt de achteruitkijkspiegel die ik pas heb gemonteerd. Hij kan het niet weerstaan om onder de motorkap te kijken om de motor te inspecteren.

'Het is een standaard V8,' vertel ik Brittany, die naast hem staat.

Alex lacht. 'Dat zegt mijn vriendin niks. Brittany vindt tanken al vreselijk.'

Brittany geeft hem een por. 'Grapje zeker? Telkens als ik ook maar iets aan mijn auto probeer te repareren, neemt Alex het meteen over. Geef maar toe, Alex.'

'*Mamacita*, niet lullig bedoeld, maar je weet het verschil nog niet tussen een pakking en een alternator.'

'En jij weet het verschil niet tussen acryl en gel,' zegt Brittany zelfvoldaan, met haar handen in haar zij.

'Hebben we het nog steeds over auto's?' vraagt hij.

Brittany schudt haar hoofd. 'Ik had het over nagels.'

'Dacht ik al. Hou jij je maar bij nagels, dan hou ik me bij auto's.'

Alex trekt zijn vriendin naar zich toe en zijn mondhoeken opkrullen.

'Volgens mij kunnen we gaan lunchen,' roept mijn vader vanuit de deuropening.

Mijn moeder zwaait naar mijn broertje. 'Brandon, liefje, laat Brittany en Alex eens zien waar het terras is.'

Terwijl Brandon naar de achtertuin sjeest, help ik mijn moeder in de keuken.

'Er zit smeer op je kin,' zegt mijn moeder tegen me. Ik wrijf met mijn hand over mijn kin tot ik me realiseer dat het geen smeer is, maar zwarte epoxyhars.

'Nu smeer je het uit. Hier...' Ze gooit me een theedoek toe.

'Dank je.' Nadat ik mijn kin heb afgeveegd, was ik mijn handen en maak mijn speciale walnootsalade klaar.

Op het terras heeft mijn moeder de tafel gedekt met roze gebloemde placemats en haar favoriete aardewerken borden, beschilderd met plaatjes van kleurrijke vlinders passend bij de theekopjes. Een paar jaar geleden heeft ze een biologische theewinkel geopend die 'Invi-Thee' heet. Als je in Boulder woont, is de kans groot dat je van de buitenlucht houdt en sportief bent. En de kans is ook groot dat je thee drinkt in plaats van koffie.

Mams winkel is erg populair bij de lokale bevolking. Ik werk er in het weekend om losse thee in zakjes te doen, nieuw binnengekomen thee te sorteren en de aardewerken theepotten te prijzen. Ik help haar zelfs met de boekhouding, vooral als haar berekeningen niet kloppen en ze iemand nodig heeft die uitzoekt waar ze een fout heeft gemaakt. Ik ben de foutenverbeteraar binnen de familie, in ieder geval als het op boekhouden aankomt.

Ik breng de salade naar buiten. Ik heb het recept zelf bedacht en heb de dressing geheimgehouden zodat zelfs mijn ouders die niet na kunnen maken. Het is een salade van spinaziebladeren, walnoten, blauwe kaas, gedroogde cranberry's... en 'Kiara's speciale, geheime dressing', zoals mijn moeder het altijd noemt. Als ik buiten kom, hou ik Carlos de kom voor.

Hij tuurt in de kom. 'Wat is het?'

'Salade.'

Hij tuurt nog eens. 'Dat is geen sla.'

'Het is s-spinazie.' Ik zeg niets meer want ik voel mijn tong dikker worden.

'Proef het gewoon eens,' zegt Alex tegen hem.

'Je hoeft me niet te vertellen wat ik moet doen,' kaatst Carlos terug.

'Carlos, ik heb nog wat sla in de koelkast liggen,' komt mijn moeder tussenbeide. 'Als je wilt, kan ik daar snel een salade van maken.'

'Nee, bedankt,' mompelt Carlos.

'Ik lust wel wat salade,' zegt Brittany, en ze gebaart of ik haar de kom wil aangeven. Ik weet niet of ze echt trek heeft in de spinaziesalade, maar ze doet hard haar best om de aandacht af te leiden van Alex en Carlos.

Ik kijk naar mijn vader. Zijn blik rust op Carlos. Hij vraagt zich vast af hoe lang het zal duren voor hij Carlos zover krijgt dat hij zich ontspant en ons vertrouwt. Alleen weet ik niet of Carlos zijn dekking ooit nog zal laten zakken nu hij is gearresteerd.

'Ik weet dat je hier bent door verzachtende omstandigheden,' zegt mijn moeder tegen Carlos terwijl ze de schaal met zalmburgers rond laat gaan. 'Maar we zijn blij dat we ons huis voor je kunnen openstellen en je onze vriendschap kunnen aanbieden.'

Mijn vader steekt zijn vork in een burger. 'Kiara kan je dit weekend wel wat van Boulder laten zien. En je voorstellen aan haar vrienden. Toch, liever?'

'Ja hoor,' zeg ik, al bestaan 'mijn vrienden' slechts uit Tuck. Ik ben niet zo'n groepsmens. Ook al is Tuck een jongen, hij is mijn beste vriend, al sinds de eerste klas, vanaf het moment dat Heather Harte en Madison Stone me uitlachten toen ik bij Engels voor de hele klas *A Tale of Two Cities* moest voorlezen. Behalve dat ik mezelf compleet voor schut zette met mijn gestotter, draaide Dickens zich volgens mij om in zijn graf omdat ik zijn woorden zo vreselijk verhaspelde. Ik klapte meteen dicht toen ik hen hoorde lachen, rende naar huis en kwam mijn kamer pas weer uit toen Tuck langskwam en me overhaalde de wereld weer onder ogen te komen. De les van meneer Furie afgelopen vrijdag deed me weer aan die dag denken.

'Volgens mij is die van mij nog niet gaar. Hij is roze,' zegt Carlos, starend naar de binnenkant van een van mijn moeders zalmburgers.

'Het is vis,' zeg ik. 'Zalm.'

'Zitten er graten in?'

Ik schud mijn hoofd.

Hij pakt een bolletje uit de broodmand, bestudeert het en haalt dan zijn schouders op. Hij is het vast niet gewend om meergranenbolletjes bij zijn burgers te eten.

'Ik moet naar mijn werk, maar Kiara kan je morgen wel meenemen om boodschappen te doen, als je wilt,' biedt mijn moeder aan. 'Dan kun je uitkiezen wat je maar wilt.'

'Hou je van sport, Carlos?' vraagt Brandon.

'Ligt eraan.'

'Waaraan?'

'Wie er speelt. Ik kijk niet naar tennis of golf, als je dat bedoelt.'

'Ik heb het niet over sport kijken, gekkie,' zegt Brandon lachend. 'Ik heb het over zelf sporten. Mijn beste vriend Max speelt football en hij is even oud als ik.'

'Leuk voor hem,' zegt Carlos terwijl hij een hap van de zalmburger neemt.

'Speel jij football?' vraagt Brandon.

'Nee.'

'Honkbal?'

'*Nope.*'

Brandon blijft maar doorvragen en zal niet ophouden voor hij het antwoord krijgt dat hij wil horen. 'Tennis?'

'*Nada.*'

'Welke sport speel je dan wel?'

Carlos legt zijn burger neer. O nee. Ik zie een rebelse twinkeling in zijn ogen wanneer hij zegt: 'De horizontale tango.'

Mijn moeder en Brittany verslikken zich in hun eten, en mijn vader zegt: 'Carlos...' op de waarschuwende toon die hij alleen in het uiterste geval gebruikt.

'Dansen is niet echt een sport,' zegt Brandon, die niets merkt van de ontzetting aan tafel.

'Wel als ik het doe,' zegt Carlos.

Alex staat op en sist tussen zijn tanden door: 'Carlos, we moeten praten. Onder vier ogen. *Ahora.*'

Alex loopt naar binnen. Ik weet niet of Carlos hem wel zal volgen. Hij aarzelt, maar dan schuift hij zijn stoel over de terrastegels naar achteren en loopt naar binnen. O, dit belooft niet veel goeds.

Brittany laat haar hoofd in haar handen zakken. 'Laat maar weten wanneer ze uitgeruzied zijn.'

Brandon kijkt mijn vader met grote, onschuldige ogen aan. 'Papa, weet jij hoe de horizontale tango gaat?'

15

Carlos

'Vind je het stoer om je als een pendejo te gedragen?' vraagt mijn broer me als we in de keuken staan, waar de gringo's ons niet kunnen horen.

'Eh... ja. Ik heb dan ook een goed voorbeeld gehad. Of niet, Alex?'

Onze vader werd vermoord toen ik vier was, dus Alex was al vanaf zijn zesde de oudste man in huis. Hij mag dan misschien ouder zijn dan ik, maar ik had alleen hem om tegen op te kijken.

Mijn broer leunt tegen het aanrecht en slaat zijn armen over elkaar. 'Nu moet je eens goed luisteren. Je bent gepakt met drugs. Het kan me niet schelen of ze van jou waren of niet, jij bent degene die ermee gepakt is. Dus óf je accepteert dat en blijft hier wonen zonder problemen te veroorzaken, óf je wordt naar een jeugdgevangenis gestuurd met bewakers die je continu in de gaten houden. Wat wordt het?'

'Waarom kan ik niet terug naar Chicago? We hebben daar familie zitten. Al mijn oude vrienden wonen daar.'

'Dat is geen optie.' Voor ik kan reageren, zegt Alex: 'Ik wil niet dat je betrokken raakt bij de Latino Blood. En Destiny heeft echt niet op je gewacht, als je dat soms denkt.'

Destiny en ik zijn uit elkaar gegaan op de dag dat mijn familie naar Mexico verhuisde. Ze zei dat het geen zin had om een langeafstandsrelatie te beginnen als we elkaar misschien nooit meer zouden zien. Maar als Alex er niet was geweest, waren we nooit uit Chicago weggegaan. En als we nooit uit Chicago waren weggegaan, zouden Destiny en ik nog steeds bij elkaar zijn en zou ik nu niet hoeven slapen in een kamer met achterlijke gele stippeltjesgordijnen.

Ik ga ervan uit dat iedereen in mijn leven me op een bepaald moment in de steek zal laten. Sinds Destiny heb ik mezelf niet meer toegestaan om emotioneel betrokken te raken bij iemand. Als ik mezelf toesta om om iemand te geven, zullen ze me wegjagen, in de steek laten of doodgaan. Zo is het tot nu toe altijd gegaan, en zo zal het blijven gaan.

'Ik zal hier voorlopig blijven, maar ik ga binnenkort terug naar Chicago, met of zonder jouw hulp. Ga nou maar terug naar je appartement en bemoei je niet meer met mijn leven.' Ik worstel me langs mijn broer, storm naar mijn kamer en smijt de deur achter me dicht. Maar de gele sprei herinnert me eraan dat dit helemaal niet mijn kamer is. Mierda!

Ik ben blij dat Alex niet achter me aan is gekomen. Ik moet even alleen zijn om op een rijtje te zetten wat er vrijdag allemaal is gebeurd. Wie heeft die drugs in mijn kluisje gestopt? Was het Nick? Madison, die te laat was bij biologie? Of was het een boodschap van de Guerreros, om te laten weten dat ze altijd in de buurt zijn, waar ik ook ben?

Ik kijk naar de weekendtas op de grond, maak hem open en pak mijn kleren uit. Of beter gezegd, ik smijt ze in de laden en neem niet eens de moeite ze op te hangen. Ik draag toch geen kleding die per se moet worden opgehangen. Ik haal mijn tandenborstel en scheerapparaat tevoorschijn en loop naar de badkamer aan het einde van de gang. Ik neem aan dat de wastafel met het krukje ervoor van Brandon is, en besluit deze met hem te delen. Het laatste waar ik behoefte aan heb is om een kastje open te trekken en geconfronteerd te worden met tampons, make-up en andere vrouwentroep.

Ik leg mijn scheerapparaat en tandenborstel in een lege la, die zonder de badschuimfles met tekenfilmfiguren. Op de grote spiegel, tussen de wastafels in, hangt een briefje.

Doucherooster
Maandag, woensdag, vrijdag: Kiara 6:25 – 6:35
Maandag, woensdag, vrijdag: Carlos 6:40 – 6:50
Dinsdag, donderdag: Carlos 6:25 – 6:35
Dinsdag, donderdag: Kiara 6:40 – 6:50

Wanneer zal ik Kiara het slechte nieuws vertellen dat ik me door niemand laat voorschrijven hoe lang ik mag douchen? Ik sta erom bekend dat ik urenlang onder de douche kan staan wanneer ik verhit, bezweet en pissig ben. Zoals nu, bijvoorbeeld.

CARLOS

Alsof het al niet erg genoeg was om gepakt te worden voor iets wat ik niet heb gedaan, moet ik nu ook nog een huis delen met een stel onbekenden die salades maken van spinazie.

Ik loop terug naar mijn kamer, maar als ik Kiara's deur op een kier zie staan, word ik nieuwsgierig. Ik sluip naar binnen, wetend dat ze nog steeds aan het lunchen is. Haar bureau is bezaaid met schriften en losse blaadjes. Er hangt een prikbord aan de muur met spreuken die zo uit een zelfhulpboek kunnen komen:

'Wees niet bang om bijzonder te zijn.'

'Je moet eerst van jezelf leren houden voor je van iemand anders kunt houden.'

Dat meen je toch niet. Geilt ze soms op die onzin?

Er hangen ook een paar foto's op het bord van Kiara met die jongen met wie ze elke dag luncht. Op de ene zijn ze samen aan het hiken op een berg of zoiets en op de andere zijn ze aan het snowboarden. Kiara lacht op de foto's.

Ik pak een van de schriften op haar bureau en blader het door. VOORWAARDEN VOOR AANTREKKELIJKHEID staat er boven aan een van de bladzijdes geschreven. Mijn oog valt meteen op de woorden 'vooruitstekende boezem' in de kolom met Kiara's pluspunten. Ik lach en lees dan de tweede kolom door... ze is op zoek naar een jongen die zelfverzekerd en lief is, auto's kan repareren en van sport houdt. Wie schrijft dit soort gelul nou daadwerkelijk op? Het verbaast me dat er niet staat: 'Ik zoek een jongen die mijn voeten masseert en mijn kont kust.' Op de volgende bladzijdes staan schetsen van haar auto.

Ineens hoor ik de slaapkamerdeur kraken. O shit. Ik ben niet alleen.

Kiara staat in de deuropening en kijkt geschokt. Achter haar staat de jongen van de foto's. Zo te zien is Kiara verbijsterd dat ze mij in haar kamer aantreft met haar schrift in mijn handen.

'Ik had papier nodig,' zeg ik luchtig terwijl ik het schrift terugleg op haar bureau.

De jongen stapt naar voren. 'Yo, yo, wha's up, homie!' zegt hij.

Ik vraag me af wat professor Dick zou zeggen als ik Kiara's vriendje al op mijn eerste dag hier in elkaar mep. Over vechten heeft hij niets gezegd in zijn regels.

Ik kijk de jongen met samengeknepen ogen aan en stap naar voren.

Kiara rommelt snel door de spullen op haar bureau en haalt een ander schrift tevoorschijn. Ze duwt het in mijn hand. 'Hier,' zegt ze met paniek in haar stem.

Ik kijk naar het schrift dat ik helemaal niet nodig had, en het irriteert me dat ik me net een *jalapeño* in een bak gemengde nootjes voel... ergens waar ik niet thuishoor, en nog een slechte mix ook.

Ik mompel: 'Later... homie,' en ga terug naar de kanariegele kamer, die ik officieel heb omgedoopt tot *infierno*, de hel.

Ik kijk uit het raam en probeer in te schatten hoe ver ik boven de grond zit, om te bepalen of ik misschien zo nu en dan even kan ontsnappen om een beetje vrijheid te proeven. Misschien ontsnap ik op een dag wel zonder ooit nog om te kijken.

'Carlos, mag ik binnenkomen?' klinkt Brittany's stem vanachter de slaapkamerdeur.

Als ik de deur opendoe, zie ik dat mijn broers vriendin alleen is. 'Als je me een preek komt geven, doe dan geen moeite,' zeg ik.

'Ik ben hier niet om je een preek te geven,' zegt ze, en haar helderblauwe ogen glinsteren van medeleven. Ze wurmt zich langs me heen en stapt de kamer binnen. 'En hoewel je vrienden thuis het vast kunnen waarderen om in detail over je seksuele vaardigheden te horen, is het misschien niet zo'n goed idee om erover op te scheppen in het bijzijn van een zesjarige en zijn ouders.'

Ik steek mijn hand op om haar te onderbreken. 'Voor je verdergaat, moet ik je toch eerlijk zeggen dat dit verdacht veel op een preek begint te lijken.'

Ze lacht. 'Je hebt gelijk. Sorry daarvoor. Ik kwam je eigenlijk alleen maar je telefoon brengen. Ik weet dat jij en Alex soms als water en vuur zijn, dus ik sta voor je klaar als je eens met iemand wilt praten die wat minder koppig is. Ik heb onze nummers in de contactlijst gezet.' Ze legt de telefoon op het bureau.

O nee. Ik voel dat ze een band met me probeert op te bouwen als de zus die ik nooit heb gehad, maar dat gaat mooi niet gebeuren. Ik laat nooit iemand dichtbij komen, dus ik besluit gewoon de klootzak uit te hangen. Dat gaat me makkelijk af; ik hoef het niet eens meer te faken. 'Loop je met me te flirten? Ik dacht dat je iets met mijn broer had. Luister, Brittany, ik val niet op blanke chicas, en al helemaal niet als ze blond haar hebben en een huid zo wit als knutsellijm. Heb je nooit van een zonnebank gehoord?'

Oké, die knutsellijmopmerking was misschien wat overdreven. Brittany's huid heeft een gouden gloed, maar zo'n belediging helpt om haar van me weg te duwen. Dat heb ik ook bij mi'amá gedaan. En bij Luis. En bij Alex. Het werkt altijd.

Met veel vertoon trek ik de bureaula open en mik ik de telefoon erin.

'Die zul je nog eens nodig hebben,' zegt ze. 'Ik weet zeker dat je me een keer gaat bellen.'

Ik begin te lachen. 'Je hebt geen idee wie ik ben of wat ik zal doen.'

'Wedden van wel?'

Ik ga vlak voor haar staan om haar te intimideren en haar te laten weten dat ik het meen. 'Maak me niet boos, bitch. In Mexico ging ik met gangsters om.'

Maar ze is niet onder de indruk. In plaats daarvan zegt ze: 'Mijn vriend zat bij een gang, Carlos. En ik ben voor jullie allebei niet bang.'

'Heeft iemand je ooit verteld dat je de perfecte mamacita zou zijn om de "domme blondjes"-theorie te bewijzen?'

In plaats van terug te deinzen of laaiend te worden, stapt ze naar voren en geeft me een kus op mijn wang. 'Ik vergeef het je,' zegt ze, waarna ze de kamer uit loopt en me alleen laat.

'Ik heb je niet gevraagd me te vergeven. Heb ik totaal geen behoefte aan,' roep ik haar na, maar ze is al weg.

16

Kiara

'Volgens mij had hij geen papier nodig,' zegt Tuck, terwijl hij op mijn bureaustoel gaat zitten. 'Hij was aan het rondneuzen. Geloof mij maar, ik zie het meteen wanneer iemand aan het rondneuzen is.'

Ik zucht en ga op mijn bed zitten. 'Moest je Carlos nu echt zo nodig uitlokken met al dat yo, yo, homie-geklets?' Soms praat Tuck vooral om zichzelf te vermaken. Ik denk niet dat Carlos zijn humor kon waarderen.

'Sorry, ik kon er niets aan doen. Hij vindt zichzelf zo stoer dat ik hem gewoon even op zijn plaats moest zetten.' Tucks gezicht klaart op. 'Ik heb een geweldig idee. Laten we bij hem gaan rondneuzen,' zegt hij opgewekt.

Ik schud mijn hoofd. 'Geen denken aan. Bovendien is hij vast op zijn kamer.'

'Misschien is hij wel beneden bij de rest van je familie. Daar komen we alleen achter als we gaan kijken.'

'Geen goed idee.'

'O, kom op,' kreunt hij, net zoals mijn broertje als die zijn zin niet krijgt. 'Laten we wat lol trappen. Ik verveel me en ik moet zo weg.'

Voor ik goed en wel besef wat Tuck van plan is, is hij al naar de overloop verdwenen. Ik hoor de vloer kraken terwijl hij naar Carlos' kamer sluipt. O nee. Dit gaat niet goed. Helemaal niet goed. Ik pak Tuck bij zijn arm en probeer hem weg te sleuren, maar hij blijft stug staan. Ik had beter moeten weten. Als Tuck eenmaal iets in zijn hoofd heeft, kan niets hem nog tegenhouden. Wat dat betreft lijkt hij wel wat op mijn vader.

Carlos' deur staat op een kier. Tuck gluurt naar binnen. 'Ik zie hem niet,' zegt Tuck.

'Omdat ik naar de wc was,' klinkt Carlos' stem achter me.

O nee. We zijn erbij.

Verschrikt hap ik naar adem en ik knijp in Tucks arm. Deze stunt was bepaald niet zijn meest snuggere plan.

'We, eh, vroegen ons gewoon af of Kiara's schrift je bevalt,' zegt Tuck, die totaal niet in verlegenheid is gebracht doordat we zijn betrapt en gewoon ter plekke wat loopt te verzinnen. 'Of heb je losse blaadjes nodig? Want die kunnen we ook wel voor je opzoeken.'

'Aha, tuurlijk,' zegt Carlos.

Tuck steekt zijn hand uit. 'Trouwens, volgens mij zijn we nog niet officieel aan elkaar voorgesteld. Ik ben Tuck. Je weet wel, rijmt op kruk.'

'En op fuck,' voegt Carlos eraan toe.

'Yep, dat ook,' zegt Tuck zonder een spier te vertrekken. Hij wijst naar Carlos met een brede, brutale grijns op zijn gezicht. 'Je bent niet op je mondje gevallen, amigo.'

Carlos slaat Tucks vinger weg. 'Ik ben je amigo niet, hufter.'

Tucks mobiel gaat. Hij neemt op en zegt: 'Ik kom eraan.' Dan haalt hij zijn schouders op en zegt tegen mij: 'Nou, ik ga ervandoor. Rick, mijn stiefvader, wil per se dat mijn moeder en ik meegaan naar een of andere stomme cursus knopen leggen waarvoor hij ons heeft opgegeven. Kiara, ik zie je morgen op school.' Hij wendt zich weer tot Carlos. 'Zie je later, amigo.'

Tuck is in een oogwenk verdwenen en laat mij alleen achter op de overloop met Carlos. Hij gaat voor me staan. Het is behoorlijk intimiderend als Carlos al zijn aandacht op mij richt, of dat nu wel of niet zijn bedoeling is. Hij lijkt net een panter die op het punt staat aan te vallen, of een vampier die iedereen leegzuigt die hem in de weg staat.

'Trouwens, ik had geen papier nodig. Je vriendje Tuck had gelijk. Ik was aan het rondneuzen.' Hij loopt terug naar zijn kamer, maar draait zich naar me toe voor hij de deur dichtdoet. 'Deze muren zijn flinterdun. Misschien iets om rekening mee te houden de volgende keer dat jij en je vriendje over me zitten te kletsen,' zegt hij, waarna hij de deur dichtsmijt.

17

Carlos

's Avonds word ik naar het thuiskantoor van de professor geroepen. Hij zal vast woedend zijn. Eerlijk gezegd hoop ik dat ook. Als hij of die kinderrechter had gedacht dat mijn verblijf hier ervoor zou zorgen dat ik tot inkeer zou komen of zou veranderen, dan hadden ze het mis. Als iemand mijn leven probeert te controleren en me nog meer regels oplegt, kom ik uit puur instinct gelijk in opstand.

Professor Westford drukt zijn vingertoppen tegen elkaar en leunt naar voren in zijn stoel, tegenover de bank waarop ik zit. 'Wat wil je, Carlos?' vraagt hij.

Huh? Dit overrompelt me. Die vraag had ik niet verwacht. Ik wil terug naar Mexico en weer zelf bepalen wat ik doe met mijn leven. Of terug naar Chicago, naar mijn vrienden en familie met wie ik ben opgegroeid...

Professor Westford zucht als ik geen antwoord geef. 'Ik weet dat je een bikkel bent,' zegt hij. 'Alex vertelde me dat je bij nogal heftige zaken betrokken was in Mexico.'

'Dus?'

'Dus wil ik dat je weet dat je hier een nieuw leven kunt opbouwen, Carlos. Je hebt misschien geen al te beste start gemaakt, maar je kunt nu met een schone lei beginnen. Alex en je moeder willen het beste voor je.'

'Luister, Dick. Alex kent me niet.'

'Je broer kent jou beter dan je denkt. En jullie lijken meer op elkaar dan je graag wil geloven.'

'Je hebt me pas net ontmoet. Jij kent me ook niet. En om eerlijk te zijn heb ik niet veel respect voor je. Je hebt een jongen in huis gehaald die is opgepakt wegens drugsbezit. Waarom ben je niet bang om mij in huis te hebben?'

'Je bent niet de eerste tiener die ik heb geholpen, en je zult ook niet de laatste zijn,' verzekert hij me. 'En je moet weten dat ik in het leger heb gezeten voor ik psychologie ging studeren. Ik heb meer wapens, dood en zware jongens gezien dan jij in je hele leven zult tegenkomen. Ik mag dan misschien grijs zijn, maar als het moet ben ik net zo'n bikkel als jij. Volgens mij kunnen we best samenwerken. Goed, om weer terug te komen op de reden dat ik je hierheen heb geroepen: wat wil je?'

Ik kan maar beter iets antwoorden zodat hij me met rust laat. 'Terug naar Chicago.'

Professor Westford leunt achterover. 'Oké.'

'Hoe bedoel je, "oké"?'

Hij steekt zijn handen op. 'Ik bedoel "oké". Als jij je tot de kerstvakantie aan mijn huisregels houdt, zorg ik dat je naar Chicago kunt voor een bezoek. Dat beloof ik.'

'Ik geloof niet in beloftes.'

'Nou, ik wel. En ik kom ze na. Altijd. Goed, genoeg serieuze praat voor vanavond... Ontspan maar lekker en doe alsof je thuis bent. Kijk wat tv als je wilt.'

In plaats daarvan loop ik rechtstreeks naar de stippeltjes-hel. Als ik langs Brandons kamer kom, zie ik het jochie op de grond zitten in een pyjama met allemaal kleine honkballen, vanghandschoenen en knuppels erop. Het jongetje zit met plastic soldaatjes te spelen. Hij lijkt volmaakt onschuldig en blij. Da's ook niet zo moeilijk voor hem – hij heeft nog niks van de echte wereld gezien.

De echte wereld is klote.

Zodra hij me ziet, glimlacht hij breeduit. 'Hé, Carlos, zullen we soldaatje spelen?'

'Vanavond niet.'

'Morgenavond dan?' vraagt hij hoopvol.

'Weet ik niet.'

'Wat bedoel je daarmee?'

'Dat je het me morgen maar moet vragen. Dan denk ik er misschien anders over.' Wacht, bij nader inzien: 'Vraag je zus maar of ze met je wil spelen.'

'Heeft ze net gedaan. Nu ben jij aan de beurt.'

Aan de beurt? Dit jochie denkt serieus dat ik het leuk vind om ook een keer aan de beurt te komen. 'Oké, wat zeg je hiervan? Morgen gaan we samen een potje voetballen na school. Als het je lukt om te scoren, zal ik soldaatje met je spelen.'

Het jochie kijkt verward. 'Ik dacht dat je niet voetbalde.'

'Dat loog ik.'

'Je mag niet liegen.'

'Ja, nou, dat zul jij ook vaak genoeg doen als je eenmaal ouder bent.' Hij schudt zijn hoofd. 'Echt niet.'

Ik grinnik. 'Bel me maar als je zestien bent. Ik verzeker je dat je er dan anders over denkt,' zeg ik, en dan loop ik naar mijn kamer. Kiara staat op de overloop. Haar staart is uitgezakt en het grootste deel van haar haar hangt los. Ik heb nog nooit een meisje ontmoet dat zo weinig om haar uiterlijk gaf.

'Waar ga je naartoe, zo helemaal opgetut?' grap ik.

Ze schraapt haar keel, alsof ze tijd wil rekken. 'Joggen,' zegt ze.

'Waarom?'

'Lichaamsbeweging. Je... mag wel mee.'

'Neuh.' Ik heb sporten altijd meer iets gevonden voor kantoorslaafjes, omdat die de hele dag op hun reet zitten. Ze wil al weglopen, maar ik roep haar terug. 'Kiara, wacht.' Ze draait zich om. 'Zeg tegen Tuck dat hij bij me uit de buurt moet blijven. En over je doucherooster...'

Ik zal haar eens duidelijk maken hoe het zit, wie hier de baas is. Haar vader mag gerust zijn best doen om me regels op te leggen waar ik me toch niet aan ga houden. Maar niemand bepaalt wanneer ik douche, zeker niet een gringa. Ik sla mijn armen over elkaar en zeg haar recht voor z'n raap: 'Ik doe niet aan roosters.'

'Nou, ik w-wel, dus wen er m-maar aan,' zegt ze, waarna ze zich omdraait en wegbeent naar de trap.

Ik blijf in mijn kamer tot ik de volgende ochtend de stem van de professor door de deur heen hoor bulderen. 'Carlos, als je er nog niet uit bent, moet je opschieten. We vertrekken over een halfuur.'

Als ik zijn voetstappen hoor wegsterven, kruip ik uit bed en loop naar de badkamer. Ik doe de deur open en zie dat Brandon zijn tanden staat te poetsen. Zijn gezicht zit helemaal onder de tandpasta, en onze wastafel ook. Hij ziet eruit alsof hij hondsdolheid heeft.

'Schiet op, *cachorro*. Ik moet naar de wc.'

'Ik weet niet wat cha-cha-cho-ro-ro betekent.'

Het is wel duidelijk dat hij geen woord Spaans spreekt. 'Mooi,' zeg ik. 'Dat hoef je ook niet te weten.'

Ik leun tegen de deuropening, wachtend tot Brandon klaar is. Ineens hoor ik Kiara's deur opengaan. Ze loopt haar kamer uit, helemaal gekleed. Nou, echt gekleed kun je het niet noemen. Ze heeft haar haar weer in die eeuwige paardenstaart en draagt een geel T-shirt met AVONTURENLAND erop, met daaronder een bruine korte broek en wandelschoenen.

Zodra ze mij ziet, worden haar ogen groot en loopt ze rood aan. Ze kijkt snel weg.

'Ha, ha, ha!' lacht Brandon, wijzend naar mijn boxershort. Ik kijk omlaag om er zeker van te zijn dat mijn eigen vooruitstekende deel niet te zien is. 'Kiara heeft je onderbroek gezien! Kiara heeft je onderbroek gezien!' roept hij.

Kiara is in een oogwenk de trap af verdwenen.

Ik kijk Brandon met samengeknepen ogen aan. 'Heeft iemand je wel eens verteld dat je soms echt een vervelend klein kutkind bent?'

Brandon slaat zijn hand voor zijn mond en hapt naar adem. 'Je zei een vies woord.'

Ik zucht in mezelf. Ik moet echt maar Spaans gaan spreken als dit kind in de buurt is, zodat hij geen idee heeft wat ik zeg. Of ik moet hem een koekje van eigen deeg geven. 'Niet waar. Ik zei dat je een vervelend klein flutkind bent.'

'Niet waar. Je zei kutkind.'

Ik sla mijn hand voor mijn mond en hap naar adem. Ik wijs hem beschuldigend aan, als een klein kind. 'Je zei een vies woord,' zeg ik.

'Jij zei het eerst, Carlos,' pleit hij. 'Ik zei alleen wat jij zei.'

'Ik zei flutkind. Jij zei iets wat daarop rijmt. Ik ga het zeggen, hoor.' Ik doe alsof ik hem wil gaan verlinken. Dat ga ik natuurlijk niet echt doen, maar dat weet die kleine *diablo* niet.

'Niet zeggen. Alsjeblieft.'

'Oké. Ik zal het niet zeggen. Voor deze keer. Kijk, nu zijn we bondgenoten.'

Hij fronst zijn kleine wenkbrauwen. 'Ik weet niet wat dat betekent.'

'Het betekent dat we elkaar niet verklikken.'

'Maar wat als jij iets stouts doet?'

'Dan hou jij je mond dicht.'

'En als ik iets stouts doe?'

'Dan verklap ik niets.'

Hij lijkt er even over na te denken. 'Dus als je me alle koekjes uit de voorraadkast ziet opeten?'

'Dan zeg ik er geen woord over.'

'En als ik geen zin heb om mijn tanden te poetsen?'

Ik haal mijn schouders op. 'Voor mijn part ga je met tien gaatjes en een stinkende adem naar school.'

Brandon grijnst en steekt zijn hand uit. 'Afgesproken, makker.'

Makker? Brandon trippelt terug naar zijn kamer. Ik kijk hem na en vraag me af of ik hem zojuist te slim af ben geweest, of hij mij.

18

Dus nu weet ik waar Carlos in slaapt. In zijn boxershort. Verder niks. Ik moest mijn hoofd wel wegdraaien toen ik op de overloop stond, want ik stond hem flink aan te gapen. Hij heeft niet alleen tattoos op zijn boven- en onderarmen. Hij heeft ook nog een kleine afbeelding van een slang op zijn borst en toen mijn blik verder omlaag gleed, zag ik een paar rood-met-zwarte letters boven zijn boxershort uit piepen. Ik ben razend benieuwd wat ze allemaal betekenen en waarom hij ze heeft laten zetten, maar dat ga ik hem dus echt niet vragen.

Mijn moeder is ruim een uur geleden vertrokken om haar winkel te openen. Het is mijn beurt om voor iedereen ontbijt klaar te maken. Mijn vader stort zich op de eieren met toast die ik zojuist op zijn bord heb gelegd. Ik weet dat hij Alex zo hier verwacht en dat hij waarschijnlijk de preek aan het doornemen is die Carlos deze ochtend van hen zal krijgen.

Daar wil ik dus echt niet bij zijn, en ik voel me wel een beetje schuldig dat ik Carlos gisteravond zo heb uitgedaagd. Het laatste waar Carlos op dit moment behoefte aan heeft is nog iemand die in zijn ogen tegen hem is.

'Pap,' zeg ik als ik naast hem aan de ontbijttafel ga zitten. 'Wat ga je hem vertellen?'

'De waarheid. Dat ik hoop dat hij niet hoeft te zitten, maar dat ze hem laten meedoen aan het REACH-project nadat de rechter de tijdelijke voogdij heeft bekrachtigd.'

'Dat zal hij niet leuk vinden.'

'Hij heeft geen keus.' Mijn vader pakt mijn hand. 'Maak je geen zorgen, het komt allemaal wel goed.'

'Hoe weet je dat?' vraag ik.

'Omdat ik vermoed dat hij diep vanbinnen zijn leven wil beteren, en de rechter haalt jongeren liever niet van school. Eerlijk gezegd weet Carlos volgens mij zelf niet eens hoe graag hij toch succesvol zou willen zijn.'

'Hij is best een rotzak.'

'Dat is alleen een masker waar iets diepers achter schuilgaat. Hij zal een flinke uitdaging vormen, dat weet ik.' Hij houdt zijn hoofd schuin en kijkt me peinzend aan. 'Weet je zeker dat je het niet erg vindt dat hij nu hier woont?'

Ik verplaats mezelf in zijn situatie en vraag me af of iemand mij zou proberen te helpen. Is dat niet de belangrijkste reden dat we op de wereld zijn gezet, om die een stukje beter te maken? Niet vanuit een religieus, maar vanuit een menselijk oogpunt.

Als Carlos niet bij ons kan blijven, wie weet waar hij dan terechtkomt. 'Ik heb er geen problemen mee dat hij hier woont,' zeg ik. 'Echt waar.' Mijn vader zal Carlos kunnen helpen, met zijn achtergrond in de psychologie en zijn engelengeduld. En mijn moeder... nou, als je door haar eigenaardige trekjes heen kunt kijken, is ze een geweldig mens.

'Brandon, waar is Carlos?' vraagt mijn vader als mijn broertje de trap af komt huppelen.

'Weet ik niet. Volgens mij staat hij onder de douche.'

'Aha. Nou, zorg dat je wat ontbijt naar binnen krijgt. Je bus is er over tien minuten.'

Als we de kraan boven horen dichtgaan en Carlos kennelijk klaar is met douchen, komt mijn vader in actie. 'Bran, pak je rugzak. De bus kan er elk moment zijn.'

Terwijl mijn vader met Brandon naar buiten snelt om de bus te halen, kluts ik een paar eieren voor Carlos.

Ik hoor hem al de trap af komen nog voor ik hem zie. Hij heeft een donkerblauwe spijkerbroek aan met gaten op de knieën en een zwart T-shirt dat er vaal en versleten uitziet... maar waarvan ik me helemaal kan voorstellen dat het heerlijk zacht is en heel lekker zit.

'Hier,' mompel ik, terwijl ik de eieren en toast netjes op tafel zet met een glas versgeperst sinaasappelsap ernaast.

'Gracias.' Hij gaat langzaam zitten, duidelijk verrast dat ik ontbijt voor hem heb klaargemaakt.

Terwijl hij eet, ruim ik de vaatwasser in en leg de lunchpakketjes klaar die mijn moeder voor ons heeft gemaakt. Als mijn vader een paar mi-nuten later terugkomt, wordt hij vergezeld door Alex.

'Morgen, broertje,' zegt Alex terwijl hij naast Carlos gaat zitten. 'Klaar voor de rechtbank?'

'Nee.'

Ik pak mijn autosleutels en mijn rugzak, om ze wat privacy te geven. Terwijl ik naar school rij, vraag ik me af of ik toch niet had moeten blij-ven, als een soort buffer. Want drie mannen bij elkaar, onder wie twee superkoppige Fuentes-broers, dat zou wel eens een behoorlijk gevaar-lijke combinatie kunnen zijn. Vooral als een van hen straks zal worden gedwongen om deel te nemen aan een naschools project voor probleem-jongeren. Carlos gaat helemaal door het lint wanneer ze het hem ver-tellen, dat weet ik zeker.

Mijn arme vader heeft geen schijn van kans.

19

Carlos

'Dus wat doe jij hier?' vraag ik mijn broer nog eens.

Ik kijk naar Westford, die een kop koffie in zijn hand heeft. Er is duidelijk iets aan de hand.

'Alex wilde erbij zijn wanneer ik met je zou bespreken wat er vandaag gaat gebeuren. We gaan de rechter vragen om jou onder mijn voogdij te plaatsen, in ruil voor jouw medewerking en deelname aan een speciaal naschools project.'

Ik kijk naar mijn half opgegeten ontbijt en smijt mijn vork neer. 'Ik dacht dat we alleen naar de rechtbank gingen en dat ik onder jouw voogdij geplaatst zou worden. Nu heb ik het gevoel dat ik voor een vuurpeloton sta en zo mijn allerlaatste sigaret krijg aangeboden voor ik word geblinddoekt.'

'Zo erg is het niet,' zegt Alex. 'Het heet REACH.'

Westford gaat tegenover me zitten. 'Het is een speciaal programma voor tieners uit een risicovolle omgeving.'

Ik kijk naar Alex voor een toelichting in normale taal.

Alex schraapt zijn keel. 'Het is voor tieners die in aanraking zijn geweest met de politie, Carlos. Je moet er meteen na schooltijd naartoe. Elke dag,' voegt hij eraan toe.

Nemen ze me in de maling? 'Ik heb jullie toch al gezegd dat de drugs niet van mij waren.'

Westford zet zijn kopje op tafel. 'Vertel me dan van wie de drugs wel waren.'

'Ik weet geen namen.'

'Dat zal je niet helpen,' zegt Westford.

'Het is een erecode. Zwijgplicht.'

Westford begrijpt het niet. 'Zwijgplicht?'

Alex kijkt op. 'Ik ken een lid van de Guerreros del barrio,' zegt hij. 'Al-

98

le leden worden beschermd door de zwijgplicht. Hij zal niets loslaten, zelfs al weet hij wie verantwoordelijk was.'

Westford zucht. 'Met zwijgen schiet je broer niets op, maar ik begrijp het, al zou ik het liever niet begrijpen. Dat betekent dat we geen andere keus hebben dan de rechter te vragen om Carlos te laten meedoen aan het REACH-project. Het is een uitstekend project, Carlos, en het is een stuk beter dan van school getrapt worden of in de jeugdgevangenis belanden. Je kunt je diploma halen, zodat je je kunt inschrijven bij universiteiten.'

'Ik ga niet studeren.'

'Wat ga je dan doen na high school?' vraagt Westford. 'En zeg niet dat je drugs gaat dealen, want dat zou te makkelijk zijn.'

'Wat weet jij daar nou van, Dick? Jij hebt makkelijk praten met je gigantische huis en je ranzige biologische eten. Als je een dag in mijn schoenen hebt gestaan, dan mag je me de les lezen. Maar tot die tijd wil ik er niets meer over horen.'

'Mi'amá wil dat we een beter leven krijgen dan zij heeft gehad,' zegt Alex. 'Doe het dan voor haar.'

'Het zal wel,' zeg ik terwijl ik mijn vaat in de gootsteen zet. Ik heb totaal geen honger meer. 'Oké, laten we die shit maar snel gaan afhandelen dan.'

Westford pakt zijn aktetas en zucht opgelucht. 'Zijn jullie er klaar voor, jongens?'

Ik wrijf in mijn ogen. Het heeft vast geen zin om te hopen dat ik ineens op magische wijze in Chicago zal zijn als ik mijn ogen weer opendoe. 'Je wilt toch niet echt dat ik daar antwoord op geef, of wel?'

Er verschijnt een flauwe glimlach op zijn gezicht. 'Niet echt. En je hebt gelijk, ik heb nooit in jouw schoenen gestaan. Maar jij ook niet in die van mij.'

'Kom op, professor. Ik durf er mijn linkerbal om te verwedden dat jouw grootste probleem ooit was dat je moest beslissen van welke golfclub je lid zou worden.'

'Die weddenschap zou ik niet aangaan als ik jou was,' zegt hij terwijl we naar buiten lopen. 'We zijn niet eens lid van een golfclub.'

Ik blijf staan als we bij zijn auto aankomen, of wat daarvoor moet doorgaan. 'Wat is dit?'

'Een Smart.'

Het lijkt eerder alsof er een SUV heeft zitten schijten en die Smart heeft uitgekakt. Ik zou niet raar hebben opgekeken als Westford had gezegd dat het zo'n autootje was waar jongeren in rondrijden.

'Hij is erg zuinig. Mijn vrouw rijdt in de stationwagen en aangezien ik alleen van en naar mijn werk hoef te rijden, was dit de perfecte keuze. Je mag wel rijden als je wilt.'

'Of je rijdt met mij mee,' zegt Alex.

'Nee, dank je,' zeg ik, terwijl ik het portier van de Smart opentrek en me op de passagiersstoel wurm. Het is niet eens zo heel krap vanbinnen, maar het voelt net of ik in een miniruimteschip zit.

Het kost de rechter nog geen uur om de professor de tijdelijke voogdij toe te wijzen en in te stemmen met mijn deelname aan REACH als alternatief voor een gevangenisstraf of een taakstraf. Alex moet weg omdat hij een tentamen heeft, dus het is aan mijn nieuwe voogd om me bij REACH in te schrijven en me vervolgens naar school te brengen.

De REACH-bijeenkomsten worden gehouden in een gebouw van bruine bakstenen vlak bij de school. We wachten in de hal en worden dan naar het kantoor van de directeur gebracht.

Daar worden we begroet door een grote blanke kerel die wel bijna honderdvijftig kilo lijkt te wegen. 'Ik ben Ted Morrisey, de directeur van REACH. En jij moet Carlos zijn.' Hij bladert door een dossier en zegt: 'Vertel me eens waarom je hier bent.'

'Op bevel van de rechter,' antwoord ik.

'In je dossier staat dat je afgelopen vrijdag bent gearresteerd wegens drugsbezit op school.' Hij kijkt op. 'Dat is een ernstige overtreding.'

Alleen omdat ik ben gepakt. Maar het probleem is dat ik een Mexicaan ben die connecties heeft met bepaalde gangs. Dus deze gast zal nooit geloven dat ik erin ben geluisd. Bovendien zullen de meeste jongeren hier wel beweren dat ze onschuldig zijn. Maar ik kom er wel achter wie me erin heeft geluisd... en dan zal ik wraak nemen.

Het volgende halfuur dreunt Morrisey De Preek op. Het komt erop neer dat ik zelf mijn lot en mijn toekomst in de hand heb. Dit is mijn laatste kans. Als ik iets wil bereiken in mijn leven, zal het REACH-project me de middelen aanreiken om alles eruit te halen wat erin zit, bla, bla, bla. Na afronding van het programma zullen de carrièrecoaches hun uiterste best doen om elke REACH-leerling te helpen met het vinden van een baan of een vervolgopleiding. Het kostte me moeite om niet expres te gaan zitten gapen, en ik vraag me af hoe Westford het voor elkaar krijgt om met een serieus gezicht naar al die onzin te luisteren.

'Nog even voor de goede orde,' zegt Morrisey, terwijl hij een leerlingenhandboek tevoorschijn haalt en het helemaal doorbladert, 'gedurende het jaar zullen we alle REACH-leerlingen op willekeurige momenten op drugs testen. Als we op enig moment verdovende middelen in je lichaam of tussen je spullen aantreffen, zal je voogd worden ingelicht en zul je uit het REACH-project worden gezet en van school worden gestuurd. Voorgoed. De meeste jongeren eindigen achter de tralies als ze een overtreding begaan.'

Morrisey overhandigt Westford en mij ieder een kopie van de REACH-regels. Dan vouwt hij zijn handen voor zijn dikke buik en glimlacht, maar daar trap ik niet in. Hij is een taaie die geen genade kent. 'Nog vragen?' informeert hij. Zijn stem klinkt vlak... maar ik twijfel er niet aan dat hij met die stem nog harder bevelen kan brullen dan alle drilmeesters bij elkaar.

De professor kijkt naar mij en zegt dan: 'Volgens mij is alles duidelijk.'

'Mooi. Dan moeten we nog één ding regelen voor je terug mag naar school.' Hij schuift een vel papier naar ons toe. 'Dit is een deelnemerscontract waarin staat dat ik de REACH-regels met je heb doorgenomen, dat je ze begrijpt en dat je belooft ze na te leven.'

Ik leun naar voren en zie drie regels voor handtekeningen staan. Eén voor mij, één voor een ouder of voogd en één voor een REACH-medewerker. Op het papier staat:

```
Ik, ..., verklaar dat ik met het tekenen van dit docu-
ment beloof om de regels uit het REACH-handboek na te le-
ven. Ik heb deze regels, die me duidelijk zijn uitgelegd
door een REACH-medewerker, begrepen. Tevens ga ik ermee
akkoord dat er, wanneer ik de regels om welke reden dan
ook niet in acht neem, disciplinaire maatregelen zullen
worden genomen die onder meer kunnen bestaan uit huis-
arrest, aanvullende therapie en/of schorsing uit het
REACH-project.
```

Wat hier eigenlijk staat, is:

```
Ik, ..., draag mijn vrijheid over aan de REACH-medewer-
kers. Door dit document te ondertekenen ga ik ermee ak-
koord dat mijn leven door andere mensen zal worden be-
paald en dat ik een ellendig bestaan zal leiden zolang
ik hier in Colorado verblijf.
```

Daar probeer ik maar niet te lang bij stil te staan wanneer ik mijn naam op het vel krabbel en het doorschuif naar Westford zodat hij het ook kan ondertekenen. Ik wil dit gewoon achter de rug hebben, zodat ik verder kan. Het heeft geen zin meer om in discussie te gaan. Nadat het papier is ondertekend en bij mijn dossier is gestopt, worden we naar buiten geleid en krijg ik de opdracht om me elke schooldag uiterlijk om 15.00 uur bij REACH te melden, anders ben ik in overtreding.

Ik moet me inmiddels aan zoveel regels houden, dat het slechts een kwestie van tijd is voor ik er een overtreed.

20

Kiara

Ik heb Carlos vanmorgen nog niet op school gezien. Iedereen heeft het over de drugscontrole van vrijdag en vraagt zich af wat er met Flatirons nieuwste laatstejaars is gebeurd. Ik hoorde iemand op de gang zeggen dat Carlos het hele weekend in de gevangenis had gezeten omdat hij zijn borg niet kon betalen. Iemand anders zei dat hij het land uit was gezet omdat hij een illegale immigrant was. Ik vertel maar niet dat Carlos bij ons is komen wonen, ook al zou ik het liefst tegen iedereen zeggen dat ze hun mond moeten houden en geen valse geruchten moeten verspreiden.

Tijdens de lunch zitten Tuck en ik aan onze vaste tafel.

'Ik kan vrijdag niet optreden als je mannelijk model,' vertelt hij.

'Waarom niet?'

'Mijn moeder wil dat ik haar help met een survivalgroepje dat ze dit weekend leidt. Ze hebben niet genoeg instructeurs.'

'De dames van The Highlands zullen diep teleurgesteld zijn,' zeg ik tegen hem. Toen ik vertelde dat ik twee modellen voor ze zou regelen voor de schilderles, waren ze helemaal enthousiast, zelfs nadat ik ze had verteld dat mijn vriend Tuck en ik die modellen zouden zijn en dat we niet naakt zouden poseren, maar in kostuum.

'Vraag dan iemand anders om je te helpen.'

'Wie dan?'

'Ik weet het!' zegt hij. 'Vraag Carlos als je model.'

Ik schud mijn hoofd. 'Geen denken aan. Hij is pissig dat hij vrijdag is opgepakt. Ik denk niet dat hij zin heeft om een ander een plezier te doen. Telkens als hij me uitdaagt, krijg ik het gevoel dat ik weer ga stotteren.'

Tuck grinnikt. 'Als je dichtklapt, kun je altijd nog je middelvinger naar hem opsteken. Jongens als Carlos reageren goed op handgebaren.'

Net wanneer hij dit zegt, komt Carlos de kantine in lopen. Meteen zijn alle ogen op hem gericht.

Als ik Carlos was, zou ik zeker een maand uit de kantine wegblijven. Maar ik ben Carlos niet. Het lijkt wel alsof hij niet eens merkt dat iedereen hem aanstaart en elkaar de laatste roddels over hem toefluistert. Hij loopt recht naar de tafel waar hij meestal zit, zonder zich ook maar bij iemand te verontschuldigen. Ik bewonder zijn zelfverzekerdheid.

Carlos wordt door geen van de jongens aan tafel begroet, tot Ram een stukje opschuift en Carlos uitnodigt naast hem te komen zitten. Daarna lijkt de poppenkast voorbij. Ram is een populaire jongen, en als Ram Carlos accepteert, dan is Carlos ineens toch geen buitenstaander, ondanks die arrestatie.

Na de lunch zie ik Carlos bij zijn kluisje staan, en ik tik hem op zijn schouder. 'Bedankt dat je mijn cijfercode weer hebt veranderd.'

'Dat deed ik niet om aardig te zijn,' zegt hij. 'Ik deed het alleen om niet gepakt te worden en van school te worden getrapt.'

Toen Carlos hier een week geleden begon, maakte het hem niet uit of hij nu naar de les ging of van school gestuurd werd. Maar nu hij daadwerkelijk geschorst zou kunnen worden, knokt hij ervoor om te mogen blijven. Ik vraag me af of het feit dat hij van school getrapt dreigt te worden, hem nog vastberadener maakt om te blijven.

21

Carlos

Meneer Kinney, de maatschappelijk werker die me is toegewezen, begroet me in de hal van REACH nadat ik de presentielijst heb getekend. Eenmaal in zijn kantoor legt hij een geel vel papier voor me neer. Bovenaan staat mijn naam, met daaronder vier lege regels.

'Wat is dit?' vraag ik. Ik heb mijn leven al aan hen overgedragen, wat verwachten ze nog meer van me?

'Een doelenlijst.'

'Een wat?'

'Een doelenlijst.' Kinney geeft me een potlood. 'Ik wil dat je vier doelen voor jezelf opschrijft. Het hoeft niet nu meteen. Denk er vanavond maar over na en lever ze morgen in.'

Ik geef het papier aan hem terug. 'Ik heb geen doelen.'

'Iedereen heeft doelen,' zegt hij. 'En als je die niet hebt, dan moet je daar maar eens verandering in brengen. Doelen helpen je om richting en betekenis te geven aan je leven.'

'Nou, als ik al doelen had, dan zou ik ze niet met jou delen.'

'Met zo'n houding kom je nergens,' zegt Kinney.

'Mooi, want ik ben niet van plan ergens heen te gaan.'

'Waarom niet?'

'Ik neem het leven gewoon zoals het komt, man.'

'Hoort naar de gevangenis gaan wegens drugsbezit daarbij?'

Ik schud mijn hoofd. 'Nee.'

'Luister, Carlos. Elke leerling van het REACH-project zit in de risicogroep,' zegt Kinney, terwijl ik achter hem aan loop door een hagelwitte gang.

'Risicogroep voor wat?'

'Zelfdestructief gedrag.'

'Wat geeft jou het idee dat je mij kunt veranderen?'

Kinney kijkt me ernstig aan. 'Het is niet ons doel om je te veranderen, Carlos. We zullen je de middelen aanreiken om het beste uit jezelf te halen, maar de rest is aan jou. Negentig procent van de leerlingen in ons programma haalt uiteindelijk zijn diploma zonder een enkele overtreding te begaan. Daar zijn we erg trots op.'

'Ze halen hun diploma alleen maar omdat jullie ze dwingen hier te komen.'

'Nee. Geloof het of niet, maar het zit in de menselijke aard om succesvol te willen zijn. Sommige jongeren hier zijn net als jij. Ze zijn verwikkeld geraakt in het wereldje van gangs en drugs en hebben een veilige naschoolse omgeving nodig. En soms, heel soms, zijn ze hier omdat ze de stress van het tiener zijn niet aankunnen. Wij bieden ze een plek waar ze succesvol kunnen zijn en het beste uit zichzelf kunnen halen.'

Geen wonder dat Alex me hierheen wilde sturen. Hij wil dat ik me aanpas... dat ik mijn highschooldiploma haal, ga studeren, een respectabele baan vind en dan ga trouwen en kinderen krijg. Maar ik ben Alex niet. Ik wou dat iedereen eens ophield mij te behandelen alsof ik net als Alex zou moeten leven.

Kinney leidt me naar een lokaal waar zes losers in een knus kringetje zitten. Bij hen zit een vrouw die me doet denken aan mevrouw Westford, met een lange, flodderige rok aan en een notitieblok op haar schoot.

'Is dit een soort groepstherapie?' vraag ik zachtjes aan Kinney.

'Mevrouw Berger, dit is Carlos,' zegt Kinney. 'Hij heeft zich vanmorgen ingeschreven.'

Berger werpt me net zo'n glimlach toe als Morrisey vanmorgen in zijn kantoor. 'Pak een stoel, Carlos,' zegt ze. 'In de groepstherapie kun je over alles praten wat je bezighoudt. Ga zitten.'

O, jippie! Groepstherapie! Ik kan niet wachten!

Ik ga zowat over mijn nek.

Als Kinney weg is, vraagt Berger of iedereen zich aan me wil voorstellen. Alsof het me iets kan schelen hoe ze heten.

'Ik ben Justin,' zegt de jongen aan mijn rechterkant.

Justin heeft de voorste plukken van zijn lange haar groen geverfd. De plukken zijn zo lang dat ze als een gordijn voor zijn ogen hangen.

'Hé, man,' zeg ik. 'Waarvoor zit jij hier? Drugs? Zakkenrollen? Dief stal? Moord?' som ik op, alsof ik de menukaart van een restaurant voorlees.

Berger steekt haar hand op. 'Carlos, het is het beleid van REACH om daar niet naar te vragen.'

Oeps, ik heb zeker zitten dagdromen tijdens dat deel van De Preek. 'Waarom niet?' vraag ik. 'Ik zou zeggen: voor de draad ermee.'

'Autodiefstal,' flapt Justin er tot onze verbazing uit. Volgens mij is zelfs Justin verrast dat hij zijn geheim heeft verklapt.

Nadat iedereen zich heeft voorgesteld, kom ik tot de conclusie dat ik zojuist in de *group from hell* ben ingedeeld. Aan mijn linkerkant zit een blanke chick, Zana, die meteen gecast zou worden als ze ooit een realityserie zouden maken met de titel 'De sletten van Colorado'. Naast haar zit Quinn, van wie ik niet kan uitmaken of het nou een hij of een zij is. Er zijn nog twee andere latino's: een jongen die Keno heet en een sexy Mexicaanse chica genaamd Carmela, met chocoladebruine ogen en een honingkleurige huid. Ze doet me denken aan mijn ex, Destiny, alleen heeft Carmela een brutale blik in haar ogen.

Berger legt haar pen neer en zegt tegen me: 'Voordat jij erbij kwam, vertelde Justin ons dat hij soms met zijn vuist tegen de muur beukt als hij gefrustreerd is, om pijn te voelen. We hadden het over andere uitlaatkleppen voor frustratie die minder destructief zijn.'

Het is best ironisch dat Justin tegen de muur slaat omdat hij zo graag iets wil voelen, zelfs al is het pijn... Ik heb precies het tegenovergestelde. Ik doe er juist alles aan om helemaal niets te voelen. Dat is meestal mijn doel.

Hmm, misschien moet ik dat maar op mijn doelenlijst schrijven. Carlos Fuentes' doel nr. 1: Niets voelen en dat zo houden. Dat zal vast niet zo goed vallen, maar het is wel waar.

'En hoe was je eerste dag?'

Nadat Alex me om halfzes van REACH had opgehaald, nam hij me mee naar het Pearl Street-winkelcentrum in het centrum van Boulder. Tot groot genoegen van mevrouw Westford gingen we bij haar winkel annex theehuis Invi-Thee langs om iets te drinken aan een van de tafeltjes op het terras. Thee is niet het soort drankje dat ik in gedachten had, maar zoals gewoonlijk heb ik weinig keus.

Mevrouw Westford zet twee bekers thee voor ons neer die ze 'speciaal voor ons heeft gezet, van het huis', en loopt terug naar binnen om
bestellingen van andere klanten op te nemen.

Ik kijk naar mijn broer, die totaal ontspannen tegenover me zit.

'Het is een stelletje achterlijke losers daar bij dat REACH-gezeik, Alex,'
vertel ik hem zachtjes zodat mevrouw W. het niet hoort. 'De een is nog
erger dan de ander.'

'Kom op, zo erg kan het niet zijn.'

'Dat kun je pas zeggen als je ze zelf hebt gezien. En ze hebben me een
of andere stomme overeenkomst laten tekenen waarin staat dat ik me
aan hun regels zal houden. Weet je nog, in Fairfield, toen er geen regels
waren, Alex? Na school, met alleen jij, ik en Luis?'

'Er waren wel regels,' zegt Alex terwijl hij zijn beker pakt. 'We hielden
ons er alleen niet aan. Mi'amá werkte zoveel dat ze er niet was om een
oogje in het zeil te houden.'

We hadden het niet breed in Illinois, maar we hadden wel vrienden
en familie... en een leven. 'Ik wil terug.'

Hij schudt zijn hoofd. 'We hebben daar niets meer te zoeken.'

'Elena en Jorge wonen daar, met de kleine JJ. Je hebt dat kind zelfs
nog nooit gezien, Alex. Mijn vrienden wonen daar. Hier heb ik praktisch niks.'

'Ik zeg niet dat ik niet terug zou willen,' zegt mijn broer. 'Maar we
kunnen nu niet terug. Het is niet veilig.'

'Sinds wanneer ben jij ergens bang voor? Man, wat ben jij veranderd.
Ik weet nog goed dat je vroeger altijd zei dat de hele wereld kon dood-
vallen en dat je gewoon deed waar je zin in had zonder erbij na te denken.'

'Ik ben niet bang. Ik vind het gewoon belangrijk om hier te zijn voor
Brittany. Er komt een moment dat je moet stoppen met vechten tegen
alles en iedereen. Voor mij was dat twee jaar geleden. Kijk om je heen,
Carlos. Er zijn meer meiden dan Destiny.'

'Ik wil Destiny helemaal niet. Niet meer. Als je het over Kiara hebt,
vergeet het dan maar. Ik ga niet uit met een chick die mijn hele leven
wil bepalen en zich er druk om maakt of ik drugs deal of bij een gang
zit. Kijk naar ons, Alex. We zitten bij een theehuis tussen een stelletje
rijke blanken die geen idee hebben hoe het er werkelijk aan toe gaat bui-

ten deze valse werkelijkheid waarin ze leven. Je bent een *chido* geworden.'

Alex leunt naar voren. 'Nu moet je eens goed luisteren, broertje. Het bevalt me prima om niet telkens achterom te hoeven kijken als ik op straat loop. Het bevalt me prima om een *novia* te hebben die mij helemaal de shit vindt. En ik heb er al helemaal geen spijt van dat ik de drugs en de Latino Blood heb opgegeven voor een kans op een toekomst die de moeite waard is.'

'Ga je soms ook nog je huid laten bleken zodat je op een gringo lijkt?' vraag ik. 'Ik hoop maar dat je kinderen net zo bleek zullen zijn als Brittany, zodat je ze niet op de zwarte markt hoeft te verkopen.'

Mijn broer wordt pissig, ik zie het aan de manier waarop hij zijn kaakspieren aanspant. 'Dat je Mexicaans bent wil nog niet zeggen dat je arm hoeft te zijn. Dat ik studeer, betekent nog niet dat ik mijn volk de rug toekeer. Misschien laat jij ons volk wel in de steek door het Mexicaanse stereotype te bestendigen.'

Ik kreun en gooi mijn hoofd in mijn nek. 'Bestendigen? Bestendigen? Fuck, Alex, ons volk weet niet eens wat dat woord betekent.'

'Flikker toch op,' gromt Alex. Hij schuift zijn stoel naar achteren en loopt weg.

'Zo ken ik je weer, Alex! Dat soort taal begrijp ik tenminste,' roep ik hem na.

Hij gooit zijn beker in een vuilnisbak en loopt door. Ik moet toegeven dat hij nog niet als een gringo loopt en dat hij er nog steeds uitziet alsof hij iedereen aankan. Maar wacht maar af. Het zal niet lang meer duren voor hij eruitziet als een stijve hark.

Mevrouw Westford verschijnt al snel weer bij de tafel en tuurt in mijn onaangeroerde beker. 'Vond je de thee niet lekker?'

'Hij is prima,' zeg ik tegen haar.

Ze merkt de lege stoel op. 'Waar is Alex gebleven?'

'Hij is weggegaan.'

'O,' zegt ze, waarna ze zijn stoel naar zich toe trekt en naast me gaat zitten. 'Wil je erover praten?'

'Neuh.'

'Zal ik je eens wat advies geven?'

'Neuh.' Wat moet ik dan, haar vertellen dat ik morgen in Nicks kluisje ga inbreken om te kijken of ik bewijs kan vinden dat hij me erin heeft geluisd? Als ik toch bezig ben, kan ik net zo goed ook Madisons kluisje doorspitten. Misschien weet ze wel meer, aangezien ze er zo op gebrand was om me aan Nick voor te stellen. Ik deel mijn verdenkingen met niemand.

'Oké, laat maar weten als je van gedachten verandert. Wacht hier.' Ze pakt mijn onaangeroerde beker en verdwijnt naar binnen. Dat was nogal onverwacht. Mi'amá is het compleet tegenovergestelde van mevrouw Westford. Als mijn moeder me advies wil geven, kun je erop rekenen dat ze dat ook zal doen, of ik het nu wel of niet wil horen.

Even later komt mevrouw Westford terug met een nieuwe beker thee.

'Probeer nou maar,' zegt ze. 'Er zitten kalmerende kruiden in zoals kamille, rozenbottel, vlierbessen, citroenmelisse en Siberische ginseng.'

'Ik rook liever een joint,' grap ik.

Ze kan er niet om lachen. 'Ik weet dat sommige mensen geen problemen hebben met wiet roken, maar het is vooralsnog illegaal.' Ze schuift de beker dichter naar me toe. 'Ik beloof je dat dit je kalmeert,' zegt ze. Terwijl ze weer naar binnen loopt om de andere klanten te bedienen, voegt ze er nog aan toe: 'En je raakt er niet door in de problemen.'

Ik kijk omlaag in de beker met lichtgroene vloeistof. Het ziet er niet uit als kruidenthee, maar gewoon als thee van een goedkoop, standaard theezakje. Ik kijk om me heen om er zeker van te zijn dat er niemand kijkt, en til dan de beker op om de geur op te snuiven.

Oké, dit is geen gewone thee in een goedkoop theezakje. Het ruikt naar fruit en bloemen en nog iets anders wat ik niet kan thuisbrengen, allemaal tegelijk. En al herken ik de geur niet, ik begin er spontaan van te watertanden.

Ik kijk op en zie Tuck op me af komen lopen. Kiara loopt naast hem, maar haar aandacht is gericht op een man die midden in het winkelcentrum accordeon staat te spelen. Ze haalt een dollar uit haar handtas en bukt om hem in zijn koffer te gooien.

Terwijl zij blijft staan om de man te zien spelen, pakt Tuck een stoel van een andere tafel en komt tegenover me zitten. 'Ik zou echt nooit hebben gedacht dat jij van thee hield,' zegt Tuck. 'Je leek me meer iemand van de tequila en rum.'

'Kun je niet iemand anders gaan lastigvallen?' vraag ik.

'Nee.' De jongen, die volgens mij al zeker negen maanden niet naar de kapper is geweest, steekt zijn hand uit en raakt de tattoo op mijn onderarm aan. 'Wat betekent dat?'

Ik mep zijn hand weg. 'Dat je nog eens wat zal beleven als je me nog eens aanraakt.'

Kiara staat inmiddels achter Tucks stoel. Ze kijkt niet al te vrolijk.

'Over wat beleven gesproken, hoe was je eerste dag bij REACH?' vraagt Tuck met een grijns die me ertoe aanspoort om zijn stoel om te gooien.

Kiara pakt hem bij zijn mouw en sleurt hem weg bij de tafel. Hij valt van de stoel. 'Kiara wil je iets vragen, Carlos.'

'Nee. Nee, helemaal niet,' weet Kiara met moeite uit te brengen, waarna ze hem weer beetpakt en hem de winkel in begint te trekken.

'Jawel. Vraag het hem,' zegt hij, waarna ze samen de winkel in struikelen en uit het zicht verdwijnen.

22

Kiara

Ik duw Tuck naar binnen. 'Hou op,' fluister ik.

We staan achter in de winkel, waar niemand ons kan horen.

'Hoezo? Jij zoekt een jongen die samen met je wil poseren voor een paar bejaarden, en hij zou eens iets anders te doen moeten hebben dan de hele dag maar wat rondhangen en zijn tattoos tellen. Het is een uitstekend idee.'

'Helemaal niet.'

Mijn moeder wurmt zich naast ons en geeft Tuck een knuffel. 'Wat is er?'

'Ik kan Kiara niet helpen met haar schilderles op vrijdag, dus ze wil Carlos vragen of hij mijn plek wil innemen,' zegt Tuck.

Er verschijnt een brede glimlach op mijn moeders gezicht. 'O liefje, wat aardig van je om hem bij je bezigheden te betrekken. Je bent zó bijzonder.' Ze omhelst me zo stevig dat ze me bijna platdrukt. 'Is mijn dochter niet geweldig?'

'Zeker weten, mevrouw Westford. Helemaal geweldig.'

Tuck is altijd zo'n slijmbal tegenover mijn ouders.

'Kiara, wil je Carlos mee naar huis nemen als Tuck en jij hier klaar zijn? Hij was hier met Alex, maar volgens mij hadden ze ruzie of zoiets. Ik vertrek ongeveer over een uur, maar ik moet Brandon ophalen bij zijn vriendje thuis en je vader kookt vanavond. O, en als je thuiskomt, wil je dan een oogje in het zeil houden zodat we iets eetbaars krijgen voorgeschoteld?'

Nadat mijn moeder thee voor ons heeft gezet, zoek ik Carlos buiten op, die zo te zien een van mijn moeders speciale melanges zit te drinken. Hij lijkt het wel lekker te vinden, al weet ik het niet zeker, want er valt niets van zijn gezicht af te lezen.

'Ik zie je morgen,' zegt Tuck, en hij salueert me met zijn beker in de hand.

'Wat wilde je me vragen?' vraagt Carlos. Hij klinkt geïrriteerd.

Wil je je vrijdagavond als cowboy verkleden en model staan voor een stel bejaarden? 'Niets.' Ik krijg de woorden gewoon niet uit mijn mond.

Mijn moeder komt naar buiten om met de klanten te babbelen. Ik kijk toe hoe ze met iedereen een praatje maakt alsof ze hen allemaal persoonlijk kent. Als ze bij onze tafel komt, leunt ze naar voren om te zien of we wel van onze thee drinken.

'Ik zie dat je het lekker vond,' zegt ze tegen Carlos. Voor haar voelt het alsof ze de loterij heeft gewonnen als ze voor een kritische klant de juiste melange vindt, zo trots is mijn moeder op haar theemelanges. 'Ik heb begrepen dat Kiara je wilde vragen om vrijdag model voor haar te staan bij The Highlands. Dat zal vast leuk worden.'

Carlos kijkt me aan met een blik van: waar hééft ze het over?

'Wil je nog thee?' vraagt mijn moeder hem.

'Nee, bedankt.'

'Je kunt met Kiara mee naar huis rijden. Toch, liefje?'

'Ja hoor. Laten we gaan.'

Als we bij mijn auto aankomen, probeert Carlos het portier aan de passagierskant open te trekken.

'Je moet door het raampje klimmen,' zeg ik.

'Grapje, zeker?'

Ik schud mijn hoofd. 'Nee, serieus.' Dat wordt mijn volgende project, als ik de klok en de radio heb gerepareerd.'

Carlos klimt zonder moeite de auto in, met zijn voeten eerst, waarna hij de rest van zijn lichaam in de kunststof kuipstoel laat zakken. Ik wou dat de radio of de oude cassettespeler het nog deed, want volgens mij begint Carlos zich na vijf minuten stilte behoorlijk ongemakkelijk te voelen.

Hij gaat verzitten in zijn stoel. 'Waar ging dat hele modellengebeuren nou over?'

'Het is voor een schilderles in een bejaardentehuis op vrijdagavond. Je hoeft het niet te doen. Ik was niet eens van plan je te vragen.'

'Waarom niet?'

We staan voor een stoplicht, dus ik draai me naar hem toe en geef hem eerlijk antwoord. 'Omdat je samen met mij zou moeten poseren, en ik wist dat je dat toch nooit zou doen.'

23

Carlos

Ik snap het al. Ze wil niet poseren met een jongen die is opgepakt voor drugsbezit. 'Ik kan Madison wel meenemen,' zeg ik op dat verwaande toontje waarvan ik weet dat het haar op de zenuwen werkt. 'Zij wil wel met me poseren. Maar wacht even, ze heeft me al bij haar thuis uitgenodigd op vrijdagavond, dus ik kan niet naar je schilderklasje komen.'

'Ik snap niet wat je in haar ziet.'

'Veel meer dan ik in jou zie,' lieg ik om haar van me weg te duwen. Eerlijk gezegd zie ik helemaal niks in Madison. Ik probeer die meid al te ontlopen vanaf het moment dat ze moest kotsen op haar feest, maar aangezien ze op mijn lijstje staat van mensen die mij er misschien in hebben geluisd, moet ik wel dichter bij haar in de buurt zien te komen. Dat hoeft Kiara niet te weten. Shit man, Kiara mag echt niet weten dat ik veel vaker aan haar en haar koekjes heb gedacht dan ik ooit zou moeten doen.

Zodra we bij het huis aankomen, stormt Kiara de auto uit.

Als ik even later de keuken in loop om een tussendoortje te pakken, staat Kiara groenten te snijden. Ik vraag me af of ze zich soms inbeeldt dat mijn hoofd naast die wortels op de snijplank ligt.

'Hoi, Carlos,' zegt de professor als hij de keuken binnenkomt. 'Hoe was REACH?'

'Klote.'

'Kun je wat specifieker zijn?' vraagt mijn voogd.

'Het was enorm klote,' voeg ik er sarcastisch aan toe.

'Ik sta versteld van je woordenschat,' zegt hij. 'Zeg, ik heb jullie hulp nodig na het eten.'

'Waarmee?' vraag ik.

'Onkruid wieden.'

'Hebben jullie rijkelui daar geen tuiniers voor?' vraag ik.

Het antwoord is nee, want na het eten stuurt Westford ons met grote papieren zakken naar de achtertuin.

Hij gooit Kiara en mij elk een paar werkhandschoenen toe. 'Ik doe de zijtuin wel. Kiara, neem jij met Carlos de achtertuin onder handen.'

'Papa!' roept Brandon vanuit de deuropening. 'Carlos zei dat hij vandaag met me zou gaan voetballen.'

'Sorry, Bran. Carlos moet meehelpen onkruid wieden in de tuin,' zegt Westford tegen het jongetje.

'Je mag helpen,' zegt Kiara tegen hem. Brandon lijkt het geweldig te vinden om haar te mogen helpen.

Ik kan me nog herinneren dat Alex mij vroeg of ik in de tuin wilde helpen toen ik klein was. Hij gaf me altijd het gevoel dat ik hem echt hielp. 'Yo, Brandon, ik kan je hulp ook wel gebruiken,' zeg ik. 'Als je meehelpt, zal ik daarna met je spelen.'

'Echt?' vraagt het jongetje.

'Ja. Hou de zak maar goed open zodat ik al het onkruid erin kan gooien.'

Hij haast zich naar de zak en houdt hem open. 'Zo?'

'Prima.'

Kiara zit op haar handen en knieën onkruid los te trekken en gooit het in haar zak. Ik kan me niet voorstellen dat Madison ooit in de modder zou gaan zitten en zich zou verlagen tot dit soort klusjes. Ik kan me ook niet voorstellen dat ze een vintage auto zou hebben die niet eens een bruikbaar portier heeft aan de passagierskant.

'Je gaat te langzaam,' merkt Brandon op. 'Ik weet zeker dat Kiara's zak voller zit dan die van jou.' Het jongetje rent naar Kiara om in haar zak te kijken. 'Zij loopt voor.'

'Niet lang meer.' Ik grijp een bos onkruid vast en ruk hem uit de grond. Er zitten stekels tussen die me door de handschoenen heen prikken, maar dat kan me niet schelen.

Ik kijk naar Kiara, die nu nog sneller werkt dan daarnet. Ze laat duidelijk haar strijdlustige kant zien.

'Klaar!' roept ze vanaf de linkerkant van de tuin, waarna ze overeind komt en theatraal haar handschoenen uittrekt. Ze tilt Brandon op en draait hem rond tot ze allebei lachend op het gras vallen.

'Kijk maar uit,' roep ik naar haar. 'Je ware aard begint naar boven te komen.'

Kiara loopt naar haar auto, en als Brandon even niet kijkt, steekt ze haar middelvinger naar me op.

Ik heb haar duidelijk tegen me in het harnas gejaagd.

'Nu kunnen we voetballen! Ga maar op doel staan,' zegt Brandon, wijzend naar het kleine net in de tuin. 'Je hebt beloofd soldaatje met me te spelen als het me lukt om te scoren, weet je nog?'

Ik ga in het doel staan terwijl Brandon de bal langs me heen probeert te schieten. Ik moet het dat jochie nageven: hij blijft het proberen tot hij helemaal bezweet en buiten adem is, en hij geeft niet op, ook al is het een verloren zaak.

'Dit keer gaat het me lukken,' zegt hij voor de vijftigste keer. Hij wijst naar iets achter me. 'Kijk! Daar!'

'Dat is de oudste truc die er bestaat, jochie.' Ik snap heus wel dat hij vals probeert te spelen, maar dan heeft hij mooi de verkeerde voor zich.

'Nee, echt. Kijk!' roept Brandon uit.

Hij klinkt overtuigend, maar ik wend mijn blik niet van zijn voetbal af. Ik sta nog liever de hele dag op doel dan dat ik met poppen moet spelen.

Hij schopt tegen de bal, maar ik hou hem voor de zoveelste keer tegen. 'Sorry, man.'

'Brandon, tijd om in bad te gaan,' roept mevrouw Westford vanaf het terras.

'Nog een paar keer schieten, mam. Alsjeblieft.'

Ze kijkt op haar horloge. 'Nog twee keer, en dan in bad. Carlos moet vast nog huiswerk maken.'

Na nog twee missers zeg ik tegen Brandon dat hij het maar op moet geven. Hij huppelt naar binnen. Dat kan hij aardig goed, maar ik vraag me af op welke leeftijd jongens zich gaan realiseren dat ze niet horen te huppelen. Op weg naar boven loop ik langs de eetkamer. Kiara zit aan de grote tafel, verdiept in een stel dikke schoolboeken.

Een paar haarlokken die uit haar staart zijn losgeschoten hangen voor haar gezicht, waardoor ik me afvraag hoe ze eruit zou zien met haar haar los.

Ze kijkt op, maar kijkt meteen weer stug omlaag.

'Je zou je haar eens los moeten dragen,' zeg ik. 'Dan lijk je misschien wat meer op Madison.'

Als antwoord steekt ze weer haar middelvinger naar me op.

Ik lach. 'Kijk maar uit,' waarschuw ik haar. 'Ik heb gehoord dat ze in sommige landen voor elke keer dat je dat doet een vinger afhakken.'

Ik wacht twee dagen voor ik de kluisjes van Nick en Madison openbreek, met behulp van een van Kiara's koekjesmagneten (zonder koekje) en een kleine schroevendraaier die ik uit Kiara's auto heb gegrist. Tijdens het derde uur vraag ik of ik naar de wc mag, en ik maak van de gelegenheid gebruik om Madisons kluisje te doorzoeken. Haar boekentas zit vol met boeken, make-up en een zootje aantekeningen van Lacey en andere meiden. Ik heb mazzel, want ze heeft haar mobieltje in het zijvak van haar tas laten zitten. Ik pak haar telefoon en neem hem mee naar de wc, waar ik door haar oproepenlijst, agenda en contacten scrol. Niets bijzonders te vinden, behalve dat ze Nick wel erg vaak heeft gebeld vrijdag na school.

Ik stop de telefoon terug en ga weer naar de les.

Dan blijft alleen Nick over. Ik kom hem soms tegen op de gang en heb zijn kluisje in de gaten gehouden, maar ik heb geen les met hem. Tijdens de lunchpauze is het te druk op de gang, maar vlak na de lunch sluip ik de gang op en maak ik weer gebruik van de magneet en de schroevendraaier.

Nicks kluisje is één grote teringzooi. In zijn rugzak zitten allemaal papiertjes met namen en codes erop geschreven. Dat zijn vast zijn klanten of leveranciers, maar alles is in die stomme geheimtaal geschreven.

Ik sta hier al veel te lang. Maar ik voel dat ik bijna beetheb, alsof Paco of papá me aanspoort om verder te zoeken. Ik rommel door Nicks rugzak, in de hoop zijn mobiel te vinden of iets anders wat bewijst dat hij iets met mijn arrestatie te maken heeft gehad. Maar ik vind alleen een stel papiertjes.

Er komt iemand de trap op. Ik hoor voetstappen dichterbij komen. Als het de directeur is, ben ik de lul. Als het Nick is, kan ik me maar beter schrap zetten voor een knokpartij. Snel blader ik door de berg papieren, tot... ja, hebbes.

Het is het enige briefje dat niet in geheimtaal is geschreven. Het is een naam die ik maar al te goed ken... Wes Devlin, een drugsbaron die nauwe banden heeft met de Guerreros del barrio, met een telefoonnummer eronder.

Ik steek het briefje in mijn zak en doe het kluisje dicht, net voordat de voetstappen boven aan de trap komen.

Nick kan maar beter uitkijken, want ik zal hem binnenkort een bezoekje komen brengen... een bezoekje dat hij niet snel zal vergeten.

24

Kiara

Woensdag na schooltijd sta ik net mijn auto te wassen als Alex Carlos komt afzetten na zijn REACH-bijeenkomst. Alex komt naar me toe en pakt een extra spons.

'Je vader zei dat je nog steeds problemen hebt met de radio nadat ik die veer erin heb gezet.'

'Ja.' Ik vind mijn auto echt te gek, maar... 'Hij is perfect in al zijn imperfectie.'

'Zo kun je het ook bekijken. Klinkt als sommige mensen die ik ken.' Alex tuurt naar binnen. 'Brittany's auto is aardig snel, maar deze heeft ook nog wel wat pit in zich.' Hij gaat in een van de kuipstoelen zitten. 'Hier kan ik wel aan wennen. Een van onze klanten heeft een Monte Carlo uit '73 in de aanbieding. Ik denk erover hem te kopen. Heeft Carlos je verteld dat hij in Chicago bij mijn neef in de garage werkte?'

'Nee.'

'Dat verbaast me. Carlos hing altijd bij Enrique in de garage rond. Hij vindt het volgens mij nog leuker om aan auto's te sleutelen dan ik.'

'Moet je niet ergens naartoe?' vraagt Carlos. Hij stond al de hele tijd tegen onze garage aan geleund. Dat weet ik want, nou ja, ik voel het gewoon als Carlos in de buurt is.

Ik heb hem sinds maandag bewust genegeerd, en dat bevalt ons allebei prima.

Als Alex even later is vertrokken, stapt Carlos naar voren. 'Hulp nodig?'

Ik schud mijn hoofd.

'Ga je ooit weer tegen me praten? Verdomme, Kiara, je hebt me nu wel lang genoeg doodgezwegen. Ik heb nog liever die typische korte zinnen van je dan dat je helemaal niets meer zegt. Shit man, steek anders op zijn minst je middelvinger nog eens naar me op.'

Ik gooi mijn rugzak op de achterbank en start de auto.

'Waar ga je heen?' vraagt Carlos, en hij gaat voor mijn auto staan.

Ik toeter.

'Ik ga niet aan de kant,' zegt hij.

Ik toeter nog eens. Het is geen diep, intimiderend geluid zoals bij de meeste auto's, maar beter kan mijn auto niet.

Hij legt zijn handen op de motorkap.

'Opzij,' zeg ik.

En ja hoor, hij komt in beweging. Snel als een panter springt hij door het open raampje aan de passagierskant, met zijn voeten eerst. 'Je moet echt dat portier eens laten maken,' zegt hij.

Blijkbaar wil hij meerijden. Ik draai de oprit af en neem de weg naar Boulder Canyon. De wind blaast door de open ramen naar binnen. De frisse lucht strijkt langs mijn gezicht en laat mijn staart in mijn nek wapperen.

'Ik kan dat portier wel repareren,' zegt Carlos. Hij steekt zijn hand uit het raampje en laat de wind tussen zijn vingers door glippen.

Zwijgend rij ik over Boulder Canyon Road terwijl ik het landschap in me opneem. Je zou denken dat de schoonheid ervan me niets meer doet aangezien ik hier al zo lang woon, maar dat is niet zo. Ik ben altijd op een vreemde manier gefascineerd geweest door de bergen en ze geven me een vredig gevoel.

Ik parkeer bij The Dome, waar ik zo nu en dan met Tuck ga bergbeklimmen. Ik pak mijn rugzak van de achterbank en stap uit.

Carlos steekt zijn hoofd uit het raam. 'Ik neem aan dat dit niet je eindbestemming is.'

Ik moet toegeven dat ik er wel van geniet om te kunnen zeggen: 'Verkeerd gedacht.' Ik hang mijn rugzak om en loop weg in de richting van de brug over Boulder Creek.

'Yo, chica,' roept hij me na.

Ik loop door, naar mijn geheime plek in de bergen.

'Carajo!' Ik kijk niet om, maar zo te horen aan al het kabaal en de Spaanse scheldwoorden die uit zijn mond vliegen, probeert hij het portier aan de passagierskant open te krijgen om uit te kunnen stappen. Tevergeefs. Ik hoor hem weer vloeken wanneer hij uit het raampje klautert en op het grint van de provisorische parkeerplaats valt.

'Kiara, wacht nou even, verdomme!'

Ik sta inmiddels aan de voet van de berg, aan het beginpunt van mijn vaste route.

'Waar zijn we in godsnaam?' vraagt hij.

Ik wijs naar het bord en vertrek dan naar de grote keien.

Ik hoor hem uitglijden over de kiezelsteentjes terwijl hij me probeert bij te houden. We lopen nu nog op het pad, maar zo meteen buig ik af om mijn eigen paadje te volgen. Het is wel duidelijk dat hij geen geschikte wandelschoenen draagt. 'Jij spoort echt niet, chica,' gromt hij.

Ik blijf doorlopen. Als ik halverwege mijn bestemming ben, stop ik even en haal een flesje water uit mijn rugzak. Het is niet heel warm, en mijn lichaam is wel gewend aan deze hoogte, maar ik heb wel meegemaakt dat mensen hier uitgedroogd raakten, en dat is geen pretje.

'Hier,' zeg ik en reik hem het flesje aan.

'Grapje, zeker? Er zit vast vergif in.'

Ik neem een flinke slok en reik het hem dan nog eens aan. Hij veegt eerst uitgebreid de flesopening schoon met de onderkant van zijn T-shirt, alsof ik iets besmettelijks heb, en neemt dan een paar flinke slokken.

Wanneer hij de fles weer teruggeeft, neem ik nog uitgebreider de tijd om zijn bacteriën van de flesopening te vegen met de onderkant van mijn eigen T-shirt. Ik geloof dat ik hem hoor grinniken. Of hij probeert zijn gehijg van het klimmen te verbergen.

Als ik weer verder wil lopen, vraagt Carlos puffend en hijgend: 'Vind je dit echt leuk? Want ik vind er geen bal aan.'

Ik hou het tempo erin. Telkens als Carlos uitglijdt, begint hij te vloeken. Je zou denken dat hij al zijn aandacht op het lopen zou richten zodat hij niet op de rotsen uitglijdt, maar hij blijft maar doorzeuren.

'Weet je wel hoe irritant het is dat je bijna niets meer tegen me zegt? Je lijkt wel een dove die geen gebarentaal kent. Ik bedoel, serieus, ik erger me dood. Denk je niet dat ik al genoeg aan m'n kop heb nu ik ben opgepakt voor iets wat ik niet heb gedaan en naar dat stomme REACH-project moet?'

'Ja.' Ik ben aangekomen bij het stuk waar ik over een smalle richel heen moet en me aan de overhangende rotsen moet vastklampen. Ik heb genoeg steun, en zelfs als ik zou vallen, dan is er amper een meter lager een vlak gedeelte.

'Dit meen je toch niet?' vraagt hij, maar hij volgt toch mijn voorbeeld, waarschijnlijk omdat hij denkt dat hij inmiddels geen andere keus meer heeft. 'Gaan we nog ergens naartoe, of lopen we gewoon doelloos rond tot ik uitglij en te pletter stort?'

Ik klim over de grote rots die mijn plekje afschermt voor andere wandelaars en blijf staan als ik aankom bij de open plek met één grote boom in het midden. Ik heb deze plek jaren geleden per toeval ontdekt, toen ik een plek zocht om gewoon even rustig te kunnen nadenken. Nu kom ik hier vaak, om huiswerk te maken, te tekenen, naar vogels te luisteren, of gewoon de frisse berglucht in te ademen.

Ik ga op een platte kei zitten, rits mijn rugzak open en zet het flesje water naast me neer. Ik sla mijn wiskundeboek open en begin mijn huiswerk te maken.

'Ben je nou serieus huiswerk aan het maken?'

'Hm hm.'

'Wat moet ik dan gaan doen?'

Ik haal mijn schouders op. 'Kijk eens om je heen.'

Hij kijkt even links en rechts van hem. 'Ik zie alleen maar rotsen en bomen.'

'Allicht.'

'Geef me je sleutels,' eist hij. 'Nu.'

Ik negeer hem.

Ik hoor hem briesen van verontwaardiging. Hij zou me makkelijk kunnen overmeesteren om mijn rugzak af te pakken en zelf de sleutels eruit te vissen. Maar dat doet hij niet.

Ik blijf met mijn hoofd over mijn boek gebogen zitten en los vergelijkingen op die ik uitreken op kladpapier.

Carlos zucht diep. 'Oké, het spijt me. *Perdón*. Madison en ik zijn verleden tijd en ik zou veel liever model staan met jou dan afspreken met haar. Wauw, dit uitstapje in de vrije natuur heeft mijn vertrouwen in de mensheid volledig hersteld en me een beter mens gemaakt. Ben je nou tevreden?'

25

Carlos

Kiara slaat haar boek dicht, kijkt me aan en begint vervolgens in haar rugzak te rommelen. Ze gooit haar autosleutels naar me toe. Ik vang ze met één hand.

'Blijf jij gewoon hier zitten?'

'Ja,' antwoordt ze.

'Ik ga, hoor,' waarschuw ik haar.

'Ga dan,' zegt ze wuivend.

Dat zal ik ook zeker doen. Ik ga echt niet zitten wachten tot ze klaar is met haar huiswerk. Ik heb het warm, ik ben bezweet en ik ben pisnijdig. En ik zin op manieren om wraak te nemen, met op nummer één haar auto pakken en zorgen dat er geen druppel benzine meer in zit als ik hem terugbreng.

Ik stop de sleutels in mijn achterzak en begin naar beneden te klimmen. Ik glij een paar keer uit en val op mijn kont. Ik zal morgen vast bont en blauw zijn, dankzij Kiara.

Even heb ik medelijden met die gast Tuck omdat hij met haar opgescheept zit, maar dan bedenk ik dat ze elkaar verdienen. Mijn gedachten dwalen af naar Destiny. Als zij in haar eentje op deze berg zat, zou ik haar geen moment uit het oog verliezen. Ik zou haar prins op het witte paard spelen. Shit man, ik zou haar zelfs op mijn rug de berg op dragen als ze dat zou willen.

En hoewel Kiara niet mijn vriendin is en dat ook nooit zal worden, kan ik haar niet gewoon maar achterlaten. Ik weet dat er hier beren zitten. Wat als ze wordt aangevallen? Dacht ze echt dat ik weg zou gaan, of is dit een test om te zien hoe aardig ik nou echt ben?

Dan heeft ze pech, want ik ben geen aardige jongen.

Ik schuifel verder de berg af. Telkens als ik denk dat ik een pad heb gevonden, loopt het dood of kom ik bij een klif uit.

Ik pak een steen en smijt hem weg. En nog een. En nog een. Mijn frustratie neemt een klein beetje af bij het horen van de echo van de stenen die beneden op de rotsen kletteren.

Ik trek mijn shirt uit, veeg er mijn voorhoofd mee af en stop het tussen de band van mijn spijkerbroek.

Ik ben hier niet in Mexico, dat is wel duidelijk. Niemand die ik ken zou de bergen in gaan alleen maar om huiswerk te maken. Als je dat nou deed om joints te roken of dronken te worden zou ik het nog begrijpen.

Ik klauter de rotsen weer op en vloek ondertussen op de gladde zolen van mijn schoenen, en op Alex, mijn moeder, Kiara, en zo'n beetje alle andere mensen die ik ooit heb ontmoet.

'Je bent loca, chica,' schreeuw ik als ik weer over de rots ben geklauterd die haar privéplekje afschermt. 'Ik bedoel, dacht je nou echt dat ik je helemaal hierheen zou volgen alleen om de sleutels van je auto te kunnen krijgen zodat ik hier weg kan?'

'Ik heb je niet gevraagd om me achterna te komen,' zegt ze.

'Alsof ik een keus had.'

'We hebben allebei een v-v-vrije wil.'

'Ja, nou, ik heb geen vrije wil meer sinds ik op het vliegtuig naar Colorado ben gestapt.'

Ik ga op de grond tegenover haar zitten. Kiara blijft aantekeningen maken. We zijn hier samen naartoe gekomen en we gaan samen weer weg. Het bevalt me niks, maar op dit moment zie ik geen andere optie. Af en toe kijkt ze op en ziet ze dat ik haar zit aan te staren. Ja, dat doe ik om haar op de zenuwen te werken. Als ik haar genoeg irriteer, wil ze hier misschien wel weg.

Maar na vijf minuten kom ik tot de conclusie dat mijn strategie niet werkt.

Tijd voor een andere aanpak. 'Heb je zin om te tongen?'

'Met wie?' vraagt ze, zonder zelfs maar op te kijken.

'Met mij.'

Ze tilt haar hoofd net ver genoeg op om me vluchtig op te nemen. 'Nee, dank je,' zegt ze, en gaat dan weer verder met haar huiswerk.

Ze loopt me te fucken. Dat moet wel, toch? 'Vanwege die pendejo, Tuck?'

'Nee. Ik zit gewoon niet te wachten op Madisons afdankertjes.'

Wacht. *Un momento*. Ik ben in mijn leven voor van alles en nog wat uitgemaakt, maar... 'Noem je mij nou een afdankertje?'

'Ja. Bovendien kan Tuck onwijs goed zoenen. Ik zou niet willen dat je je rot voelt omdat je daar nooit aan zal kunnen tippen.'

Die jongen heeft amper lippen. 'Wedden van wel?'

Ik ben zeker geen afdankertje. Nadat we naar Mexico waren verhuisd en Destiny het had uitgemaakt, ging ik met het ene meisje na het andere. Shit man, als ik wil, kan ik een heel boek schrijven over zoenen met *chicas*.

Ik leun naar Kiara en merk tevreden op dat haar adem stokt en dat ze haar potlood stilhoudt. Ze verroert zich niet wanneer mijn lippen steeds dichter bij dat plekje vlak onder haar rechteroor komen. Ik steek mijn linkerhand uit en leg mijn duim op het gevoelige plekje onder haar linkeroor terwijl mijn lippen bijna haar hals raken. Ik weet zeker dat ze mijn warme adem nu op haar blote huid kan voelen.

Ze draait haar hoofd een heel klein stukje opzij, zodat ik er beter bij kan. Volgens mij realiseert ze zich niet eens dat ze dat doet. Ik hou me stil. Ze kreunt haast onhoorbaar, maar ik geef niet toe. Ze is duidelijk opgewonden. Ze vindt het lekker. En ze wil meer. Maar ik hou me in... afdankertje, lik m'n reet.

Het punt is alleen dat ik nogal wordt overvallen door de geur van Kiara's huid. Meestal ruiken meiden veel te zwaar naar bloemen of vanille, maar Kiara ruikt opvallend zoet en ik raak er behoorlijk opgewonden van. En hoewel ik mezelf blijf voorhouden dat ik alleen maar met haar flirt om te bewijzen dat ik gelijk heb, heeft mijn lichaam wel zin om doktertje te spelen.

'W-w-wil je d-d-daarmee ophouden?' zegt ze. Ze mag dan haar best doen om haar reactie op mijn nabijheid te verbergen, maar haar woorden verraden haar. 'Ik probeer huiswerk te maken en je staat in mijn licht,' fluistert ze. Ik neem aan dat ze niet stottert wanneer ze fluistert.

'We zitten in de schaduw, onder een boom,' zeg ik, maar ik trek me toch terug om af te koelen en de situatie de baas te blijven.

Ik leun tegen een rots en voel de ruwe randen langs mijn blote rug schuren. Ik trek mijn knie op en leun ontspannen achterover, al ben ik allesbehalve ontspannen. Terwijl ik het me gemakkelijk probeer te maken, blijft Kiara verdomme maar huiswerk zitten maken onder die boom. Ze is helemaal niet bezweet en ze lijkt totaal ontspannen. Heb ik het nou zo warm door wat er zojuist tussen ons is gebeurd – of juist niet is gebeurd – of komt het gewoon door het weer? Je zou denken dat ik als Mexicaan wel gewend was aan warm weer, maar ik ben geboren en getogen in Chicago. De zomers daar zijn klam en warm, maar ze duren maar een paar maanden.

Ik voel kriebels in mijn buik. Mijn hart gaat als een razende tekeer en er hangt een zinderende spanning in de lucht die er nog niet was voor ik zo dicht naar haar toe leunde.

Wat is er aan de hand? Ik kan zeker niet meer helder denken door de ijle berglucht. Ik moet snel van onderwerp veranderen om de aandacht af te leiden van alles wat met seks te maken heeft. 'Hoe zit het nou precies met dat gestotter van je?' vraag ik.

26

Kiara

Mijn potlood blijft in de lucht hangen. Ik probeer me te concentreren op mijn wiskundesommen, maar alles op de bladzijde danst voor mijn ogen. Behalve mijn spraaktherapeut heeft nog nooit iemand direct naar mijn gestotter gevraagd. Ik weet niet wat ik moet antwoorden, vooral omdat ik niet weet waarom ik stotter. Het hoort gewoon bij wie ik ben, al vanaf mijn geboorte.

Voordat Carlos me naar mijn gestotter vroeg, kon ik alleen maar denken aan onze bijna-kus. Zijn warme adem liet mijn huid gloeien en gaf me kriebels in mijn buik. Maar hij was me alleen aan het plagen. Dat wist ik, en hij zelf ook. Dus hoewel ik dolgraag mijn hoofd had willen omdraaien om erachter te komen hoe het zou voelen als hij zijn lippen op die van mij drukte, wilde ik mezelf niet voor schut zetten.

Ik stop al mijn spullen in mijn rugzak, hang hem om en begin dan de berg af te dalen.

Ik loop snel, in de hoop dat hij zo ver achteropraakt dat hij al zijn aandacht nodig heeft om me bij te kunnen houden en geen vragen meer kan stellen. Het was een grote vergissing om hem hier mee naartoe te nemen. Het was impulsief en dom. En ik had zeker niet verwacht dat ik hem ineens dolgraag zou willen zoenen, om vervolgens zo'n directe vraag te krijgen over mijn gestotter.

Ik steek de brug over Boulder Creek over en loop naar mijn auto. Ik zoek in mijn rugzak naar mijn sleutels, maar realiseer me dan dat Carlos ze nog heeft. Ik hou mijn hand op.

Hij geeft me de sleutels niet. In plaats daarvan leunt hij tegen de auto. 'Ik wil een deal met je sluiten.'

'Ik sluit geen deals.'

'Iedereen sluit deals, Kiara. Zelfs slimme meiden die stotteren.'

Niet te geloven dat hij er weer over begint. Ik draai me om en ga lopend op weg. Het is Carlos geraden om mijn auto naar huis te rijden, want als die hier de hele nacht blijft staan, wordt hij weggesleept.

Ik hoor Carlos weer vloeken. 'Kom terug,' zegt hij.

Ik loop door.

Ik hoor het grint onder mijn autobanden opspatten. Carlos komt naast me rijden. Hij heeft zijn shirt weer aan, wat maar goed is ook, want zijn ontblote bovenlijf leidde me nogal af.

'Stap in, Kiara.'

Ik blijf doorlopen en hij laat de auto zachtjes vooruitrollen. 'Straks veroorzaak je nog een ongeluk,' zeg ik.

'Zie ik eruit alsof dat me ook maar ene reet kan schelen?'

Ik kijk vluchtig zijn kant op. 'Nee. Maar mij wel. Ik ben dol op mijn auto.'

Er toetert iemand achter hem. Hij reageert niet en blijft stapvoets naast me rijden. Bij de eerste bocht in de weg rijdt hij met piepende banden voor me uit en snijdt me af. 'Daag me niet uit,' zegt hij. 'Als je nu niet instapt, kom ik je halen.' We kijken elkaar uitdagend aan en hij klemt zijn kaken vastberaden op elkaar. 'Als je instapt, zal ik je auto wassen.'

'Ik heb 'm net gewassen.'

'Dan zal ik een week lang je huishoudelijke klusjes doen,' zegt hij.

'Ik... ik vind het niet erg om huishoudelijke klusjes te doen,' antwoord ik.

'Dan zal ik je broertje laten scoren en G.I. Joe met hem spelen.'

Brandon probeert al dagen de bal langs Carlos te schieten, maar zonder succes. Mijn kleine broertje zou het geweldig vinden om Carlos te verslaan. 'Oké,' zeg ik. 'Maar ik rij.'

Hij klimt over de versnellingsbak en kruipt op de passagiersstoel terwijl ik achter het stuur ga zitten. Ik kijk naar hem vanuit mijn ooghoeken en bespeur een triomfantelijke uitdrukking op zijn gezicht.

'Weet je wat jouw probleem is?' Het verbaast me niets dat hij me niet eens de tijd geeft om te antwoorden maar meteen doorgaat met zijn analyse van mij. 'Je blaast alles veel te veel op. Neem nou zoenen, bijvoorbeeld. Je denkt vast dat het meteen iets heel speciaals is als je met iemand zoent.'

'Ik zoen niet zomaar met iemand alleen voor de lol, zoals jij.'

'Waarom niet? Kiara, heeft niemand je ooit verteld dat je best een beetje lol mag hebben in je leven?'

'Ik vermaak me wel op andere manieren.'

'O, kom op, zeg,' roept hij ongelovig uit. 'Heb je ooit een joint gerookt?'

Ik schud mijn hoofd.

'Xtc geslikt?'

Ik trek afkeurend mijn neus op.

'Wilde seks gehad boven op een berg?' vraagt hij.

'Je hebt een verknipt beeld van manieren om jezelf te vermaken, Carlos.'

Hij schudt zijn hoofd. 'Oké, chica. Wat vind jij dan leuk om te doen? Hiken in de bergen? Huiswerk maken? Toekijken terwijl Madison je voor schut zet op school? Dat heb ik gehoord, weet je.'

Ik stop abrupt langs de weg, en mijn arme banden komen piepend tot stilstand. 'Je kunt wel onbeschoft doen, maar dat is heus n-n-niet...' Weer struikel ik bijna over mijn woorden. Ik slik en haal diep adem. Ik hoop maar dat hij de paniek en frustratie niet opmerkt wanneer ik over mijn woorden struikel. Ik voel het wel aankomen, maar ik kan het niet tegenhouden. '... stoer.'

'Ik probeer ook helemaal niet stoer te zijn, Kiara. Zie je wel, je hebt me helemaal verkeerd ingeschat. Ik probeer de klootzak uit te hangen.' Hij grijnst verwaand naar me.

Ik schud gefrustreerd mijn hoofd en draai de auto de weg weer op. Thuis tref ik mijn vader in de achtertuin aan, spelend met Brandon.

'Waar hebben jullie uitgehangen?' vraagt mijn vader.

'Kiara heeft me mee uit hiken genomen,' zegt Carlos. 'Toch, K.?'

'Om te oefenen?' vraagt mijn vader me, waarna hij aan Carlos uitlegt: 'We gaan over een paar weken kamperen met het gezin.'

'Dick, ik doe niet aan hiken of kamperen.'

'Maar wel aan voetballen.' Ik hou mijn hoofd schuin en glimlach. 'Je zei toch net dat je zo'n zin had om met Brandon te spelen?'

'Ik was het bijna vergeten,' zegt Carlos, zijn verwaande grijns op slag verdwenen.

'O, fantastisch,' zegt mijn vader en hij geeft Carlos een schouderklopje. 'Dat betekent veel voor hem. Bran, wat dacht je van een potje voetbal met Carlos?'

We kijken allemaal naar mijn broertje, die meteen het doel klaarzet.

'Super! Carlos, vandaag ga ik van je winnen.'

'Reken er maar niet op, *muchacho*.' Carlos trapt tegen de bal en begint hem hoog te houden op zijn knie als een profvoetballer. Het is wel duidelijk dat hij veel heeft gevoetbald, ook al beweert hij zelf van niet.

'Ik heb met mijn vader geoefend,' roept Brandon. 'Nu kan ik je wel aan.'

Oefening of niet, mijn broertje maakt geen schijn van kans tegen Carlos tenzij die hem expres laat winnen. Ik kan niet wachten om de triomfantelijke uitdrukking op Brans gezicht te zien wanneer hij de bal langs Carlos trapt en een doelpunt maakt. Ik ga op het terras zitten en kijk toe terwijl ze zich opwarmen.

'Moet jij geen huiswerk maken of zo?' vraagt Carlos.

Ik schud mijn hoofd.

Hij probeert me zeker uit te dagen met dit spelletje 'wie is de baas'. 'Volgens mij zie ik nog wat onkruid aan jouw kant van de tuin staan,' zegt hij.

'Kiara, doe mee!' roept Brandon uit.

'Ze heeft het druk,' zegt Carlos.

Brandon kijkt me verward aan. 'Ze zit daar gewoon naar ons te kijken. Hoe kan ze het dan druk hebben?'

Carlos heeft de bal nu onder zijn arm.

'Ik kijk wel gewoon,' zeg ik.

'Kom op,' zegt Brandon, en hij rent op me af. Hij pakt mijn hand en trekt net zo lang tot ik overeind kom. 'Speel met ons mee.'

'Misschien kan ze niet voetballen,' zegt Carlos.

'Natuurlijk wel. Geef haar de bal eens.'

Carlos schopt hem naar me toe. Ik laat hem op mijn knie stuiteren en kop hem dan terug naar hem. Carlos lijkt verbijsterd. En onder de indruk. Voor één keer gedraag ik me als een diva en doe net of ik onzichtbaar stof van mijn schouders veeg.

'Wat een verrassing, Kiara kan hooghouden,' zegt Carlos terwijl hij voor het doel gaat staan. 'Dat heb je voor me verzwegen. Eens kijken of je mij kunt passeren.'

Als ik de bal weer terug heb, trap ik hem naar Brandon. Hij speelt hem terug en dan schiet ik op het doel.

Oké, ik had wel verwacht dat Carlos hem zonder moeite zou tegenhouden. Maar nu staat híj onzichtbaar stof van zijn schouders te vegen, en ik baal ervan dat ik niet heb weten te scoren. 'Wil je een herkansing?' vraagt hij.

'Misschien een andere keer,' antwoord ik. Ik weet niet precies of ik het nu over die bijna-kus heb of over voetbal.

Carlos trekt zijn wenkbrauwen op en volgens mij weet hij dat mijn woorden een dubbele betekenis hebben. 'Ik kijk ernaar uit.'

'Nu ik!' gilt Brandon.

Carlos gaat licht voorovergebogen voor het doel staan, in opperste concentratie. 'Je krijgt drie kansen, maar geef nou maar toe, Brandon. Je bent gewoon niet goed genoeg.'

Meteen zie ik het puntje van mijn broertjes tong uit zijn mond piepen. Hij is volledig geconcentreerd en enorm strijdlustig. Als hij eenmaal ouder is, zal hij Carlos vast met gemak inmaken.

Mijn broertje legt de bal neer en doet vijf stappen naar achteren, terwijl hij elke stap hardop telt. Hij knielt neer als een golfer die zijn bal goed legt. Zal Carlos hem laten winnen? Hij heeft me op geen enkele manier laten weten dat onze afspraak nog steeds staat, en hij lijkt vastberaden om mijn broers schot tegen te houden.

'Geef nou maar op, cachorro. Je krijgt de bal toch nooit langs me heen. Straks zul je mij de Almachtige Opperkeeper noemen, de enige echte... Carlos Fuentes!'

Zijn geplaag maakt mijn broertje alleen nog maar vastberadener. Hij perst zijn lippen op elkaar en balt zijn handen tot vuisten. Brandon trapt tegen de bal zo hard als een zesjarig jongetje kan en gromt zelfs wanneer zijn voet de bal raakt. De bal vliegt door de lucht.

Carlos springt omhoog om hem te vangen...

En mist hem op een haar na. Nog beter, Carlos valt op de grond en rolt op zijn rug.

Ik heb mijn broertje nog nooit zo triomfantelijk zien kijken. 'Het is me gelukt!' schreeuwt hij. 'Het is me gelukt! Al bij de eerste keer!' Hij rent naar me toe en geeft me een high five, om vervolgens op Carlos' rug te springen. 'Het is me gelukt! Het is me gelukt!'

Carlos kreunt. 'Ooit van onsportief gedrag gehoord?'

'Nee.' Brandon leunt dichter naar Carlos' oor toe. 'Dat betekent dat je vanavond G.I. Joe met me mag spelen!'

'Krijg ik geen herkansing?' vraagt Carlos. 'Twee van de drie? Of drie van de vijf?'

'No way, José.'

'Ik heet Carlos, niet José,' zegt Carlos, maar Brandon hoort hem niet. Hij rent naar binnen om mijn ouders te vertellen dat hij van Carlos heeft gewonnen.

Carlos ligt nog steeds op de grond wanneer ik naast hem neerkniel. 'Wat wil je?' vraagt hij.

'Jou bedanken.'

'Waarvoor?'

'Voor het nakomen van onze afspraak om Brandon van je te laten winnen. Meestal lukt het je aardig om je als een rotzak te gedragen, maar je hebt nog wel potentie.'

'Waarvoor?'

Ik haal mijn schouders op. 'Om een sympathiek mens te worden.'

27

Carlos

Na het avondeten vis ik het mobieltje uit mijn la om Luis en mi'amá te bellen.

'*Te estás ocupando de mamá?*' vraag ik mijn broertje.

'Sí. Ik zorg wel voor haar.'

Er wordt luid op de deur geklopt, om me eraan te herinneren dat ik het potje voetbal van vanmiddag heb verloren. 'Tijd voor G.I. Joe, Carlos!' klinkt Brandons stem aan de andere kant van de deur.

'*Quién es ése?*'

'Het jongetje dat hier woont. Hij doet me soms een beetje aan jou denken.'

'Zo geweldig is hij dus?' zegt Luis, en dan begint hij te lachen. 'Hoe is het met Alex?'

'*Alex es buena gente.* Hij is nog hetzelfde.'

'Ma zei dat je in de shit zat.'

'Sí, maar het komt allemaal wel goed.'

'Ik hoop het. Want ze is aan het sparen om in de winter naar jullie toe te kunnen komen. Als ik lief ben, mag ik ook mee. *Podemos volver a ser una familia, Carlos.* Zou dat niet geweldig zijn?'

Ja, het zou geweldig zijn als we weer samen konden zijn als gezin. Voor Luis is ons gezin compleet als we met z'n vieren zijn: ik, mamá, Alex en Luis. Onze papá was al dood voor Luis kon praten. Ik wil geen kinderen, want ik zou niet willen dat mijn vrouw na mijn dood moet ploeteren om mijn kinderen eten te geven, of dat mijn kinderen denken dat het gezin compleet is zonder mij erbij.

Klop, klop, klop. Klop, klop, klop. 'Ben je daar?' roept Brandon weer. Dit keer komt zijn stem onder mijn slaapkamerdeur vandaan. Ik kan zijn lippen zien door de kier tussen de deur en het tapijt. Eigenlijk zou ik de deur zonder waarschuwing moeten optrekken om de kleine dia-

133

blo geschrokken overeind te zien krabbelen.

'Het zou geweldig zijn als jij en mamá hierheen zouden kunnen komen. *Déjame hablar con mamá.*'

'Ze is niet thuis,' zegt Luis. '*Está trabajando.* Ze is werken.'

Ik voel een steek in mijn hart. Ik wil niet dat ze moet werken en zich moet uitsloven voor een hongerloontje. Toen ik nog in Mexico woonde, zorgde ik voor het gezin. Nu ga ik naar school en moet zij werken als een paard. Dat voelt niet goed.

'Zeg haar maar dat ik heb gebeld. *Que no se te olvide!*' zeg ik, want ik weet dat mijn kleine broertje het zo druk heeft met zijn vriendjes dat hij vast zal vergeten dat ik überhaupt heb gebeld.

'Ik zal het niet vergeten. Beloofd.'

We hangen op en Brandon bonst nog eens op de deur. 'Hou eens op, ik krijg er hoofdpijn van,' zeg ik terwijl ik de deur opendoe.

Ik heb nog nooit iemand zo snel overeind zien krabbelen als Brandon. Hij lijkt er aardig duizelig van geworden, als ik zie hoe hij staat te wankelen. Net goed.

'Brandon,' roept Westford, die net langs komt gelopen. 'Ik heb je gezegd dat je Carlos niet moet lastigvallen. Waarom zit je niet op je kamer te lezen?'

'Ik was Carlos niet aan het lastigvallen,' zegt hij onschuldig. 'Hij zei dat hij G.I. Joe met me zou spelen. Ja toch, Carlos?' Hij kijkt naar me op met een smekende blik in zijn lichtgroene ogen.

'Dat klopt,' zeg ik tegen Westford. 'Vijf minuutjes G.I. Joe, en dan heb ik wel weer lang genoeg de grote broer gespeeld.'

'Tien minuten,' roept Brandon snel.

'Drie,' kaats ik terug. Dat spelletje kan ik ook spelen, jochie.

'Nee, nee, nee. Vijf is prima.'

Eenmaal in zijn kamer duwt hij me een pop in de hand. 'Hier!'

'Jochie, ik vind het heel rot voor je, maar ik speel over het algemeen niet met poppen.'

Hij kijkt beledigd en haalt zijn neus op. 'G.I. Joe is geen pop. Hij is een marinier, net als mijn vader vroeger.' Brandon pakt kleine plastic soldaatjes uit een emmer en zet ze door zijn hele kamer neer. Je zou denken dat het jochie ze gewoon maar ergens neerplantte, maar volgens mij zit er een systeem achter deze chaos. 'Had jij geen G.I. Joe toen je klein was?'

Ik schud mijn hoofd. Ik kan me maar weinig speelgoed herinneren...
we speelden vooral met stokken, stenen en voetballen. En af en toe slo-
pen Alex en ik naar mijn moeders kledingkast en bedachten we de gek-
ste spelletjes met stenen in haar panty's. Soms knipten we de benen eraf
om er katapulten van te maken. Of we deden er waterballonnen in om
elkaar ermee te slaan. Alex en ik hebben vaak op onze donder gehad
van mi'amá voor die geintjes, maar dat maakte niet uit. Ze waren wel
een pak slaag waard.

'Oké,' zegt het jongetje ineens serieus. 'De Cobra's zijn de slechteriken die de wereld willen veroveren. De G.I. Joe's moeten hen vangen.
Snap je?'

'Ja. Laten we nou maar beginnen.'

Brandon steekt zijn handen op. 'Wacht, wacht, wacht. Je kunt geen G.I.
Joe zijn zonder een codenaam. Welke codenaam wil je? Ik ben Racer.'

'Ik ben Guerrero.'

Hij houdt zijn hoofd schuin. 'Wat betekent dat?'

'Strijder.'

Hij knikt goedkeurend. 'Oké, Guerrero, het is onze missie om Dr.
Knipoog te vangen.' Brandon kijkt me met grote ogen aan. 'Dr. Knipoog is de grootste, ergste, gemeenste slechterik van de hele wereld. Nog
gemener dan Cobra Commander.'

'Kunnen we hem geen engere naam geven? Sorry, maar Dr. Knipoog
klinkt helemaal niet gemeen.'

'O nee, je mag zijn naam niet veranderen. Echt niet.'

'Waarom niet?'

'Ik vind het een leuke naam. Dr. Knipoog knipoogt de hele tijd.'

Ik moet wel lachen om dit jochie, ik kan er niets aan doen. 'Oké. Dus
wat heeft Dr. K. voor gemeens gedaan?'

'Dr. Knipoog,' verbetert Brandon me. 'Niet Dr. K.'

'Wat jij wil.' Ik hou G.I. Joe omhoog en zeg tegen de plastic pop: 'Joe,
ben je klaar om Dr. K. in elkaar te beuken?' Ik draai me weer naar Brandon. 'Joe zegt dat hij er klaar voor is.'

Brandon veert op alsof hij op een geheime missie is. 'Volg mij,' zegt
hij, en hij begint door de kamer te tijgeren. 'Kom op!' fluistert hij luid
als hij ziet dat ik hem niet achternakom.

Ik kruip achter hem aan alsof ik een zesjarig kind ben dat genoeg geduld heeft om dit spel mee te spelen.

Brandon houdt zijn hand bij mijn oor en fluistert: 'Volgens mij heeft Dr. Knipoog zich in de kast verstopt. Verzamel de troepen.'

Ik kijk naar de kleine plastic soldaatjes verspreid door de hele kamer en zeg dan: 'Troepen, omsingel de kast.'

'Je kunt geen G.I. Joe zijn met je eigen stem. Je moet als een marinier klinken,' zegt Brandon, duidelijk niet onder de indruk van mijn poging om een actieheld te spelen.

'Nou moet je niet te ver gaan, anders ben ik weg,' zeg ik.

'Oké, oké. Niet weggaan. Je mag wel G.I. Joe zijn met je eigen stem.'

Brandon en ik stellen de kleine soldaatjes op voor de kastdeur. Als ik me dan toch laat meeslepen in dit spel, kan ik het net zo goed wat spannender maken. 'Joe hier vertelde me net dat hij wat informatie heeft over Dr. Knipoog.'

'Wat dan?' vraagt Brandon. Hij gaat er helemaal in mee.

Maar nu moet ik snel iets bedenken. 'Dr. Knipoog heeft een nieuw wapen. Als hij naar je knipoogt, ben je dood. Dus zorg dat je hem niet recht in zijn ogen kijkt.'

'Oké!' zegt Brandon enthousiast. Hij doet me denken aan Luis, die ook helemaal opgewonden raakt van de kleinste dingen.

Denken aan Luis doet me denken aan mamá en het feit dat ik haar amper heb zien glimlachen de afgelopen jaren. Ik mag dan nog zo rebels doen, toch zou ik er alles voor overhebben om haar weer te laten lachen.

28

Kiara

Ik kijk toe vanuit de deuropening terwijl Carlos en mijn broertje met de speelgoedsoldaatjes spelen. Carlos heeft een heel stelsel van tunnels gebouwd van Brandons T-shirts, omhooggehouden met touw. Het loopt door de hele kamer: de ene kant is vastgemaakt aan het raamkozijn, de andere aan de kastdeur.

Aan zijn ontspannen gezicht te zien, heeft Carlos bijna net zoveel lol als mijn broertje.

Mijn moeder wrijft me over mijn schouder. 'Alles goed?' vraagt ze zachtjes.

Ik knik.

'Ik maak me zorgen om je.'

'Met mij gaat alles goed.' Ik denk terug aan vanmiddag, aan het voetballen in de tuin met Brandon en Carlos. Ik moet toegeven dat ik het ook leuk vond. Ik geef haar een dikke knuffel. 'Meer dan goed.'

'Ze lijken plezier te hebben,' zegt ze, knikkend naar het slagveld in Brandons kamer. 'Denk je dat Carlos een beetje begint te wennen aan het idee om hier te wonen?'

'Wie weet.'

'De vijf minuten zijn allang voorbij,' hoor ik Carlos zeggen.

Mijn moeder snelt de kamer in en tilt Brandon op voordat hij zijn bekende onderhandelingstactieken in de strijd kan gooien. 'Bedtijd, Bran. Je moet morgen weer naar school.' Nadat ze hem heeft ingestopt, vraagt ze: 'Je hebt wel je tanden gepoetst, toch?'

'Yep,' zegt mijn broertje knikkend. Ik zie dat hij zijn mond stijf dichtgeklemd houdt. Volgens mij vertelt hij niet helemaal de waarheid.

'Welterusten, Racer,' zegt Carlos, terwijl hij achter mijn moeder aan de kamer uit loopt.

'Welterusten, Guerrero. Kiara, Carlos wil me geen verhaaltje voorlezen, dus wil jij dan een liedje voor me zingen? Of het letterspel spelen? Alsjeblieft,' smeekt Brandon me.

'Welke van de twee?' vraag ik.

'Het letterspel.' Mijn broertje gaat met zijn rug naar me toe zitten en tilt de achterkant van zijn shirt op.

Ik speel dit spelletje al met hem sinds hij drie was. Ik schrijf een letter op zijn rug met mijn vinger en hij moet raden welke letter het is.

'A,' zegt hij trots.

Ik schrijf nog een letter.

'H!'

En nog een.

'D... nee, B! Heb ik het goed?'

'Yep,' zeg ik, waarna ik eraan toevoeg: 'Oké, nog eentje. Dan is het bedtijd.' Ik schrijf nog een letter.

'Z!'

'Yep.' Ik geef hem een kus op zijn voorhoofd en stop hem nog een keer in. 'Hou van je,' zeg ik.

'Ik ook van jou. Kiara?'

'Ja?'

'Wil je tegen Carlos zeggen dat ik hem ook lief vind? Dat ben ik vergeten.'

'Zal ik doen. Nu snel slapen.'

Carlos staat op de overloop tegen de muur aan geleund. Mijn moeder is verdwenen, waarschijnlijk naar de woonkamer om tv te kijken met mijn vader.

'Ik heb gehoord wat hij zei, dus je hoeft de boodschap niet meer door te geven,' zegt Carlos. Zijn gebruikelijke verwaandheid is verdwenen. Hij ziet er kwetsbaar uit, alsof de woorden van Brandon een gat hebben geslagen in de muur die hij om zich heen had gebouwd. Hij laat een stukje van de echte Carlos zien.

'Oké.' Ik kijk naar mijn schoenen, want ik durf hem eerlijk gezegd niet aan te kijken. Hij heeft van die doordringende, haast betoverende ogen. 'Nog bedankt dat je met mijn broertje hebt gespeeld en zo. Hij vindt je echt aardig.'

'Dat komt doordat hij me niet goed kent.'

29

Carlos

Voor schooltijd loop ik naar de ruimte onder de footballtribune op zoek naar Nick. En ja hoor, daar staat hij, een joint te roken.

Heel even is de paniek van zijn gezicht af te lezen, maar meteen verbergt hij dat achter een glimlach. 'Hé, man, wha's up? Ik hoorde dat je vorige week bent opgepakt. Klote voor je, zeg.' Hij reikt me zijn joint aan. 'Wil je een trekje?'

Ik grijp hem bij zijn kraag en duw hem tegen een metalen stang aan. 'Waarom heb je me erin geluisd?'

'Je bent gek! Ik weet niet waar je het over hebt,' zegt hij. 'Waarom zou ik jou erin luizen?'

Ik geef hem een klap in zijn gezicht en hij gaat neer. 'Weet je het nu weer?'

'O, shit,' brengt Nick uit terwijl ik over hem heen buig. Ik zal net zo lang op hem in blijven trappen tot hij me informatie geeft. Als hij ook maar enige banden heeft met de Guerreros del barrio en Wes Devlin, dan lopen Kiara en de Westfords mogelijk gevaar omdat ik bij hen woon. Dat kan ik niet laten gebeuren.

Ik grijp hem bij zijn shirt en til hem op. 'Zeg me waarom je die drugs in mijn kluisje hebt gestopt. Vertel het maar snel, want ik ben al in een klotehumeur vanaf het moment dat die smerissen me in de boeien sloegen.'

Hij steekt zijn handen op en geeft zich gewonnen. 'Ik ben maar een pion, Carlos, net als jij. Mijn leverancier, die gast Devlin, zei dat ik die drugs daar moest verstoppen. Ik weet niet waarom. Hij had een pistool. Hij gaf me dat blikje en zei dat ik het in je rugzak moest stoppen, of anders. Ik weet niet waarom. Ik zweer je dat het niet mijn idee was.'

Dan moet ik erachter zien te komen wiens idee het wel was. Het probleem is alleen dat ik daarvoor contact moet opnemen met Devlin, dus vanaf nu moet ik elke seconde van de dag over mijn schouder kijken.

'Carlos, het is jouw beurt om iets met ons te delen.'

Na schooltijd bij REACH zijn alle ogen op mij gericht. Mevrouw Berger verwacht dat ik tegenover de hele groep mijn hart uitstort. Alsof het al niet erg genoeg is dat ik hun stomme problemen moet aanhoren, bijvoorbeeld dat Justins vader hem keer op keer vertelt dat hij een sukkel is, en dat Keno een held is omdat al zijn vrienden afgelopen weekend bier hebben gedronken en hij zich niet door de rest heeft laten overhalen.

Wat een gelul!

Mevrouw Berger kijkt me aan over de rand van haar bril. 'Carlos?'

'Ja?'

'Wil je ons soms iets vertellen over een gebeurtenis van de afgelopen week die indruk op je heeft gemaakt?'

'Niet echt.'

Zana trekt spottend haar glimmende lip op. 'Carlos vindt zichzelf te stoer om iets met ons te delen.'

'Ja,' mengt Carmela zich in het gesprek. 'Waarom vind je jezelf beter dan ons?'

Keno kijkt me doordringend aan in een poging me te intimideren. Ik vraag me af of hij iets van Devlin weet.

Ik hoef duidelijk niet op steun van het Mexicaanse front te rekenen, dus kijk ik naar Justin.

'Doe wat je niet laten kunt,' zegt de groenharige jongen. 'Zolang je mij er maar buiten laat.'

Wat bedoelt hij daar nou weer mee?

Quinn staart naar de grond.

Berger leunt naar voren. 'Carlos, je bent hier nu al een week, maar je hebt je nog helemaal niet opengesteld. Al je groepsgenoten hebben iets over zichzelf met je gedeeld. Waarom deel je niet een heel klein stukje van je leven met ons zodat je groepsgenoten zich wat meer met je verbonden kunnen voelen.'

Denkt ze nou echt dat ik me met deze mensen verbonden wil voelen? Is ze gek geworden?

'Vertel nou gewoon iets,' dringt Zana aan.

'Ja,' stemt Keno in.

Berger kijkt me aan met een blik van: we staan voor je klaar. 'Onze groep raakt steeds hechter als iedereen een stukje van zichzelf blootgeeft. Zie het delen van je verhaal maar als het bindmiddel dat ons tot een eenheid maakt, waarin iedereen elkaar helpt en niemand wordt buitengesloten.'

Als ze een bindmiddel wil, kan ze het krijgen ook. Ik ga hun niets vertellen over Nick of Devlin, maar er zit me wel iets anders dwars... Verslagen steek ik mijn handen in de lucht. 'Oké. Woensdag heb ik bijna gezoend met een meisje, Kiara. We zaten boven op een of andere stomme berg die ik van haar moest beklimmen.' Ik schud gefrustreerd mijn hoofd als ik er weer aan denk. Ik bleef me de afgelopen twee dagen maar voorstellen hoe het zou zijn geweest om haar te kussen.

Keno leunt naar voren in zijn stoel. 'Vind je haar leuk?'

'Nee.'

'Waarom heb je haar dan bijna gezoend?' vraagt Zana.

Ik haal mijn schouders op. 'Om iets te bewijzen.' Niemand zegt iets en alle aandacht is op mij gericht.

'Wat wilde je bewijzen?' vraagt mevrouw Berger.

'Dat ik beter kan zoenen dan haar vriendje.'

Justin slaat geschokt zijn hand voor zijn mond. Als hij dat al aanstootgevend vindt, dan kan ik het aantal meiden met wie hij heeft gezoend vast op minder dan één hand tellen.

'Heeft ze je teruggezoend?' vraagt Carmela.

Keno trekt zijn wenkbrauwen op. 'Is ze *Mexicana*?'

'We hebben niet gezoend. We hebben bíjna gezoend, en het was niets bijzonders.'

'Je vindt haar leuk,' zegt Zana. Als ik verontwaardigd mijn neus ophaal, voegt ze eraan toe: 'O, kom op, zeg. Mensen zeggen alleen dat iets "niets bijzonders" was als het juist wel bijzonder was.'

'Wat maakt het uit, Zana?' komt Justin tussenbeide. 'Hij heeft haar niet echt gezoend en bovendien heeft ze een vriendje. Ze is bezet, of hij haar nou leuk vindt of niet.'

'Je moet eerst aan jezelf werken voordat je een gezonde relatie kunt hebben, Carlos,' zegt Zana, alsof ze daar zelf ervaring mee heeft.

Het zal allemaal wel. Ik vind Kiara niet eens leuk. Een 'gezonde rela-tie' is wel het laatste waar ik op zit te wachten... en ik weet niet eens of zoiets überhaupt wel bestaat.

Ik leun achterover en sla mijn armen over elkaar. 'Ik vind dat ik wel weer genoeg heb verteld, mevrouw B.'

Mevrouw Berger knikt me goedkeurend toe. 'Bedankt voor je verhaal, Carlos. We waarderen het allemaal dat je bereid was om een stukje van je leven met ons te delen. Geloof het of niet, maar door jou is onze groep nu hechter geworden.'

Het liefst zou ik nu mijn middelvinger opsteken om haar te laten we-ten wat ik van haar theorie vind, maar dat mag vast niet volgens die klo-teregels hier.

Met moeite doorsta ik de rest van de groepstherapiesessie met deze losers, al doen ze nu ineens allemaal net alsof we vriendjes zijn. Wan-neer ik aan het eind van de dag het gebouw uit loop, staat Alex me in Brittany's auto op te wachten op de parkeerplaats.

Als we voor een stoplicht staan, zie ik voor ons een stelletje hand in hand lopen. Ik zie Tuck en Kiara nooit handen vasthouden. Misschien heeft een van hen wel smetvrees. 'Kiara's vriend is echt een enorme pen-dejo,' flap ik er uit. 'Die twee zijn compleet belachelijk samen.'

Alex schudt zijn hoofd.

'Wat?'

'Zorg dat je niets met haar begint.'

'Zal ik doen.'

Hij begint te lachen. 'Dat zei ik ook tegen Paco toen hij me waar-schuwde voor Brittany.'

'Voor eens en voor altijd: ik ben niet zoals jij. En zo zal ik ook nooit worden. Dus als ik zeg dat er niets speelt tussen Kiara en mij, dan is dat ook zo.'

'Goed, hoor.'

'Bovendien erger ik me meestal dood aan haar.'

Mijn broer moet weer lachen.

Als we bij het huis van de Westfords aankomen, is er niemand thuis. Kiara's auto staat op de oprit, zoals gewoonlijk met het raampje aan de passagierskant open.

'Dat moet ze echt eens laten maken,' zeg ik tegen Alex terwijl we ernaartoe lopen. Volgens mij kunnen we het allebei niet laten om ons voor te stellen hoe de auto eruit zou zien als hij helemaal was opgeknapt. 'Het portier aan de passagierskant kan niet open.'

Alex rammelt aan de hendel. 'Je zou hem uit elkaar moeten halen om te kijken of je hem kan maken.'

Ik haal mijn schouders op. 'Misschien doe ik dat wel.'

'Het blijft een vette auto, opgeknapt of niet.'

'Weet ik. Ik heb erin gereden.' Ik steek mijn hoofd door het raampje en kruip naar binnen.

'Wat als ik je zou vertellen dat ik er net zo een heb gekocht?' vraagt Alex.

'Echt? Heb je eindelijk een eigen auto?'

'Ja. Er moet wel het een en ander aan gebeuren, dus ik laat hem in de garage staan tot ik de motor kan oplappen.'

'Over motoren gesproken, volgens mij hapert deze,' zeg ik tegen hem, terwijl ik Kiara's motorkap opendoe.

'Weet je zeker dat ze het niet erg vindt dat we dit doen?' vraagt hij.

'Dat vindt ze prima,' zeg ik, in de hoop dat dat waar is.

We inspecteren de motor en kletsen ondertussen wat over auto's. Dit lijkt me een goed moment om mijn broer te vertellen wat ik heb ontdekt. 'Volgens mij heeft Devlin ervoor gezorgd dat ik erin werd geluisd.'

Alex komt zo snel omhoog dat hij zijn hoofd stoot tegen de motorkap. 'Devlin? Wes Devlin?' vraagt hij.

Ik knik.

'Hoezo Devlin?' Hij wrijft in zijn ogen, alsof hij zich niet kan voorstellen dat ik me zo diep in de nesten heb gewerkt. 'Hij rekruteert overal leden voor zijn gang en maakt hybriden van ze, ongeacht hun verbintenissen. Waarom heb je dat in godsnaam laten gebeuren?'

'Ik heb het niet láten gebeuren. Het is gewoon gebeurd.'

Mijn broer kijkt me recht in de ogen. 'Heb je tegen me gelogen, Carlos? Heb je in Mexico contact gehad met de Guerreros en was dit hele drugsgebeuren de hele tijd al gepland? Want Devlin maakt geen grapjes. Fuck man, hij had zelfs banden met de Latino Blood in Chicago.'

'Denk je dat ik dat niet weet?' Ik haal het nummer van Devlin dat ik in Nicks kluisje heb gevonden tevoorschijn en geef het aan Alex. 'Ik ga hem bellen.'

Hij kijkt naar het nummer en schudt zijn hoofd. 'Niet doen.'

'Ik moet wel. Ik moet erachter komen wat hij wil.'

Alex stoot een kort lachje uit. 'Hij wil jou tot zijn slaaf maken, Carlos. De Guerreros hebben hem blijkbaar over je verteld.'

Ik kijk mijn broer recht in de ogen. 'Ik ben niet bang voor hem.'

Mijn broer heeft het maar net overleefd toen hij uit de Latino Blood stapte. Hij weet wat het betekent om de kopstukken van een gang uit te dagen. 'Waag het niet om iets te doen zonder dat ik erbij ben. We zijn broers, Carlos. Ik zal je altijd steunen, wat er ook gebeurt.'

Daar ben ik juist bang voor.

30

Kiara

Na schooltijd besloten Tuck en ik te gaan joggen, voor zijn Ultimate Frisbee-training. De eerste paar honderd meter hebben we nog wat gekletst, maar daarna zijn we zwijgend verder gerend. Het enige wat we horen zijn onze voetstappen die op het asfalt roffelen. Het is niet meer zo warm als vanmiddag en het voelt wat kil aan.

Ik vind het leuk om met Tuck te joggen. Het is een individuele sport, maar het is veel leuker om het met iemand samen te doen.

'Hoe gaat het met De Mexicaan?' vraagt Tuck. Zijn stem echoot tegen de bergwand.

'Zo moet je hem niet noemen,' zeg ik. 'Dat is racistisch.'

'Kiara, hoe kan het nou racistisch zijn om hem Mexicaan te noemen? Hij is Mexicaans.'

'Het gaat niet om wat je zei, maar om de manier waarop je het zei.'

'Nu lijk je net je vader, enorm fijnzinnig en overdreven politiek correct.'

'Wat is er mis met fijnzinnig zijn?' vraag ik hem. 'Hoe zou jij het vinden als Carlos jou De Homo zou noemen?'

'Ik zou hem in ieder geval niet van racisme beschuldigen,' zegt Tuck.

'Dat is geen antwoord op mijn vraag.'

Tuck grinnikt. 'Heeft hij me echt De Homo genoemd?'

'Nee. Hij denkt dat we een stel zijn.'

'Ik durf te wedden dat hij helemaal geen homo's kent. Die jongen straalt een en al testosteron uit.'

Als we bij het begin van het looppad door Canyon Park aankomen, blijf ik staan. 'Je hebt nog steeds geen antwoord gegeven op mijn vraag,' zeg ik buiten adem. Ik ben het gewend om te joggen, maar vandaag klopt mijn hart sneller dan normaal en ineens voel ik me zonder enige reden gespannen.

Tuck steekt zijn handen omhoog. 'Het zou me niet kunnen schelen als hij me homo noemt, want ik bén homo. Hij is Mexicaans, dus waarom zou het erg zijn als ik hem Mexicaan noem?'

'Dat is ook niet erg. Maar hem De Mexicaan noemen, dat is irritant.'

Tuck kijkt me met samengeknepen ogen aan. Hij trekt zijn wenkbrauwen op, alsof hij probeert te achterhalen waarom ik me hier druk om maak. 'Oh my god.'

'Wat?'

'Je vindt De Mexicaan leuk. Dat had ik al veel eerder door moeten hebben. Daarom begon je weer te stotteren... het komt allemaal door hem!'

Ik rol met mijn ogen en snuif verontwaardigd. 'Ik vind hem helemaal niet leuk.' Ik begin over het pad te joggen zonder verder in te gaan op Tucks theorie.

'Niet te geloven dat je hem leuk vindt, zeg,' kirt Tuck, terwijl hij me met zijn vinger in mijn zij port.

Ik begin sneller te rennen.

'Rustig aan,' hoor ik Tuck achter me hijgen. 'Oké, oké. Ik zal hem niet meer De Mexicaan noemen. Of zeggen dat je hem leuk vindt.'

Ik rem af en wacht tot hij me heeft ingehaald. 'Hij denkt dat jij en ik een stel zijn, en dat komt me wel goed uit. Laat hem maar in die waan, goed?'

'Als jij dat wil.'

'Ja.'

Boven op de berg blijven we even staan om te genieten van het uitzicht op de stad Boulder onder ons, en daarna joggen we weer naar huis.

Alex en Carlos staan op de oprit naast mijn auto.

Carlos kijkt naar ons en gooit zijn hoofd in zijn nek. 'Jezus, jullie dragen matchende kleding. Ik ga bijna over mijn nek.' Hij wijst naar ons. 'Zie je dat, Alex. Ik heb al zoveel aan mijn hoofd, en nu word ik ook nog eens opgezadeld met deze... matchende blanken.'

'We matchen niet,' zegt Tuck verdedigend. Maar als hij mijn T-shirt bekijkt en de waarheid tot hem doordringt, haalt hij zijn schouders op. 'Oké, toch wel.'

Ik had het niet gezien. Tuck blijkbaar ook niet. We hebben allebei een zwart T-shirt aan waar in grote witte letters op staat: VOEL JE TOP, BE-

KLIM EEN VIERDUIZENDER! Die hebben we gekocht nadat we vorig jaar samen naar de top van Mount Princeton zijn geklommen. Princeton was de eerste vierduizender die we hebben beklommen, de bijnaam voor alle bergen in Colorado die hoger zijn dan vierduizend meter.

Carlos staat naar me te kijken.

'Wat ben je met mijn auto aan het doen?' vraag ik hem om van onderwerp te veranderen.

Hij kijkt naar Alex.

'We keken alleen maar,' zegt Alex. 'Toch, Carlos?'

Carlos stapt bij mijn Monte Carlo vandaan. 'Ja. Precies.' Hij kijkt haast beschaamd terwijl hij zijn keel schraapt en zijn handen in zijn zakken stopt.

'Mijn moeder zei dat ik je mee moest nemen om boodschappen te doen. Ik zal even mijn tas en mijn sleutels pakken en dan kunnen we gaan, als je wilt.'

Als ik naar mijn kamer loop, vraag ik me af of ik Carlos en Tuck wel alleen had moeten laten. Die twee kunnen totaal niet met elkaar overweg. Ik gris mijn tas van mijn bed en wil net weer naar buiten rennen als Carlos plotseling in de deuropening verschijnt.

Hij wrijft met zijn hand over zijn hoofd en zucht.

'Alles oké?' vraag ik en ik stap dichterbij.

'Ja, maar kunnen we niet alleen gaan? Jij en ik, zonder Tuck.' Hij wipt van de ene op de andere voet alsof hij nerveus is.

'Goed, hoor.'

Hij verroert zich niet. Ik krijg het idee dat hij nog iets wil zeggen, dus ik blijf ook staan. Hoe langer we hier naar elkaar staan staren, hoe nerveuzer ik word. Niet dat ik door Carlos geïntimideerd ben; er hangt gewoon een bepaalde spanning in de lucht als hij in de buurt is. Als hij zich zo kwetsbaar opstelt als nu, krijg ik weer even de echte Carlos te zien, degene zonder die beschermende muur om zich heen.

Ik heb me zo moeten inhouden toen hij deed alsof hij me wilde zoenen woensdag bij The Dome, en ik heb me nog nooit zo sterk tot Carlos aangetrokken gevoeld als nu, ook al staan Tuck en Alex buiten op ons te wachten.

'Ga je je nog omkleden?' vraagt hij, kijkend naar mijn VOEL JE TOP, BEKLIM EEN VIERDUIZENDER-shirt met zweetplekken van het joggen. 'Dat shirt kan echt niet.'

'Je let veel te veel op uiterlijk.'

'Beter dan dat ik er helemaal niet op let.'

Ik hang mijn tas over mijn schouder en gebaar dan dat ik erlangs wil.

Hij stapt opzij. 'Over uiterlijk gesproken, haal jij dat elastiekgeval nooit eens uit je haar?'

'Nee.'

'Want het lijkt net een hondenstaart.'

'Mooi.' Terwijl ik langs hem loop, zwaai ik mijn hoofd heen en weer in een poging hem te raken met mijn staart, maar hij weet mijn haar vast te grijpen net voordat het zijn gezicht raakt. In plaats van eraan te trekken, laat hij mijn haar tussen zijn vingers door glijden. Ik kijk hem aan en zie hem glimlachen. 'Wat?'

'Je haar is zacht. Dat had ik niet verwacht.'

Het verbijstert me dat hij er zowaar op heeft gelet hoe mijn haar aanvoelde terwijl het door zijn vingers glipte... Ik slik moeizaam als hij zijn hand uitstrekt om mijn haar nog eens tussen zijn vingers door te laten glijden. Het voelt intiem.

Hij schudt zijn hoofd. 'Vandaag of morgen komen jij en ik nog eens in de problemen, Kiara. Dat weet je toch, hè?'

Ik wil hem vragen wat hij daar precies mee bedoelt, maar ik doe het niet. In plaats daarvan zeg ik: 'Ik hou niet van problemen,' en dan loop ik van hem weg.

Tuck en Alex staan buiten op ons te wachten.

'Waarom bleven jullie zo lang weg?' vraagt Tuck.

'Dat zou je wel willen weten, hè?' reageert Carlos fel, waarna hij mij aankijkt. 'Zeg hem dat hij niet met ons meegaat.'

Tuck slaat zijn arm om mijn schouders. 'Waar heeft hij het over, mopje? Ik dacht dat we naar mijn huis gingen om te, nou, je weet wel.' Hij beweegt zijn wenkbrauwen op en neer en geeft me dan een tik op mijn kont.

Mijn beste vriend speelt zijn rol als vriendje zo overdreven dat het volgens mij totaal niet geloofwaardig is, maar Carlos lijkt erin te trappen, als ik die blik van walging op zijn gezicht tenminste mag geloven.

Ik buig me naar Tucks oor. 'Iets minder mag wel, mopje.'

Hij buigt zich naar mij toe. 'Oké, poekie-woekie.'

Ik duw hem snel weg, voor ik in de lach schiet.

'Ik ga ervandoor,' zegt Tuck, waarna hij wegjogt.

Alex vertrekt meteen na hem, dus blijven Carlos en ik alleen achter.

'Wat stom dat het zo lang heeft geduurd voor ik het doorhad,' zegt Carlos. 'Jij en Tuck zijn gewoon vrienden. Volgens mij niet eens vrienden met een extraatje.'

'Dat is gewoon belachelijk.' Ik stap in mijn auto en doe ondertussen mijn best om hem niet aan te kijken.

Carlos glipt naar binnen door het raam. 'Als hij zo geweldig kan zoenen als jij beweert, waarom heb ik jullie dat dan nog nooit zien doen?'

'We zoenen zo vaak.' Ik schraap mijn keel en voeg er dan aan toe: 'Alleen niet in het openbaar.'

Er verschijnt een zelfvoldane uitdrukking op zijn gezicht. 'Daar geloof ik helemaal niks van, want als je mijn vriendin was en er woonde een spetter als ik bij je in huis, dan zou ik zo vaak mogelijk voor zijn neus met je gaan zoenen, als geheugensteuntje.'

'Voor w-w-wat?'

'Dat je van mij was.'

31

Ik loop met een winkelwagentje door de supermarkt, blij dat ik de kans krijg om eten te kopen dat ik tenminste herken. Terwijl ik me op de groenteafdeling zigzaggend tussen de andere klanten begeef, pak ik een avocado en gooi hem naar Kiara. 'Ik durf te wedden dat je nog nooit echt Mexicaans hebt gegeten.'

'Heus wel,' zegt ze, terwijl ze hem opvangt en in het winkelwagentje legt. 'Mijn moeder maakt zo vaak taco's.'

'Met wat voor vlees?' vraag ik om haar te testen. Ik durf te wedden dat mevrouw W. totaal geen verstand heeft van echte taco's. Kiara mompelt iets onverstaanbaars. 'Wat? Ik hoor je niet.'

'Tofu. Ik geef toe dat tofu-taco's waarschijnlijk niet het meest authentieke Mexicaanse gerecht zijn, maar...'

'Er is helemaal niets Mexicaans aan tofu-taco's. Ik vind het zelfs een belediging voor mijn volk om ergens tofu in te stoppen en het dan Mexicaans te noemen.'

'Dat zal wel meevallen lijkt me.'

Ze loopt door het gangpad en kijkt toe terwijl ik tomaten, uien, koriander, limoenen, *poblano*-pepers en *jalapeño*-pepers pak. De verse geur van elk product doet me denken aan mi'amá's keuken. Ik pak iets wat we thuis altijd in de keuken hadden liggen. 'Dit is een *tomatillo*.'

'Wat kun je ermee doen?'

'Ik kan er een geweldige *salsa verde* mee maken.'

'Ik hou wel van rode salsa.'

'Alleen omdat je die van mij nog nooit hebt geproefd.'

'We zullen zien,' zegt ze, niet overtuigd. Misschien moet ik maar een extra pittige portie voor haar maken. Dat zal haar leren om me uit te dagen.

Kiara loopt achter me aan door de supermarkt. Ik koop alle ingrediënten die ik nodig heb: bonen, rijst, maïsmeel en verschillende soorten vlees (die van Kiara per se biologisch moesten zijn, ook al was dat bijna twee keer zo duur als gewoon vlees), en dan gaan we terug naar huis.

In de keuken van de Westfords pak ik de boodschappen uit en bied aan om het avondeten klaar te maken. Mevrouw W. is me dankbaar, want Brandon is bezig met een project voor school. Hij heeft blijkbaar geprobeerd een plattegrond op zijn lijf te tekenen met een merkstift, en nu wil het er niet meer af.

'Ik help je wel,' zegt Kiara, terwijl ik wat kommen op het aanrecht en een paar pannen op het fornuis zet.

Voor het eerst ben ik blij dat Kiara een T-shirt draagt, want nu hoef ik haar niet te zeggen dat ze haar mouwen op moet rollen.

'Het wordt wel een kliederboel,' zeg ik nadat we onze handen hebben gewassen.

Ze haalt haar schouders op. 'Dat geeft niet.'

Ik doe het maïsmeel in een kom en voeg er water aan toe.

'Klaar?' vraag ik haar.

Ze knikt.

Ik steek mijn handen in de kom en begin het maïsmeel door het water te mengen. 'Help me eens.'

Kiara gaat naast me staan en steekt zonder aarzelen haar handen in de kom om het nu natte en kleverige deeg te helpen kneden. Onze handen raken elkaar een paar keer aan, en volgens mij kneep ik per ongeluk een keer in haar vinger omdat ik dacht dat het een stuk deeg was.

Ik voeg meer water toe en kijk vervolgens van een afstandje toe.

'Hoe stevig moet het worden?'

'Ik zeg wel wanneer je kunt stoppen.' Ik weet niet waarom ik maar wat sta toe te kijken als een idioot. Misschien omdat ze nooit ergens over klaagt... ze is niet bang om bergen te beklimmen, auto's te repareren, eikels als ik uit te dagen, of haar handen vies te maken in de keuken. Is er dan niets wat dit meisje niet kan – of wil – doen?

Ik kijk in de kom. Het mengsel van maïsmeel ziet er inmiddels uit als een stevige deegmassa. 'Dat lijkt me wel goed zo. Rol er nu maar ballen van, dan sla ik ze plat met deze pan. Ik neem tenminste aan dat jullie geen tortilla-pers hebben, dus we zullen wat anders moeten verzinnen.

Pas maar op, we zouden dat belachelijke T-shirt dat je aanhebt natuurlijk niet willen verpesten.'

Terwijl ik de kastjes afzoek naar plasticfolie om tussen de pan en de deegballen te leggen voor ik ze plat sla tot een tortillavorm, voel ik dat iets mijn rug raakt. Ik kijk omlaag en zie een deegbal over de grond wegrollen.

Ik kijk naar Kiara. Ze houdt nog een bal in haar hand en mikt op mij.

'Die heb je toch niet net naar me toe gegooid, of wel?' vraag ik op geamuseerde toon.

Ze pakt nog een deegbal in haar andere hand. 'Jawel. Als straf, omdat je mijn shirt belachelijk noemde.' Ze glimlacht triomfantelijk en smijt de bal dan naar mij, maar dit keer vang ik hem. In één beweging pak ik de bal die op de grond ligt op, dus nu heb ik er twee.

'Straf, hè?' zeg ik, terwijl ik de ene die ik heb gevangen omhooggooi en weer opvang. 'En jouw naam staat erop. Teruggepakt worden is zwaar klote, chica.'

'O ja?' vraagt ze.

'Ja. Echt.'

'Dan moet je me eerst te pakken zien te krijgen.' Als een klein kind steekt ze haar tong naar me uit en dan stuift ze weg naar de achtertuin. Ik geef haar een kleine voorsprong terwijl ik de hele kom met deegballen pak. Dan ga ik achter haar aan. Mijn munitie is zojuist verviervoudigd. 'Je verpest mijn ballen!' Ze moet lachen om haar eigen woorden. Ik kijk geamuseerd toe terwijl ze snel een bijzettafeltje van het terras pakt om als schild te gebruiken.

'Beter die van jou dan die van mij, chica.' Ik gooi de deegballen een voor een naar haar toe, tot ze allemaal op zijn.

We gaan door met ons deegballengevecht tot de hele achtertuin bezaaid ligt met kleine balletjes.

Dan komt Westford naar buiten met een verbaasde uitdrukking op zijn gezicht. 'Ik dacht dat jullie het avondeten zouden klaarmaken.'

'Dat zouden we ook,' antwoordt Kiara.

'De rest van ons heeft inmiddels aardig honger gekregen terwijl jullie twee hier zaten te klieren. Waar is het avondeten?'

Kiara en ik kijken naar haar vader en dan naar elkaar. Zonder iets te zeggen beginnen we hem met deegballen te bekogelen, tot hij zich ook in de strijd mengt. Uiteindelijk doen ook mevrouw W. en Brandon mee met het deegballengevecht.

Ik kom in de verleiding om Alex en Brittany ook te vragen, want ik zou best een paar deegballen naar hun hoofd willen gooien. Misschien moet ik eens aan mevrouw Berger voorstellen om een deegballengevecht te houden tijdens een REACH-bijeenkomst. Da's in ieder geval stukken beter dan groepstherapie.

32

'Kom langs vanavond,' zegt Madison vrijdagochtend tegen Carlos bij zijn kluisje. 'Mijn ouders zijn nog steeds weg, dus we kunnen het hele weekend vadertje en moedertje spelen.'

Ik sta bij mijn kluisje en luister mee. Carlos zou vanavond met mij meegaan naar The Highlands om te helpen bij de schilderles. Zal hij me voor haar laten stikken?

'Ik kan niet,' antwoordt Carlos haar.

'Waarom niet?'

'Ik heb al andere plannen.'

Geschokt stapt ze naar achteren. Volgens mij is ze nog nooit door iemand afgewezen. 'Met een meisje?'

'Yep.'

'Met wie?' vraagt ze bits.

Voor ik goed en wel besef wat er gebeurt, trekt Carlos me naar zich toe. 'Met Kiara.'

Ik ben nog steeds in shock terwijl Madison ons minachtend aankijkt. 'Grapje, zeker?'

'Nou...' begin ik, op het punt om hem te ontmaskeren, maar Carlos trekt me zo stevig naar zich toe dat hij mijn arm bijna afknelt.

'We gaan in het geheim met elkaar sinds vorige week.' Hij glimlacht naar me en kijkt me aan alsof ik de ware voor hem ben. Misschien dat Madison daarin trapt, maar ik weet dat hij het niet meent. 'Toch, K.?'

Hij knijpt me haast fijn. 'Hm hm,' piep ik.

Madison schudt haar hoofd, alsof ze haar oren niet kan geloven. 'Wie wil er nou liever iets met Kiara Westford dan met mij?'

Ze heeft gelijk. We zijn erbij.

'Wedden dat ik het meen?' Hij buigt zijn hoofd naar me toe en mijn ogen worden groot. 'Kus me, *cariño*.'

Hem kussen? In de gang, waar iedereen ons kan zien? Ik kan niet eens normaal praten met Madison in de buurt, laat staan dat ik kan zoenen met de jongen die zij leuk vindt, vlak voor haar neus. 'Ik d-d-denk n-n-niet...'

Ik probeer iets te bedenken, maar ik blijf maar stotteren. Carlos legt zijn hand tegen mijn wang en streelt met zijn vinger over mijn lippen, alsof hij niet eens heeft gemerkt dat ik haast niet uit mijn woorden kom. Zoiets doet een jongen alleen bij zijn vriendin, op wie hij helemaal gek is en... en... en Carlos meent er echt geen reet van. Dat weet ik. Dat weet hij. Maar dat weet Madison niet.

Ik kan zijn hete adem op mijn gezicht voelen en hoor een haast onhoorbaar dankjewel voordat hij zijn hoofd schuin houdt en zijn lippen op de mijne drukt. Ik doe mijn ogen dicht en probeer de rest van de school buiten te sluiten en zo veel mogelijk te genieten van het moment. Ook al is de kus nep, zo voelt het niet. Het voelt opwindend en heerlijk. Ik weet dat ik hem zou moeten wegduwen, maar dat kan ik niet.

Ik sla mijn armen om zijn nek. Op hetzelfde moment trekt hij me dichter naar zich toe en begint me zonder waarschuwing plagerige, erotische likjes te geven zodat ik mijn mond opendoe. Ik weet niet waar hij zo heeft leren zoenen, maar het is bijna onmogelijk om niet te gaan kreunen en diep vanbinnen iets te voelen ontwaken als onze tongen elkaar vinden.

Carlos stapt naar achteren en maakt mijn armen los van zijn nek. Hij zucht. 'Ze is weg.'

'W-w-wat was d-d-dat nou weer?' vraag ik.

Hij kijkt om zich heen om er zeker van te zijn dat niemand meeluistert. 'Ik wil dat je mijn vriendin speelt. Zo, dat is eruit.' Wanneer ik geen antwoord geef, pakt hij me bij mijn elleboog en loodst me mee door de gang naar het computerlokaal. Het lokaal is leeg, afgezien van dertig computers die netjes in rijen staan opgesteld.

Deze jongen brengt me helemaal in de war, en het feit dat mijn lippen nog natintelen van zijn sensuele kus maakt het alleen maar erger. Ik roep mezelf tot de orde en concentreer me op wat ik wil zeggen. Ik wil niet stotteren. 'En Madison dan? Je hebt het met haar gedaan in het bed van haar ouders.'

'Ik heb het niet met haar gedaan, Kiara. Dat gerucht heeft zij verspreid, niet ik. Ik kende haar pas vijf dagen toen ik naar dat stomme feest van haar ging. Je mag me wel iets meer vertrouwen, zeg.'

'Waarom zou ik? Je l-l-loopt altijd maar wat te kletsen.' Ik draai me om en wil het computerlokaal uit lopen. Ik denk dat ik vooral boos ben omdat het eruitzag en voelde als een echte kus, maar in werkelijkheid kuste Carlos me alleen maar om Madison voor de gek te houden.

'Oké, ik loop vaak maar wat te kletsen, dat geef ik toe. Maar ik ben niet met haar naar bed geweest, en bovendien zit ze toch alleen maar achter me aan om Ram jaloers te maken. Ik wil dat ze me met rust laat, dus wil je nou doen alsof we een stel zijn, of niet?' Hij steekt zijn handen in zijn zakken. 'Wat wil je ervoor hebben?'

'Waarom ik?'

'Omdat je te slim bent om voor mijn praatjes te vallen, en ik heb geen behoefte aan een echte vriendin. Die heb ik ooit eens gehad en dat liep uit op een ramp. Kom op, wat wil je ervoor hebben?'

Ik ben niet iemand die zich iedere dag helemaal optut, maar ik zou wel voor één keer naar een schoolfeest willen gaan met een echte date. Dit is mijn laatste jaar op Flatiron, en zo'n kans krijg ik misschien wel nooit meer.

'Ga met me mee naar het Homecoming-bal.'

'Ik doe niet aan dansfeesten.' Hij schudt zijn hoofd. 'Ik ga onder geen beding naar het Homecoming-bal. En je hoeft ook niet te denken dat je me mee kunt krijgen naar het examenfeest.'

'Vergeet het dan maar.'

Ik loop naar de deur, maar hij pakt me bij mijn elleboog en draait me naar zich toe. 'Ik ken hier niemand anders die me kan helpen.'

'Alleen als we naar het Homecoming-bal gaan,' zeg ik vastberaden.

Carlos klemt zijn kaken op elkaar. 'Oké. We gaan naar het Homecoming-bal. Maar dan moet je wel een jurk aan... en hakken. En dan niet van die omaschoenen.'

'Ik heb geen hakken.'

'Dan koop je die maar.' Hij steekt zijn hand uit. 'Afgesproken?'

Ik denk er even over na, maar schud hem dan stevig de hand. 'Afgesproken.'

Ik probeer mijn opwinding te verbergen, maar alleen handen schudden is gewoon niet genoeg. Ik sla mijn armen om hem heen en geef hem een dikke knuffel. Dat had hij volgens mij niet verwacht, maar dat kan me niet schelen. Ik ga naar het Homecoming-bal! En niet met zomaar iemand... met Carlos, een jongen die wel eens het perfecte nepvriendje zou kunnen zijn. Nu alleen dat woord nep nog weg zien te krijgen...

Om vijf uur pik ik Carlos op voor het REACH-gebouw om hem naar The Highlands te brengen. De hele groep zit al met smart op ons te wachten achter hun schildersezels.

Ik neem Carlos mee naar Betty Friedman, een van de medewerkers die de lessen inroostert. 'Betty, dit is Carlos,' stel ik hem voor. 'Hij komt me vandaag helpen.'

Betty kijkt op van haar bureau. 'Bedankt, Carlos. Ik ben blij dat je er bent. Iedereen heeft zich erop verheugd dat er echte modellen komen. Jullie worden vandaag bijgestaan door een van onze eigen kunstschilders.'

We volgen haar naar het voorste deel van de recreatieruimte, waar een man in een zwarte coltrui en een bijpassende nauwsluitende zwarte broek bezig is potten verf in verschillende kleuren klaar te zetten.

'Hier zijn je modellen,' zegt Betty tegen hem. 'Kiara en Carlos, dit is Antoine Soleil.'

'Ik heb kostuums meegenomen,' zeg ik tegen Antoine terwijl ik een roodgeruit overhemd en een cowboyriem voor Carlos en een cowgirl-outfit voor mezelf tevoorschijn haal. Ik heb ze van de toneelvereniging van school geleend.

Carlos werpt één blik op het kostuum en deinst achteruit. 'Je hebt helemaal niets gezegd over kostuums.'

'Niet?'

'Nee.'

'Sorry. We gaan in kostuum.'

Betty wijst naar een kamer opzij. 'Jullie kunnen de vergaderzaal gebruiken om je te verkleden, als je wilt. Of je kunt wachten tot een van de gastentoiletten vrij is, al zag ik mevrouw Heller daar net naar binnen lopen, dus dat kan wel even duren.'

Carlos grist het overhemd en de riem uit mijn handen en loopt de vergaderzaal in. Ik volg hem met de cowgirloutfit.

'Waarom had ik ook alweer ja gezegd?'

'Omdat je iets aardigs voor me wilde doen,' antwoord ik, terwijl ik de deur op slot doe zodat niemand per ongeluk kan binnenvallen.

'O ja.' Hij trekt zijn shirt over zijn hoofd en onthult een sixpack waar elke jongen jaloers op zou zijn en waar elk meisje van zou zwijmelen. 'Als ik nog eens iets aardigs wil doen, geef me dan alsjeblieft een klap in m'n gezicht.' Hij kijkt me aan en ik zie zijn mondhoeken opkrullen. 'Grapje.'

'Dacht ik al.' Ik trek het cowgirljurkje van spijkerstof en kant over mijn hoofd, blij dat ik me in ieder geval nog een beetje achter de tafel kan verbergen. Als het eenmaal goed zit, wurm ik mijn armen uit mijn T-shirt en gooi het aan de kant, om vervolgens mijn broek uit te trekken. Ai. Dit jurkje is kort. Heel erg kort. Ik kijk naar mijn blote benen en probeer het ding omlaag te trekken, maar het kant heeft zoveel laagjes dat het uitwaaiert als de blaadjes van een roos.

'Zeg me alsjeblieft dat ik die belachelijke riem niet om hoef,' zegt Carlos vanaf de andere kant van de kamer, terwijl hij de grote zilveren gesp vastmaakt.

'Beeld je maar in dat je een rodeokampioen bent,' antwoord ik.

'Ik lijk eerder een worstelkampioen met dat grote ding. Wat heb jij aan? Ik mag hopen dat je er minstens zo belachelijk uitziet als ik.'

Ik kijk omlaag naar het korte, springerige jurkje en het nepspijkervestje dat op de voorkant is genaaid. 'Mijn outfit is nog erger.'

'Kom eens achter de tafel vandaan om het te laten zien.'

'Nee.'

'Kom op. We zijn nu toch een stel?'

'We zijn een nepstel, Carlos.'

Hij gaat op de rand van de vergadertafel zitten. 'Nou, ik heb eens zitten denken... zolang we allebei maar weten dat het toch verder niets wordt, zouden we wel, nou ja, samen kunnen chillen.'

'Wat bedoel je met "chillen"?' vraag ik.

'Nou gewoon, meer tijd met elkaar doorbrengen. Je maakt me aan het lachen, Kiara, en ik kan op dit moment wel wat plezier in mijn leven gebruiken.' Hij loopt om de vergadertafel heen om mijn outfit te bekijken en fluit dan waarderend. 'Mooie benen. Die zou je vaker moeten laten zien.'

Ik haal mijn schouders op. 'Ik zal erover nadenken.'

'Waarover, je benen laten zien of chillen met mij?'

'Allebei.' Hoe aanlokkelijk het ook klinkt om meer tijd met Carlos door te brengen, ik moet wel oppassen dat hij mijn hart niet breekt. Voor Carlos betekent chillen dat hij zijn emoties achter een muur verbergt zodat we niet te close worden. Maar ik weet niet of mijn muur sterk genoeg is.

In de recreatiezaal stel ik Carlos voor aan Sylvia, Mildred, meneer Whittaker en de rest. Sylvia trekt aan mijn mouw. 'Wat een knapperd.'

'Zeker weten. Alleen weet hij dat zelf ook, vrees ik.'

Mildred wenkt Carlos. 'Laat me je eens bekijken.' Ze neemt hem van top tot teen op. 'Je viel me al op toen je binnenkwam. Waarom al die tatoeages? Je lijkt wel een relschopper.'

'Waarschijnlijk ben ik ook een relschopper,' zegt hij. 'Wat dat ook mag betekenen.'

'Het betekent dat je voor problemen zorgt,' zegt Mildred terwijl ze naar hem wijst met haar kwast. 'Niets dan problemen. Mijn man was een relschopper. Hij werd achtervolgd door problemen. Hij reed rond op zijn motor alsof hij James Dean was.'

'Wat is er met hem gebeurd?' vraagt Carlos haar.

'De oude sul is tien jaar geleden omgekomen bij een auto-ongeluk.' Ze knijpt in Carlos' wang. 'Je lijkt wel wat op hem. Kom eens dichterbij.' Dat doet hij. Ze sluit haar ogen en strekt haar handen weer uit om zijn gezicht aan te raken. Ze volgt de contouren van zijn gezicht met haar vingers. Carlos blijft stilstaan en laat haar fantaseren over betere tijden, zodat ze zich kan inbeelden dat ze het gezicht van haar man aanraakt in plaats van dat van Carlos. Mildred zucht en doet haar ogen weer open. 'Dank je,' fluistert ze met tranen in haar ogen.

Carlos knikt zwijgend, wetend hoeveel dit voor haar betekende. Ik kijk hem bewonderend aan. Aan de buitenkant is Carlos een stoere rotzak die niemand dichtbij laat komen. Maar telkens als ik een glimp opvang van zijn innerlijke warmte en medeleven, voel ik de muur in mezelf een stukje afbrokkelen.

'Oké, laten we met de les beginnen,' zegt Antoine.

Antoine heeft voor in de zaal een klein podium opgebouwd. 'Jullie twee,' zegt hij, wijzend naar ons. 'Kom maar hierheen om te poseren.'

Carlos stapt als eerste op het podium en pakt dan mijn hand om me naar boven te helpen. 'Wat nu?' vraagt Carlos.

'Het is de bedoeling dat we poseren,' fluister ik.

'Hoe?'

Antoine slaat met zijn hand op het podium om onze aandacht te trekken. 'Ik zal jullie wel vertellen hoe. Kiara, pak zijn schouders beet. Carlos, sla je armen om haar middel.'

We doen wat hij zegt. 'Zo?' vraag ik, terwijl ik de aanraking van zijn handen op mijn lijf probeer te negeren.

'Jullie lijken wel bang om dicht bij elkaar te staan,' zegt Antoine. 'Jullie zijn te star. Kiara, leun eens met je bovenlichaam naar Carlos toe. Zo, ja. Til nu je ene knie op... Carlos, zorg dat je haar goed ondersteunt, anders valt ze... Kiara, kijk naar hem op alsof je verliefd bent en smacht naar die ene kus... en Carlos, kijk haar aan alsof Kiara de cowgirl is op wie je je hele leven hebt gewacht. Perfect!' zegt hij. 'Nu het komende halfuur zo blijven staan.' Hij draait zich naar de bewoners van The Highlands en vertelt hun over silhouetten en het menselijk lichaam... maar ik kan alleen maar verdwalen in Carlos' ogen.

'Je deed het heel goed met de bewoners,' zeg ik. 'Ik ben blij dat je er bent.'

'En ik ben blij dat jij dat jurkje aanhebt.'

Een halfuur lang, terwijl we proberen niet te bewegen, staar ik in Carlos' prachtige donkere ogen en hij in die van mij. Ook al begint mijn lichaam te verkrampen, toch voel ik me veilig en gelukkig. Ik kan niets anders zeggen dan: 'Ik heb een besluit genomen.'

'Waarover?'

'Over ons. Ik wil graag met je chillen.'

Hij trekt zijn wenkbrauw op. 'Echt?'

'Ja.'

'Hand erop?'

'Ik heb mijn handen al ergens anders voor nodig,' antwoord ik.

Hij glimlacht, die verwaande glimlach die zo bij hem hoort dat hij anders zichzelf niet zou zijn. 'Je handen zijn dan misschien al druk bezet, maar je lippen nog niet.'

33

Carlos

Meestal word ik 's ochtends wakker van Brandons stem als hij een van die liedjes zingt die ik maar niet uit mijn hoofd krijg: 'Begin de dag met een dansje, begin de dag met een lach. Want wie vrolijk kijkt in de morgen, die lacht de hele dag, ja die lacht de hele dag.' Om gek van te worden.

Nee, vandaag is het niet Kiara's kleine broertje dat me wekt. Het is Tucks stem die door de gang schalt. '*La cucaracha, la cucaracha, ya no puede caminar, porque no tiene, porque le falta,* en de rest weet ik niet la la la!'

En terwijl Brandon me niet expres probeert te irriteren, lijkt Tucks enige doel in het leven te zijn om mij op de kast te krijgen.

'Hou jij nou nooit eens je kop?' roep ik, in de hoop dat hij me kan horen op de overloop.

'Hé, amigo,' zegt Tuck en hij doet mijn deur open. 'Tijd om op te staan!'

Ik til mijn hoofd op. 'Had ik de deur niet op slot gedaan om mensen als jij buiten te houden?'

Hij houdt een verbogen paperclip omhoog. 'Yep. Gelukkig ben ik erg handig met de magische deuropener.'

'Oprotten.'

'Ik heb je hulp nodig, amigo.'

'Nee. Oprotten.'

'Heb je zo'n hekel aan me omdat Kiara mij leuker vindt dan jou?'

'Dat zal niet lang meer duren. En nou opgedonderd, verdomme,' zeg ik tegen hem, maar hij verroert zich niet.

'Oké, even serieus, ik weet niet of het waar is, maar ik heb gehoord dat mannen die vloeken dat doen om te compenseren voor een kleine je-weet-wel.'

Ik gooi de dekens van me af en spring uit bed om hem achterna te rennen de overloop op, maar hij is al verdwenen.

Verdacht genoeg staat Kiara's deur open. 'Waar is hij?' vraag ik haar. 'Eh...' zegt ze.

Ik kijk haar kamer rond en trek dan haar kastdeur open. Ja hoor, daar staat Tuck. 'Het was maar een grapje. Kun je niet tegen een geintje, man?' zegt hij.

'Niet om zeven uur 's ochtends.'

Hij lacht. 'Trek wat kleren aan zodat je die arme Kiara niet laat schrikken met je ODOL.'

Ik kijk naar mijn boxershort. Ja hoor, *la tengo dura* voor de neus van Kiara en Tuck. Shit. Ik pak het eerste het beste wat ik kan grijpen en hou het voor me om me achter te verschuilen. Toevallig is het een van Kiara's knuffelbeesten, maar op dit moment heb ik niet veel keus.

'Dat is Kiara's Poes,' zegt Tuck lachend. 'Snap je hem? Poes!'

Zonder iets te zeggen snel ik terug naar mijn kamer en gooi Poes op de grond. Kiara kennende zal ik vast een nieuwe knuffel voor haar moeten kopen.

Ik ga op mijn bed zitten en vraag me af hoe ik ooit closer kan worden met Kiara als Tuck altijd in de buurt is, en waarom ik dat überhaupt wil. Ik vind het fijn om met haar te zoenen, meer niet. Dan wordt er op mijn deur geklopt.

'Wat moet je?' zeg ik grommend.

'Ik ben het, Kiara.'

'... en Tuck,' klinkt een tweede stem.

Ik doe de deur open. 'Hij wil zijn excuses aanbieden,' zegt Kiara.

'Het spijt me zeer dat ik zonder toestemming je deur heb opengemaakt,' zegt Tuck, als een klein kind dat van zijn moeder zijn excuses moet komen aanbieden. 'Ik beloof je dat ik het nooit meer zal doen. Vergeef me alsjeblieft.'

'Best.' Ik wil de deur weer dichtdoen, maar Kiara houdt me tegen.

'Wacht. Tuck heeft echt je hulp nodig, Carlos.'

'Waarmee?'

'Mijn Ultimate Frisbee-team heeft maar zes spelers en we hebben er zeven nodig. Drie mensen hebben griep en twee zijn geblesseerd geraakt in de kwartfinales en kunnen niet meespelen. Kiara denkt dat je het wel aardig zou kunnen.'

Wel aardig. 'Waarom speel jij niet mee?' vraag ik Kiara. 'Jij bent toch zo sportief?'

'Het is geen gemengd team,' antwoordt ze.

Tuck vouwt zijn handen in elkaar alsof hij in gebed is en ik voel zijn gelul al aankomen. 'Alsjeblief, amigo. We hebben je nodig, Kimosabe, o almachtige. We hebben je harder nodig dan de aarde die opkomt in het westen.'

'De zon komt op in het oosten, sukkel.'

'Alleen vanaf de aarde gezien. Als je op de maan staat, komt de aarde op in het westen.' Hij ademt diep in. 'Goed, genoeg geslijmd. Doe je mee of niet? De wedstrijd begint over nog geen halfuur en ik moet weten of we moeten opgeven of niet. Jammer genoeg ben jij waarschijnlijk onze enige hoop.'

Ik kijk naar Kiara. 'Tuck heeft echt je hulp nodig. Ik zal komen kijken.'

'Goed, ik doe het. Voor jou,' zeg ik tegen haar.

'Wacht, wat... wat bedoelt hij met "ik doe het voor jou"?' Tuck kijkt van mij naar Kiara, maar we zeggen allebei niets. 'Gaat iemand me nog vertellen wat hier aan de hand is?'

'Nope. Geef me vijf minuten,' zeg ik tegen ze.

Op weg naar de wedstrijd staat Kiara erop dat ik mijn broer bel om te vragen of hij ook komt kijken. 'Doe nou maar gewoon,' zegt ze. 'Anders doe ik het.'

'Misschien wil ik hem er wel helemaal niet bij hebben.'

Ze geeft me haar mobiel aan. 'Misschien wil je hem er juist graag bij hebben, maar ben je te koppig om dat toe te geven. Ik daag je uit.'

Waarom moest ze dat nou weer zeggen?

Ik gris de telefoon uit haar hand en bel mijn broer. Ik vertel hem over de wedstrijd en hij zegt meteen dat hij zal komen kijken.

Als ik heb opgehangen en de telefoon naar Kiara heb teruggegooid, neemt Tuck de regels met me door. Ik richt me op de belangrijkste: als ik de frisbee heb gevangen, moet ik blijven staan en hem binnen tien seconden naar een teamgenoot gooien.

'Dit is geen contactsport, Carlos,' benadrukt Tuck voor de tiende keer.

'Dus als je de behoefte voelt om iemand te slaan, te duwen of in elkaar te beuken, doe dat dan na de wedstrijd.'

Op het veld stelt Tuck me aan ons team voor, maar ondertussen blijf ik maar denken: als ik Tucks team naar de overwinning help, zal Kiara me dan een held vinden?

In de paar minuten voor de wedstrijd oefen ik nog even met de jongens. Ook al heb ik al een paar jaar niet meer gefrisbeed, het gaat me makkelijk af om de schijf door de lucht naar mijn teamgenoot te laten zeilen.

Een van de jongens rent langs me heen, knipoogt naar me en geeft me dan een tik op mijn kont.

Wat was dat nou weer, een of ander Ultimate Frisbee-ritueel? Ik doe niet aan rituelen waarbij andere jongens mijn kont aanraken.

Ik loop naar Tuck, die rekoefeningen staat te doen langs de zijlijn. 'Ben ik nou gek, of probeerde die jongen me te versieren?'

'Hij heet Larry. Vraag me niet waarom, maar hij vindt je sexy. Hij loopt al naar je te staren vanaf het moment dat je binnenkwam. Laat hem zich maar niets in zijn hoofd halen.'

'Wees maar niet bang'

'Hier.' Tuck rommelt in zijn sporttas en gooit een shirt naar me toe. 'Dit is ons tenue.'

Ik hou het voor me. 'Het is roze.'

'Heb je iets tegen roze?'

'Ja. Dat is voor homo's.'

Tuck maakt een smakkend geluid met zijn lippen. 'Eh, ja. Carlos, dit lijkt me een goed moment om je iets te vertellen. Ik vrees dat je het niet leuk zal vinden.'

Terwijl Tuck aan het woord is bekijk ik mijn teamgenoten nog eens goed. Dennis ziet er nogal verwijfd uit. De jongen die me een klap op mijn kont gaf, staat nu op zijn lip te bijten, alsof hij me wil verslinden. En die roze shirts... 'Dit is een homoteam, of niet?'

'Hoe wist je dat? Door de roze shirts, of omdat ons halve team je kwijlend staat aan te staren?'

Ik duw het shirt terug in zijn handen. 'Hier doe ik niet aan mee.'

'Rustig nou maar, Carlos. Je bent heus niet meteen een homo als je meespeelt met een homoteam. Doe niet zo homofoob. Dat is zo politiek incorrect.'

'Alsof het me ook maar ene reet kan schelen of ik wel politiek correct ben.'

'Denk aan alle fans die je zult teleurstellen. Kiara... en je broer.'

Ik weet niet of mijn broer nou staat te lachen of ineenkrimpt van schaamte, maar in elk geval steekt hij vanaf de tribune zijn duim naar me op. Brittany is ook opgedoken. Kiara en Brittany zitten naar elkaar toe gebogen en zijn diep in gesprek.

Ik weet dat ik het beter niet kan vragen, maar ik moet het weten. 'Hoe heet ons team?'

'Ultimate Gays,' zegt Tuck, en begint dan te lachen.

Maar ik vind het niet grappig.

'Wat, vind je onze naam niet mooi? Je hoort er nu bij, Carlos.'

Ik lach nog steeds niet.

Hij vangt een oefenworp van een van de andere jongens en gooit de frisbee weer terug. 'O, en nog iets: voor we het veld op gaan, komen we allemaal bij elkaar staan en roepen heel hard "*Go Gays!*"'

Dat is de druppel. 'Ik kap ermee.'

Ik loop het veld af. Als iemand van thuis me zo zou zien, dan werd ik van Atencingo naar Acapulco geschopt en weer terug.

'Ik maak maar een grapje, man,' roept Tuck me na.

Ik blijf staan.

'En we heten niet de Ultimate Gays.' Hij steekt zijn handen op. 'Oké, oké, en we roepen ook niet "Go Gays" voor we het veld op gaan, al heeft Joe daar met die stekels dat wel voorgesteld aan het begin van het seizoen. Ons team heet The Ultimates. We konden geen stoere naam bedenken, dus kwam Larry met The Ultimates en sindsdien heten we zo. Nou tevreden?'

Ik schud mijn hoofd en pak het shirt terug. 'Je staat echt diep bij me in het krijt,' zeg ik terwijl ik mijn T-shirt uittrek en verruil voor het roze geval.

'Dat weet ik. Zeg maar wat je ervoor terug wilt hebben, amigo.'

'Zal ik doen. Later.' Ik staar naar Kiara op de tribune. 'Heeft Kiara ooit een vriendje gehad?'

Hij tikt met zijn wijsvinger tegen zijn kin. 'Heeft ze je over Michael verteld?'

'Wie is Michael?' vraag ik.

'De jongen met wie Kiara iets had afgelopen zomer.'

Ze heeft het nooit over hem gehad. 'Hoe serieus was het?'

Tuck grijnst breed. 'Tjongejonge, wat zijn we nieuwsgierig.'

'Geef gewoon antwoord.'

'Hij zei haar dat hij van haar hield, maar dumpte haar later via een sms'je.'

'Wat een lul.'

'Precies.' Tuck wijst naar de andere kant van het veld waar onze tegenstanders staan te oefenen. 'Het is die lange jongen daar die net zijn waterflesje pakt, met de achternaam Barra op zijn shirt.'

'Die jongen met de groene bandana?'

'Yep, dat is 'm,' zegt Tuck. 'Michael Barra, de sms-dumper.'

'Is hij kaal?'

'Nee, Barra beschermt zijn mooie haar zodat het niet in de war raakt onder het spelen.' Tuck legt zijn hand op mijn borst om mijn aandacht te trekken. 'Maar denk aan wat ik heb gezegd toen ik je de regels uitlegde onderweg in de auto. Dit is geen contactsport, Carlos. We krijgen strafpunten voor onnodig ruw gedrag.'

'Hm hm.' Ik zie dat Kiara's ex aan de andere kant van het veld een slok neemt uit zijn waterflesje en het vervolgens achteloos over de zijlijn gooit. Het kan hem geen reet schelen dat hij bijna een hond van een toeschouwer raakt. Ik haat die gast nu al en ik ken hem niet eens.

Als de wedstrijd begint, zwaait Dennis zijn arm naar achteren en gooit de frisbee over het veld naar onze tegenstanders. De wedstrijd verloopt prima, tot een van de jongens van het andere team een opmerking over flikkers maakt wanneer ik zijn worp onderschep. Mijn bloed begint te koken, net als wanneer iemand me een vieze bonenvreter noemt.

Ik ben stoer, strijdlustig en ik lust die Ultimate Frisbee-spelers rauw.

Ik vraag me af of dit het juiste moment is om Tuck te laten weten dat hij wel wat zeer noodzakelijk ruw gedrag kan verwachten van deze extreem opgefokte *Mexicano*.

34

Kiara

Het is vreemd om Michael weer te zien. Ik wist dat hij er zou zijn, maar ik wist niet hoe ik het zou vinden om hem weer te zien nadat we uit elkaar zijn gegaan. Ik had gedacht dat ik op z'n minst nog íéts zou voelen en dat ik weer zou weten waarom ik iets met hem was begonnen, maar als ik nu naar hem kijk, voel ik helemaal niets. Het is wel duidelijk dat ik dat hoofdstuk heb afgesloten en verder ben gegaan met mijn leven. Het punt is alleen dat de persoon op wie ik nu hopeloos verliefd aan het worden ben alleen maar een kort avontuurtje wil. Ik wil geen avontuurtje met Carlos. Ik zal wel blijven doen alsof wat er tussen ons speelt maar tijdelijk en vrijblijvend is, maar telkens als we samen zijn, voelt het daar veel te goed voor.

Ik betrap mezelf erop dat ik over hem loop te dagdromen wanneer ik 's ochtends wakker word, en op school wanneer iets me aan hem doet denken, en 's avonds voor ik in slaap val. Zelfs toen Michael en ik iets hadden, werd ik lang niet zo blij van de gedachte aan hem als ik nu word van de gedachte aan Carlos.

Ook al doet hij nog zo hard zijn best om zich als een eikel te gedragen, elke dag krijg ik meer te zien van de echte Carlos. Wanneer hij met mijn broertje speelt, zie ik een zachtaardige kant van hem die hij verborgen houdt voor de rest van de wereld. Wanneer hij me plaagt, komt zijn speelse kant tevoorschijn. Wanneer hij me kust, voel ik zijn wanhopige behoefte aan genegenheid. Wanneer hij Mexicaanse gerechten kookt of Spaanse woorden door zijn Engels husselt, straalt zijn loyaliteit aan zijn afkomst en cultuur van hem af als een fel licht.

Ik weet wat er zo geweldig is aan Carlos en waarom ik me nog nooit zo met iemand verbonden heb gevoeld als met hem. Maar zijn duistere kant heeft hij me nog niet laten zien, de kant die hem boos en jaloers en neerslachtig maakt. Terwijl dat juist de kant is die ervoor zorgt dat hij niet emotioneel betrokken wil raken.

Ik kijk toe hoe de beide teams hun plaatsen innemen op hun eigen helft. Tucks team werpt de frisbee uit en de wedstrijd begint. Michael rent er als eerste op af en vangt hem, om dan snel op een andere speler uit zijn team te richten. Maar Carlos staat al klaar om de schijf te onderscheppen zodra die uit Michaels handen komt.

Binnen twee minuten hebben The Ultimates al gescoord. Tuck geeft Carlos een high five. Ik moet toegeven dat het fijn is om hen samen te zien juichen in plaats van ruziën.

'Carlos is echt goed,' zegt Brittany tegen Alex en mij.

'Hij is een Fuentes, natuurlijk is hij goed,' zegt Alex trots.

Ik wist ook dat Carlos goed zou zijn, want hij zou nooit mee hebben gedaan als hij dacht dat hij er niks van kon.

De volgende keer dat Carlos de frisbee heeft, gaat Michael pal voor hem staan en zegt iets tegen hem. Ik heb geen idee wat ze zeggen, maar het ziet eruit alsof ze op het punt staan elkaar te lijf te gaan. En inderdaad, nadat Carlos de frisbee naar een andere jongen van zijn team heeft geworpen, geeft hij Michael een duw, en Michael valt hard op zijn achterste.

'Fout!' roept iemand van Michaels team.

'Dikke reet dat dat een fout was,' pleit Carlos. 'Hij stond te dicht op me.'

'Ik hoorde dat hij onze speler liep te treiteren,' roept Tuck, wijzend naar Michael. 'Die gast zou een fout moeten krijgen voor treiteren.'

Michael staat op en wijst naar Carlos. 'Jij staat al vanaf het begin van de wedstrijd te dicht op mij!'

'We spelen een-op-een,' zegt Tuck. 'Hij was je aan het verdedigen.'

'Hij duwde me. Dat heb je zelf gezien. Iedereen heeft het gezien. Hij moet van het veld gestuurd worden!'

Als Carlos eruit moet, is de wedstrijd voorbij, want dan moeten The Ultimates opgeven. Carlos kijkt naar mij en mijn hart maakt een sprongetje. Hij speelt niet mee omdat Tuck dat vroeg, hij doet het voor mij... en ik heb het vermoeden dat die agressieve actie tegen Michael ook voor mij was.

Gelukkig is de ruzie gesust voor het uit de hand loopt en kunnen ze verder met de wedstrijd. Het volgende uur kijk ik toe hoe de twee teams het uitvechten. Uiteindelijk winnen The Ultimates met 13-9.

Als ik van de tribune naar beneden loop, komt Michael naar me toe. Hij ziet er nog hetzelfde uit, alleen meer bezweet dan normaal. Nu hij zijn bandana af heeft, valt zijn lichtbruine haar perfect in een zijscheiding. Vroeger vond ik het indrukwekkend dat er bij hem nooit een enkel haartje verkeerd zat, maar nu vind ik het gewoon irritant.

Met een handdoek veegt Michael het zweet van zijn gezicht. 'Ik wist niet of je wel naar de wedstrijd zou komen.'

'Tuck moest spelen,' zeg ik, alsof dat genoeg zegt. 'En Carlos.'

Hij fronst zijn wenkbrauwen. 'Wie is Carlos? Toch niet die homo met wie ik bijna ruzie kreeg?'

'Yep. Alleen is hij geen homo.'

'Je gaat me toch niet zeggen dat je iets met die jongen hebt?'

'Zo zou ik het niet noemen. We zijn...'

Ineens staat Carlos voor onze neus, met ontbloot bovenlijf. Hij glipt tussen mij en Michael door en laat met zijn bezwete lijf natte vegen op Michaels onderarm achter. Vol walging kijkt Michael naar zijn arm, en dan veegt hij Carlos' zweet snel af met zijn handdoek. Alsof dat nog niet genoeg heisa was, komt Carlos naast me staan en slaat zijn arm om mijn schouder.

'We... chillen af en toe,' zeg ik tegen Michael.

Michael negeert het feit dat Carlos naast me staat en vraagt me: 'Wat betekent dat?'

'Dat betekent dat ze elke avond een sexy latino in haar armen heeft, man,' onderbreekt Carlos hem, waarna hij me dichter naar zich toe trekt en zijn hoofd buigt om me te kussen.

In plaats van Carlos terug te kussen, duw ik zijn arm van me af en stap naar achteren. Zo klonk het net of ik gewoon een van zijn scharrels ben, alsof we vrienden met een extraatje zijn... misschien zelfs zonder echt 'vrienden' te zijn.

'Hou daarmee op,' zeg ik tegen hem.

'Waarmee?'

'Die stoerdoenerij. Doe maar normaal,' zeg ik, in een poging niet voor schut te staan bij Michael en tegelijkertijd voor Carlos te verbergen dat ik me gekwetst voel.

'Normaal? Ben ik niet normaal genoeg voor je?' zegt Carlos. 'Heb je liever deze jongen? Er zit geen enkele beweging in zijn haar, heb je dat gezien? Dat is niet normaal. Als je weer verkering met hem wil, ga je gang. Fuck man, voor mijn part trouw je met hem en ga je vanaf nu door het leven als Kiara Barra.'

'Dat is niet wat ik...'

'Wat kan mij het schelen. *Hasta*,' zegt Carlos, mij compleet negerend, en dan loopt hij weg.

Ik voel mijn gezicht rood worden van schaamte terwijl ik me weer omdraai naar Michael. 'Sorry. Carlos kan soms wat agressief zijn.'

'Je hoeft geen sorry te zeggen. Het is wel duidelijk dat die gast niet spoort, en trouwens, er zit wel beweging in mijn haar... wanneer ik dat wil. Luister,' zegt hij, van onderwerp veranderend. 'Mijn team gaat lunchen bij Old Chicago in het Pearl Street-winkelcentrum. Kom met me mee, Kiara. We moeten praten.'

'Ik kan niet.' Ik kijk achterom naar Tuck, Brittany en Alex. 'Ik ben hier met andere mensen naartoe gekomen...'

Michael zwaait naar een van zijn teamgenoten. 'Ik moet ervandoor. Als je van gedachten verandert weet je me te vinden.'

Ik tref Brittany en Alex bij mijn auto, in gesprek met Tuck. Carlos is nergens te bespeuren.

'Alles oké?' vraagt Brittany me.

Ik knik. 'Yep.'

'Neem me niet kwalijk dat ik me ermee bemoei,' zegt Brittany, 'maar ik zag dat Carlos zijn arm om je heen sloeg. Hij leek nogal boos toen hij wegliep en we hebben hem sindsdien niet meer gezien. Hebben jij en Carlos...'

'Nee. Dat hebben we niet.'

'Ze doen alsof ze iets hebben, alleen doet Kiara niet alsof,' vertelt Tuck hun.

'Ik ga hem zoeken,' zegt Alex, terwijl hij gefrustreerd zijn hoofd schudt. 'Ik zal hem eens flink de waarheid vertellen.'

'Nee, niet doen,' zeg ik in paniek. 'Alsjeblieft niet doen.'

'Waarom niet? Hij kan toch niet zomaar doen alsof hij iets met een meisje heeft en haar behandelen als...'

'Alex,' onderbreekt Brittany hem, 'laat Kiara en Carlos dit zelf uitzoeken.'

'Maar hij gedraagt zich als een...' Brittany knijpt in zijn hand en hij stopt in het midden van zijn zin.

'Ze komen er wel uit,' verzekert Brittany hem glimlachend. 'Laat ze nog maar even.'

'Waarom ben je toch zo verstandig?' vraagt hij haar.

'Omdat mijn vriend koppig is en altijd de confrontatie wil aangaan,' antwoordt ze, waarna ze zich naar mij en Tuck draait. 'Dat is een familietrekje van de Fuentes. Het komt wel weer goed, Kiara,' verzekert ze me.

Al zit ik misschien wel met een gebroken hart voor het zover is.

35

'Carlos, kun je me even helpen met de auto van mijn vrouw?' vraagt Westford later die middag.

Ik zit op het terras een kopje speciale thee van mevrouw W. te drinken. 'Ja hoor,' zeg ik. 'Wat is het probleem?'

'Kun je me helpen de olie te verversen? Ik wil ook even kijken of de uitlaatpijp wel goed vastzit. Colleen zei dat hij rammelde.'

Ik help de professor de auto omhoog te krikken en hem te ondersteunen met wat bakstenen die hij in de garage heeft liggen. We kruipen samen onder de auto en laten de olie in een kleine emmer lopen.

'Vond je het leuk om mee te doen met de wedstrijd vandaag?' vraagt de prof.

'Ja, alleen wist ik niet dat ik voor een homoteam zou spelen.'

'Maakte dat wat uit?'

Eerst wel, maar uiteindelijk waren we gewoon een stel jongens in een team. 'Nee. Wist je dat Tuck homo was?'

'Dat vertelde hij ons meteen toen hij een paar jaar geleden bij ons kwam wonen. Zijn ouders waren in een nare scheiding verwikkeld en hij had een plek nodig om te logeren.' Westford legt zijn zaklamp neer en kijkt naar mij. 'Een beetje zoals jij.'

'Nu we het daar toch over hebben, misschien krijg je wel spijt van je besluit als ik je vertel dat Kiara en ik behoorlijk veel tijd met elkaar doorbrengen.'

'Dat is mooi. Dat is toch geen reden om spijt te hebben van het feit dat ik je in huis heb gehaald?'

Ik wou dat we niet onder een auto lagen nu ik hem dit vertel. 'Wat als ik je vertelde dat ik haar gekust heb?'

'O,' zegt hij. 'Ik snap het.'

Ik vraag me af of hij nu zin heeft om me onder de auto vast te binden en het gevaarte boven op me te laten vallen zodat ik word geplet. Of om me de vieze motorolie te laten opdrinken tot ik beloof met mijn Mexicaanse poten van zijn dochter af te blijven.

'Je zou het waarschijnlijk toch vroeg of laat wel van iemand anders hebben gehoord,' zeg ik tegen hem.

'Ik waardeer je eerlijkheid, Carlos. Dat toont aan dat je rechtschapen bent. Ik ben trots op je. Het was vast niet makkelijk om dit aan mij te vertellen.'

'Schop je me nou je huis uit, of niet?' Ik wil weten of ik vannacht op straat moet slapen.

Westford schudt zijn hoofd. 'Nee, ik schop je er niet uit. Jullie zijn allebei oud genoeg om je verantwoordelijk te gedragen. Ik ben ook ooit een tiener geweest, en het zou naïef zijn om te denken dat de tieners van tegenwoordig anders zijn dan hoe ik was. Maar waag het niet haar ook maar een haar te krenken of haar te dwingen tot iets wat ze niet wil, want dan zal ik je eerst vierendelen en daarna alsnog het huis uit schoppen. Begrepen?'

'Begrepen.'

'Mooi. Pak nu de zaklamp maar en kijk even na of ik de radiateur moet doorspoelen.'

Ik pak de zaklamp van hem aan, maar voor ik onder de auto vandaan kruip, zeg ik: 'Bedankt.'

'Waarvoor?'

'Dat je me niet als een gangster behandelt.'

Hij glimlacht. 'Graag gedaan.'

Nadat ik Westford met de auto heb geholpen, bel ik mijn moeder en Luis. Ik vertel hun over de Ultimate-wedstrijd en over Kiara en de Westfords en al die andere shit. Het voelt fijn om met mi familia te praten. Als ik hun vertel dat ik nog steeds naar school ga, voelt het alsof ik word toegejuicht. Dat gevoel heb ik lang niet meer gehad. Ik vertel ze uiteraard niets over Devlin, want mi'amá zou helemaal in de stress schieten als ze daarvan wist en dat zou ik haar nooit aandoen.

Als ik klaar ben met bellen loop ik naar de keuken, maar er is geen Westford te bekennen. 'We zitten in de tv-kamer,' roept mevrouw W. naar me. 'Kom erbij zitten.'

De hele familie Westford zit voor de televisie in de kleine kamer aan de zijkant van het huis. De professor en zijn vrouw zitten ieder in een leunstoel en Kiara en Brandon delen de bank. Er staat een schaal met lasagne op de salontafel voor hen.

'Pak een bord en wat lasagne en ga zitten,' zegt Westford.

'Het is Familieavond!' roept Brandon, terwijl hij op en neer wipt op de bank.

'Familieavond?' vraag ik. 'Wat is dat?'

Mevrouw W. pakt een bord en geeft het aan mij. 'Dan kiezen we een activiteit uit om samen als gezin te doen. Dat doen we één keer per maand.'

'Jullie nemen me zeker in de maling?' Ik kijk ze een voor een aan en realiseer me dat ze het menen. Ze houden echt een Familieavond en ze willen de zaterdagavond echt met elkaar doorbrengen.

Als ik naar Kiara kijk, bedenk ik dat het misschien nog niet zo erg is om op zaterdagavond op de bank voor de tv te hangen. Ik schep mijn bord vol lasagne en loop naar de bank.

'Schuif eens op, cachorro.'

Brandon roetsjt tussen mij en Kiara in.

Als we klaar zijn met eten, help ik de vuile borden naar de keuken brengen terwijl Kiara popcorn maakt.

'Je hoeft niet mee te doen met al die familiedingen als je geen zin hebt,' zegt Kiara.

Ik haal mijn schouders op. 'Ik had toch geen zin om uit te gaan.' Ik gooi een stukje popcorn in de lucht en vang het op met mijn mond.

Als ik terugloop naar de tv-kamer, kan ik alleen nog maar aan Kiara denken. Zelfs als de tekenfilm begint die Brandon heeft uitgekozen, blijf ik af en toe stiekem haar kant op kijken.

'Bran, bedtijd,' zegt mevrouw W. als de film is afgelopen.

'Ik wil opblijven,' zeurt hij. Hij pakt Kiara's arm beet.

'Mooi niet. Je gaat veel te laat naar bed de laatste tijd. Geef je zus en Carlos maar snel een knuffel en dan mee naar boven.'

Brandon gaat op de bank staan en laat zich in Kiara's armen vallen. Ze knuffelt hem stevig en geeft hem een kusje op zijn wang. 'Ik hou nog meer van jou dan jij van mij,' zegt hij tegen haar.

'Dat is onmogelijk,' antwoordt ze.

Hij wurmt zich los uit haar armen en hupst over de bank naar mijn kant. Hij spreidt zijn armen uit en slaat ze om mijn nek. 'Ik vind je lief, amigo.'

'Spreek je *Español*, cachorro?'

'Ja. Dat heb ik van de week op school geleerd. Amigo betekent vriend.'

Ik geef hem een schouderklopje. 'Je bent mijn kleine Mexicano-wannabe, of niet?'

'Wat is een wannabe?'

'Dat legt hij je morgen wel uit. Bedtijd, Bran,' zegt mevrouw W. 'Nu. Geen getreuzel meer.'

'Kiezen jullie de volgende film maar uit,' zegt Westford, en hij gooit ons de afstandsbediening toe. 'Ik ga nog wat popcorn maken. Bran, ik kom je nog even welterusten wensen als je je pyjama aanhebt en je tanden hebt gepoetst.'

Mevrouw W. neemt Brandon mee naar boven en de professor loopt de kamer uit met de lege popcornschalen. Ik ben alleen met Kiara. Eindelijk.

Mijn ene arm ligt op de rugleuning van de bank en de andere rust op mijn knie. Ik ben me maar al te bewust van dit meisje naast me. Ze staat op en loopt naar een kast vol films: de privécollectie van de familie Westford. Ik ben nog nooit bij mensen thuis geweest die een eigen filmcollectie hadden.

'Ik kan niet normaal doen als ik bij jou ben,' zeg ik tegen haar.

Verward draait ze zich om. 'Waar heb je het over?'

'Vanochtend toen Michael erbij was vroeg je of ik normaal wilde doen.' Ik haal diep adem en vertel haar wat ik haar na de wedstrijd al had moeten zeggen. Ik had haar de waarheid moeten vertellen, in plaats van haar te negeren toen ik eindelijk thuiskwam. 'Dat kan ik niet. Toen Tuck me vertelde dat je iets met Michael hebt gehad, werd ik helemaal gek bij het idee van jou met een andere jongen. Ik wil niet dat je iets met een andere jongen begint.'

'Ik wil niets met een andere jongen. Ik wil iets met jou. Kies nou maar snel een film uit, voor ik nog iets ga zeggen wat je niet wil horen.' Ze wenkt me. 'Kies er maar een.'

'Ik vind alles best,' zeg ik tegen haar, en ik verdring haar opmerking dat ze dingen voor me achterhoudt omdat ik ze niet wil horen. Ik heb genoeg gehoord. Zij wil mij. Ik wil haar. Waarom zouden we het ingewikkelder maken door er verder nog iets over te zeggen?

Ze pakt *West Side Story* uit de kast. Ik begin te lachen. 'Vind je dat een leuke film?'

'Ja. Vooral het dansen. En de liedjes.'

Ik vraag me af of ze net zo goed kan dansen als ze auto's kan repareren. En of ze denkt dat een relatie met iemand van een andere afkomst gedoemd is te mislukken omdat er te veel verschillen zijn. 'Kun je dansen?'

'Een beetje. Jij? Ik bedoel, afgezien van de eh... horizontale tango.'

Soms weet Kiara me ineens te verrassen. Ze verbaast me telkens weer wanneer ze haar pittige kant laat zien. 'Ja. In Mexico ging ik elk weekend met mijn vrienden naar een club. We dansten, versierden meiden, dronken veel, werden stoned... leuke dingen. Nu zit ik hier, op een Familieavond met de Westfords. Er is een hoop veranderd.'

'Je moet geen drugs gebruiken.'

'Doe jij nooit dingen die je eigenlijk niet zou moeten doen? Kom op, Kiara, geef het maar toe. Je bent vast niet zo onschuldig als iedereen denkt. Je zondigt net als iedereen. Oké, je rookt en drinkt niet en je gebruikt geen drugs, maar je hebt vast andere slechte gewoontes. Die heeft iedereen.' Ze geeft geen antwoord, dus ik vraag door. 'Vertel me eens iets over jou wat me zou choqueren.'

Ze gaat weer op de bank zitten. 'Choqueren?'

'Ja. Diep choqueren.'

Ze gaat op haar knieën zitten en leunt naar me toe. 'Ik fantaseer wel eens over jou, Carlos,' fluistert ze in mijn oor. ''s Avonds, in bed. Ik fantaseer over zoenen met jou, dat onze tongen met elkaar spelen terwijl je met je handen door mijn haar woelt. Als ik denk aan het aanraken van jouw blote bovenlijf, streel ik mijn...'

'Hier is de popcorn!' zegt Westford, die ineens de kamer in banjert met twee grote schalen die tot de rand toe gevuld zijn met vers gemaakte popcorn. 'Kiara, wat ben je aan het doen?'

Het tafereel ziet er vast nogal pikant uit. Kiara leunt op handen en knieën over me heen en haar gezicht is maar een paar centimeter verwijderd van het mijne.

Ik slik. Het beeld dat zich in mijn gedachten vormde bij wat ze op het punt stond te zeggen werd me bijna te veel. Ik kijk Kiara recht in haar ogen om te zien of ze me loopt te fucken, maar ik kom er niet achter. Haar ogen glinsteren, maar ik weet niet of dat komt door de passie, of door de opwinding omdat ze me probeert te verslaan met mijn eigen spelletje.

Ik hou mijn mond en laat deze aan Kiara over.

Ze leunt naar achteren op haar hielen. 'Eh... ik... eh... niets, eigenlijk.'

Westford kijkt me vragend aan.

'Dat wil je niet weten, geloof me,' zeg ik tegen hem.

'Wat wil hij niet weten?' vraagt mevrouw W., die net de kamer binnenloopt.

De professor geeft me een schaal popcorn aan terwijl mevrouw W. weer in haar stoel gaat zitten. Ik stop snel wat popcorn in mijn mond zodat ik niets hoef te zeggen.

'Ik krijg maar geen duidelijk antwoord uit deze twee tieners,' zegt Westford.

Kiara gaat in de andere hoek van de bank zitten. 'Pap, mam, hoe zouden jullie reageren als jullie hier binnenkwamen en ons zagen zoenen?'

36

Kiara

Het was eigenlijk bedoeld als een hypothetische vraag. Het was niet mijn bedoeling dat Carlos zich zou verslikken in zijn popcorn, maar dat doet hij wel.

'Gaat het?' vraag ik hem terwijl hij een paar keer hoest.

Carlos kijkt me aan alsof ik de meest gestoorde persoon op aarde ben. 'Waarom vraag je hun dat nou weer?'

'Omdat ik het antwoord wil weten.'

Ik kan merken dat mijn ouders telepathisch met elkaar proberen te communiceren om een antwoord te bedenken.

'Nou...' begint mijn moeder. 'Eh...'

'Wat je moeder probeert te zeggen,' neemt mijn vader het over, 'is dat wij ook ooit tieners zijn geweest, dus we begrijpen dat experimenteren een normaal onderdeel is van volwassen worden...'

'En je weet dat je altijd respect moet hebben voor jezelf en je lichaam,' zegt mijn moeder. Volgens mij geeft ze expres geen antwoord op de vraag.

'Ja, moeder.'

Mijn vader pakt de afstandsbediening. 'Oké, dat was dat. Welke film hebben jullie uitgekozen?'

'*West Side Story*,' antwoord ik een beetje verlegen.

We kijken de film, maar af en toe begint Carlos te gniffelen alsof hij sommige stukken compleet belachelijk vindt. Tegen het einde moet ik zo hard huilen dat Carlos me een tissue aangeeft van het bijzettafeltje naast hem.

'Geef mij ook maar een tissue,' zegt mijn moeder snotterend. 'Ik moet altijd huilen bij die film.'

'Ik vind het einde echt vreselijk,' verkondig ik aan iedereen in de kamer terwijl ik de film uit de dvd-speler haal en er een andere in stop.

Mijn vader draait zich om naar Carlos. 'Wat kan ik erover zeggen? Mijn dames hebben liever een happy end.'

Mijn moeder, die haar haar heeft opgestoken als een tiener, kijkt mijn vader aan. 'Wat is er mis met een happy end?'

'Het is niet realistisch,' mengt Carlos zich in het gesprek.

'Daarover gesproken... Ik ga naar bed. Ik ben bekaf,' zegt mijn vader, waarna hij kreunend opstaat uit zijn stoel en zich uitrekt. 'Dit oude lijf kan niet meer tot diep in de nacht opblijven. Tot morgenochtend allemaal.'

'Ik kom er ook zo aan,' roept mijn moeder hem na.

We besluiten nog een film te kijken. Dit keer is het een actiefilm die vast bij Carlos in de smaak valt. Na tien minuten begint mijn moeder te gapen. 'Ik ben jonger dan je vader, Kiara, maar ik kan ook niet meer tot diep in de nacht opblijven. Ik ga naar bed.' Ze staat op om te vertrekken, maar voor ze de hoek van de kamer om is, zet ze de film op pauze en zwaait haar wijsvinger heen en weer. 'Vertrouwen en respect.' Meer zegt ze niet. Dan gooit ze de afstandsbediening naar Carlos en vertrekt.

'Je ma weet de stemming wel te verpesten,' zegt Carlos loom.

Terwijl we verder kijken, kijk ik af en toe stiekem naar Carlos. Ik kan zien dat hij de film leuk vindt, want zijn gezicht ziet er veel minder gespannen uit dan normaal.

Eén keer betrapt hij me als ik zijn kant op kijk. 'Wil je wat water?' vraagt hij.

'Oké.'

Hij verdwijnt naar de keuken en komt een paar minuten later weer terug met twee glazen ijswater.

Het enige licht in de kamer komt van de televisie. Onze vingers raken elkaar als ik het glas van hem aanpak. Ik weet niet of hij het ook voelde, maar mijn lichaam reageert meteen op de zachte aanraking van zijn hand. Het is anders dan vanochtend na de wedstrijd, toen hij het alleen voor de show deed.

Hij aarzelt en kijkt me dan aan. Het is donker, we zijn alleen en het liefst zou ik hem zeggen dat ik wil dat hij me aanraakt, overal, ook al heeft hij net gezegd dat mijn moeder de stemming heeft verpest.

Vertrouwen en respect. Ik vertrouw erop dat Carlos me niet fysiek pijn zal doen, maar misschien wel emotioneel. Meteen trek ik mijn hand weg en ik breng snel het glas naar mijn lippen om van het koude water te drinken, zodat ik niet in de verleiding kom hem te vragen me opnieuw te kussen. Ik wil niet eens denken aan de mogelijke gevolgen daarvan.

Zonder iets te zeggen, laat hij zijn gespierde lichaam weer op de bank zakken. Onze dijen raken elkaar bijna, en ook al staat de film nog steeds aan, ik kan alleen nog maar aan hem denken.

De held zit gevangen in een pakhuis samen met een knappe blonde vrouw. Hij vermoedt dat ze wel eens een van de slechteriken zou kunnen zijn, maar hij kan haar niet weerstaan en ze beginnen te zoenen.

Carlos gaat verzitten, schraapt zijn keel en neemt nog een slok water. En nog een. En nog een.

Ik vraag me af of de scène hem doet denken aan mijn gedetailleerde dagdroom over ons. Ik haal langzaam en diep adem en probeer me te concentreren op de film en niet op het feit dat onze knieën elkaar nu raken.

Even later kijk ik weer zijn kant op. Het lijkt alsof hij slaapt, maar ik weet het niet zeker.

'Carlos?' vraag ik voorzichtig.

Hij doet zijn ogen open, die diepzwarte poelen die glinsteren in het licht van de tv. Ik zie de passie en het verlangen in zijn ogen. 'Ja?'

'Sliep je?'

Hij grinnikt. 'Nee. Verre van. Ik probeerde mezelf er alleen van te weerhouden om iets bij je te proberen.'

De film is op slag vergeten. Ik zet mijn angsten opzij en besluit dat ik wil uitvinden wat er is tussen ons. Ik sta op van de bank om de deur van de tv-kamer op slot te doen, zodat we wat privacy hebben.

'Je hebt de deur op slot gedaan,' zegt hij.

'Ja.'

Ik ben geen prater, en als ik wel iets zou proberen te zeggen, zou ik vast gaan stotteren en de stemming verpesten. Ik kan hem dan misschien niet vertellen wat ik voel, maar ik kan het hem wel laten zien. Ineens realiseer ik me dat ik deze jongen vertrouw, ook al vertrouwt hij zichzelf niet.

Ik kom op mijn knieën naast hem op de bank zitten en til langzaam mijn trillende hand op naar zijn gezicht. Mijn vingers strelen de stoppels op zijn kin in willekeurige patronen en ik hoor zijn adem stokken.

'Kiara...'

Ik leg mijn vinger op zijn prachtige volle lippen om hem te onderbreken. 'Sst.'

'Staan we... op het punt om... in de problemen te raken?'

Ik leun naar voren. Zijn woorden klinken steeds zachter naarmate mijn lippen dichter bij de zijne komen. Ik leg mijn handen op zijn borst en leun tegen zijn gespierde lichaam aan terwijl ik dichterbij kom. En nog dichterbij. Ik voel hoe zijn warme adem zich vermengt met die van mij en ik kan me niet langer inhouden. 'Diep in de problemen.' Ik weet dat ik niet moet hopen op een vaste relatie met hem, maar ik wil hem laten zien hoe intimiteit kan voelen als er echte emoties bij betrokken zijn.

Als mijn lippen zachtjes langs die van hem strijken, ontsnapt er een kreun uit zijn mond. Ik voel zijn hart wild kloppen onder mijn handen. Ik smelt haast als ik hoor hoe onze monden zich openen en elkaar weer opzoeken. Hij geeft mij de controle door zijn handen strak langs zijn lichaam te houden, maar hij begint steeds zwaarder te ademen wanneer ik hem plagerig begin te kussen en mijn mond telkens weer even terugtrek.

'Laat me je proeven,' fluistert hij.

Ik buig mijn hoofd weer naar hem toe om hem een paar keer zacht te kussen en raap dan de moed bij elkaar om mijn mond te openen en de kus nog intenser te maken. Ik voel een golf van energie wanneer onze tongen elkaar voor het eerst vinden, vochtig en glad, en... o, ik wil meer.

Het geluid van de film is alleen nog maar ruis op de achtergrond.

Hij neemt mijn gezicht in zijn handen en dwingt me op te kijken naar zijn donkere, sexy ogen vol passie en verlangen. 'Je speelt een gevaarlijk spel, chica.'

'Dat weet ik. Maar ik vertrouw je.'

37

Carlos

Haar woorden spoken door mijn hoofd. Ik vertrouw je. Ze is het eerste meisje dat dit ooit tegen me heeft gezegd. Zelfs Destiny zei dat ik haar vertrouwen moest winnen toen we elkaar net kenden, omdat ze dacht dat ik een player was. Maar Kiara, een meisje dat weet dat ik nooit haar prins op het witte paard zal worden, schenkt me nu zonder aarzelen haar vertrouwen. Ze komt op me zitten, haar lippen vochtig van onze zoenen. Ze moet wel gek zijn als ze denkt dat ik me netjes zal gedragen.

Ik heb haar gezicht nog steeds in mijn handen. Ik heb te veel respect voor dit meisje om niet eerlijk tegen haar te zijn. 'Ik ben niet te vertrouwen.'

Met een roze blos op haar wangen reikt ze naar achteren om het elastiekje uit haar haar te trekken. 'Maar ik vertrouw je wel.'

Ze schudt haar haar los. Het valt als een gordijn over haar schouders en de puntjes komen tot vlak boven haar borsten. Dit is het meest opwindende wat ik ooit heb gezien, en ze is nog niet eens naakt.

Nog niet eens? Wat haal ik me in mijn hoofd? Ik ga haar niet uitkleden, al zou ik dat wel willen. Shit man, ik zou maar wat graag al die laagjes kleding afpellen om de rondingen van haar lichaam te kunnen bestuderen met mijn ogen en mijn handen. Mijn lichaam zegt: 'Ga ervoor! Jij wil het. Zij wil het. Wat is dan het probleem?'

Het probleem is dat stomme woord... vertrouwen.

Ze vertrouwt me.

Ik knijp mijn ogen dicht. Ze weet heus wel dat ik een player ben, maar hoe kan ik haar dat bewijzen? Ze moet wel gek zijn om me te vertrouwen. Als ik ook maar even de kans krijg, zal ik meteen misbruik van haar maken, maar hoe kan ik haar dat duidelijk maken?

Misschien schrikt het haar af als ze merkt dat ik graag een stapje verder wil gaan. Ik sla mijn armen om haar heen en grijp haar billen vast, waarna ik me tegen haar aan duw op een manier die niets te raden overlaat.

Maar het probleem is dat ze met me mee begint te bewegen. Shit. Dit gaat niet goed. Ze heeft me duidelijk in haar macht. Ik hou altijd graag de controle, maar op dit moment ben ik die helemaal kwijt.

Ik trek haar naar me toe en druk haar lichaam tegen me aan. Mijn handen strelen over haar rug. Ons gehijg klinkt door de kamer. Ik ben blij dat de film nog aan staat zodat onze geluiden nog een beetje worden overstemd.

Ik leun achterover en zie het vertrouwen op haar gezicht.

'Jij moet dit afkappen voor het uit de hand loopt, want ik ga niet stoppen.' Ik negeer het feit dat we het al helemaal uit de hand hebben laten lopen, en het lijkt er niet op dat ze ook maar even van plan is te stoppen.

Ze verstilt en drukt haar wang tegen mijn gezicht. 'Ik ben nog maagd,' fluistert ze in mijn oor, alsof het een geheim is dat ze alleen met mij wil delen.

O, shit.

Ik leun met mijn hoofd tegen de rugleuning van de bank. 'Zo gedraag je je anders niet,' zeg ik haar eerlijk.

'Dat komt door jou, Carlos. Jij doet dit met me.'

De macht verschuift. Dat had ze niet moeten zeggen. Nu weet ik dat ik de controle heb, misschien niet fysiek maar zeker mentaal. Het was niet slim van haar om mij de controle te geven.

Ik begeef me op gevaarlijk terrein met dit meisje, maar dat ben ik wel gewend. Mijn handen kruipen omlaag naar haar middel.

'Trek je shirt maar uit, chica.'

Haar handen pakken de onderkant van haar shirt beet. Ik hou mijn adem in, in afwachting van wat ze daaronder verstopt houdt. Ik kijk naar haar gezicht en zie onzekerheid in haar ogen, en nog iets anders wat ik niet onder ogen wil zien.

In één soepele beweging trekt ze haar wijde T-shirt over haar hoofd en onthult een moorddadig lekker lijf.

'Ik heb niet zo'n mooi lichaam als Madison,' zegt ze verlegen, en ze houdt haar handen voor haar buik om hem te verbergen.

'Wat?'

'Ik ben niet dun.'

Ik vind dunne lijven maar nep, helemaal niets aan. Ik wil een meisje dat ik kan vastpakken zonder bang te hoeven zijn dat ik haar zal breken.

Zachtjes trek ik haar handen weg en hou ze losjes langs haar lichaam. Ik leun achterover en staar sprakeloos naar de bescheiden roze beha die haar borsten bedekt. Ze hoeft zich helemaal nergens voor te schamen. Dit meisje is helemaal hot en ze beseft niet eens dat ze zonder twijfel een veel mooier lijf heeft dan Madison. Kiara's rondingen zijn precies zoals God het heeft bedoeld. Ik verlang ernaar om die rondingen te strelen en elk stukje van haar lijf in mijn geheugen te prenten. Ik voel me de grootste mazzelaar ter wereld. '*Eres hermosa*... je bent beeldschoon.'

Ze heeft haar ogen neergeslagen. 'Kijk me aan, chica.' Als ze dat doet, zeg ik nog eens: '*Eres hermosa.*'

'Wat betekent dat?'

'Je bent beeldschoon.'

Ze leunt naar voren en drukt kleine kusjes op mijn lippen. 'Jouw beurt,' fluistert ze, waarna ze op haar lip bijt en wacht tot ik mijn shirt uittrek.

Ik gooi mijn shirt meteen aan de kant.

'Mag ik je aanraken?' vraagt ze, alsof ik haar op dit moment überhaupt nog iets zou kunnen weigeren.

Ik pak haar hand in de mijne en leg hem op mijn blote huid. Als ik haar loslaat zodat ze zelf op verkenning kan gaan, streelt ze met haar vingers over mijn borst. Elke aanraking zet mijn huid in vuur en vlam, en als haar vingers even aarzelen bij de tattoo die boven mijn spijkerbroek uit komt om vervolgens onder mijn broeksband te glippen, hou ik het bijna niet meer.

'Wat staat hier?' vraagt ze, terwijl ze zachtjes over een van mijn tattoos streelt.

'Rebel,' vertel ik haar. Mijn vingers woelen door haar haar en ik trek haar naar me toe. Ik wil haar weer proeven. Ik wil haar zachte lippen op de mijne voelen.

We beginnen te zoenen alsof het de eerste en misschien ook onze laatste keer is, onze adem en onze tongen komen haast wanhopig samen.

Terwijl zij verdergaat met verkennen, richt ik al mijn aandacht op haar. Ik schuif haar behabandjes omlaag tot ze losjes langs haar armen hangen. Ze leunt naar achteren en ik kan me geen sexyer beeld of sexyer meisje voorstellen dan het meisje dat nu boven op me zit. Mijn hartslag versnelt wanneer ik de zijden stof opzij schuif, zinderend van verwachting.

Haar vingers verstillen wanneer ik langs haar zij streel en mijn handen omhoog laat glijden tot mijn duimen bij de rondingen van haar borsten aankomen. Niets had me kunnen voorbereiden op de golf van emoties die nu door me heen trekt terwijl ik in Kiara's glinsterende ogen kijk.

'Volgens mij ben ik verliefd op je aan het worden,' zegt ze, zo zacht dat ik het me misschien maar verbeeld. Dan hoor ik ineens pistoolschoten.

Pang! Pang! Pang!

Totaal in paniek trek ik Kiara omlaag op de bank en ga boven op haar liggen om haar te beschermen.

Ik kijk verward op. Wacht, er is verder niemand anders in de kamer. Wat is dit, verdomme?

Ik kijk naar de televisie en zie dat de held zich over het lichaam van een dode vent met hevig bloedende borst buigt. De pistoolschoten waren op de televisie.

Dan draai ik me weer om en kijk in de ogen van een verbijsterde, bange, halfnaakte Kiara.

'Sorry,' zeg ik terwijl ik van haar af kom en naar het andere uiteinde van de bank schuif. 'Sorry. Het was de tv maar.' Mijn hart gaat harder tekeer dan de drummer van een metalband. Toen ik die pistoolschoten hoorde, wilde ik alles doen om haar te beschermen. Ik zou er zelfs mijn leven voor hebben gegeven. De gedachte dat ik haar zou verliezen op dezelfde manier als ik mijn vader heb verloren, en Alex ook bijna, wordt me te veel. Ik begin er haast van te hyperventileren.

Fuck.

Ik heb mijn belangrijkste regel overtreden: raak nooit emotioneel betrokken.

Ik zou toch alleen maar wat flikflooien met meiden die niks meer wilden dan plezier maken? Het woord *amor*, of liefde, komt niet in mijn woordenboek voor. Ik ben niet het type om iemands vriendje te zijn.

Als je liefde en vastigheid wilt moet je niet bij mij zijn. Ik moet hier weg voor ik niet meer terug kan.

'Het is al goed.' Ze gaat rechtop zitten en leunt naar me toe, veel te dichtbij. Ik kan niet helder denken als ik de warmte van haar lichaam op mijn huid kan voelen. Ik krijg een benauwd, claustrofobisch gevoel. Ik moet hier weg.

Ik duw haar voorzichtig van me af zodat er wat afstand tussen ons is.

'Nee, het is helemaal niet goed. Dit is helemaal niet goed.' Mijn reactie op de pistoolschoten brengt alles weer in het juiste perspectief. Ik kan dit niet met Kiara. Ik druk mijn handpalmen tegen mijn ogen en slaak een gefrustreerde zucht. 'Trek iets aan,' zeg ik terwijl ik haar shirt oppak.

Ik dwing mezelf om haar niet aan te kijken wanneer ik het wijde T-shirt naar haar toe gooi. Ik wil die gekwetste blik in haar ogen niet zien, want ik weet dat ik die heb veroorzaakt.

'Ik w-w-wilde d-d-dit,' stottert ze met trillende stem. 'J-j-jij ook.'

Shit. Nu is ze zo emotioneel dat ze amper iets kan zeggen zonder over haar woorden te struikelen. Ze kan me beter haten dan verliefd op me worden.

'Ja, nou, ik zoek een meisje dat gewoon met me naar bed wil, niet een meisje dat me haar eeuwige liefde verklaart.'

'Ik h-h-heb n-n-niet...'

Ik steek mijn hand op om haar te onderbreken. Ik weet wat ze wil zeggen, dat ze nooit heeft gezegd dat dit tot meer zou leiden. 'Je zei dat je verliefd op me aan het worden bent, en dat is wel het laatste wat een jongen als ik wil horen. Geef het maar toe, Kiara. Meiden zoals jij zouden een jongen het liefst zijn ballen afsnijden en ze aan hun achteruitkijkspiegel hangen.'

Ik loop te lullen als een pendejo. Ik flap alles er zo uit, zonder nadenken. Ik weet dat ik haar diep kwets met wat ik nu allemaal zeg. Het doet me zielsveel pijn om haar dit aan te doen, maar ze moet weten dat ik niet degene ben die voor haar klaar zal staan wanneer ze het moeilijk heeft. Ik moet nog met Devlin afrekenen, en ik weet niet of ik dat zal overleven. Ik zou niet willen dat Kiara rouwt om iemand die haar liefde niet eens heeft verdiend.

'We kunnen vrienden blijven...'

'Vrienden die seks hebben met elkaar, zonder verdere emoties?'

'Ja. Wat is daar mis mee?'

'Ik wil meer.'

'Dat gaat niet gebeuren. Als je meer wilt, moet je maar een ander slachtoffer zoeken.' Ik loop naar de deur, want ik moet hier weg, voordat ik haar nog op mijn knieën smeek om me weer in haar armen te nemen en verder te gaan waar we waren gebleven. Terwijl ik wegloop, probeer ik alle beelden van haar uit mijn gedachten te wissen. Dat gaat me nooit lukken.

Eenmaal op mijn kamer ga ik op mijn bed zitten. Het heeft geen zin om te gaan slapen. Ik weet nu al dat dat niet zal lukken. Ik schud mijn hoofd en vraag me af hoe ik mezelf toch zo in de shit heb geholpen. Haar alleen achterlaten in die kamer was volgens mij het eerste onzelfzuchtige wat ik heb gedaan sinds ik in Colorado ben.

En het voelt zwaar klote.

38

Kiara

Ik zit in de tv-kamer en neem de hele avond nog eens door. Ook al had ik mezelf nog zo voorgehouden dat seks met hem niet tot een serieuze relatie zou leiden, toch had ik er stiekem wel op gehoopt. Ik wist precies waar ik mee bezig was, en het feit dat het helemaal is misgelopen bewijst maar weer dat Carlos gelijk heeft. Hij is niet het type om iemands vriendje te zijn. Hij zoekt alleen een meisje dat voor hem uit de kleren gaat, zonder enige beloftes of verplichtingen.

Hij wil een meisje zoals Madison.

Ik heb mezelf vanavond compleet voor schut gezet. Het was dom om te denken dat ik hem kon veranderen door mezelf aan hem aan te bieden. Dacht ik nou echt dat ik hem zou kunnen overhalen om een vaste relatie met me te beginnen als het lichamelijk goed tussen ons zou blijken te klikken? Eerlijk gezegd wel.

Het voelde zo perfect toen we elkaar vanavond zoenden. Het was precies zoals ik had gewild en verwacht en gehoopt. Zodra hij mijn gezicht in zijn handen nam, was ik verloren. Ik wist dat alles wat ik met Michael had gehad of nog zou kunnen hebben nooit zou kunnen opwegen tegen de innige band tussen Carlos en mij.

Nu is dat allemaal verpest, doordat Carlos me van zich heeft weggeduwd. En daarna werd mijn tong dik en kwam ik niet meer uit mijn woorden.

O, ik schaam me dood. Hoe kan ik hem ooit nog onder ogen komen? Erger nog, hoe kan ik mezelf nog onder ogen komen?

39

Carlos

Ik heb zo'n twee uur geslapen afgelopen nacht. Wanneer ik word gewekt door de zon draai ik me kreunend om en probeer nog wat te slapen. Maar dat lukt niet echt, aangezien de hele kamer dezelfde kleur heeft als die klotezon. De volgende keer dat ik in de bouwmarkt ben, moet ik echt eens zwarte verf kopen om de kamer zo donker te kunnen maken dat hij past bij hoe ik me voel.

Ik ga op mijn zij liggen en hou een kussen voor mijn ogen. Wanneer ik ze weer opendoe, is het ineens tien uur.

Ik bel mi'amá, gewoon omdat ik haar stem weer even wil horen. Ze zegt dat ze tickets probeert te krijgen om op bezoek te kunnen komen. Zo opgewekt heb ik haar in geen jaren gehoord. Dat herinnert me eraan dat ik mevrouw W. heb beloofd vandaag mee te helpen in de winkel. Ik zal het extra geld dat ik daarmee verdien naar mi'amá opsturen zodat ze het kan toevoegen aan haar spaargeld voor de reis.

Als ik heb gedoucht, klop ik op Kiara's slaapkamerdeur. Ze is er niet, dus ik loop naar beneden.

'Waar is Kiara?' vraag ik Brandon, die een computerspelletje zit te spelen in het kantoor van de professor.

Of hij negeert me, of hij hoort me niet.

'Yo, Racer!' roep ik.

'Wat?' zegt Brandon zonder zich om te draaien.

Ik kom naast hem staan en kijk mee met het spelletje waar hij zo in is verdiept. Op het scherm zie ik een stel stripfiguren door een park lopen. Onder in beeld staat: HANDELSWAAR: COCAÏNE, 3 GRAM; MARIHUANA, 7 GRAM.

'Wat is dit voor spel?' vraag ik Brandon.

'Een strategiespel.'

Het jochie is verdomme een cyberdrugsdealer. 'Zet dat spelletje uit,' draag ik hem op.

'Waarom?'

'Omdat het stom is.'

'Hoe weet jij dat nou?' Het jongetje kijkt me met onschuldige ogen aan. 'Jij hebt het nooit gespeeld.'

'Jawel.' In het echte leven. En alleen omdat ik wel moest om te overleven. Maar Brandon heeft andere opties, hij hoeft geen drugs te dealen om te overleven. Het lijkt me geen goed idee dat hij een spelletje speelt waarin dit wordt nagedaan terwijl hij nog op de kleuterschool zit. 'Uitzetten, Brandon, anders doe ik het. Ik meen het.'

Hij steekt zijn kin omhoog en speelt verder. 'Nee.'

'Wat is er aan de hand?' vraagt Westford, die de kamer binnenkomt.

'Carlos zegt dat ik mijn spelletje moet uitzetten. Pap, jij zei dat ik best een strategiespelletje op je computer mocht spelen. Mijn vriendjes spelen dit ook allemaal.'

Ik wijs naar Brandon. 'Je zoon en zijn vriendjes zijn cyberdrugsdealers,' vertel ik zijn vader.

Westfords ogen worden groot en hij haast zich naar het scherm. 'Drugsdealers? Brandon, wat ben je aan het spelen?'

Ik loop de kamer uit terwijl Westford Brandon uitlegt dat verdovende middelen geen gewone handelswaar zijn. Dan mompelt hij iets over het instellen van ouderlijk toezicht op de computer, dat dit de ouders zelf niet kan vervangen en dat hij beter had moeten opletten.

Ik loop naar buiten en zie dat Kiara aan haar auto aan het sleutelen is. Haar benen steken uit het openstaande portier aan de bestuurderskant. Ik kijk toe terwijl ze ondersteboven hangend bezig is, met haar hoofd onder het dashboard en een schroevendraaier in haar hand.

'Heb je hulp nodig?' vraag ik.

'Nee,' zegt ze zonder op te kijken.

'Mag ik eens naar dat portier kijken? Misschien kan ik het wel maken.'

'Er is niets mis mee.'

'Wel waar. Je kunt 't niet gebruiken. Daar kun je niet voor altijd mee blijven rondrijden.'

'Wedden van wel?'

Ik leun tegen de zijkant van de auto. En wacht. En wacht. Als ze nu niet snel tevoorschijn komt, sleur ik haar straks nog aan haar benen naar buiten.

Westford komt het huis uit lopen. 'Kiara, hoe laat gaan jij en Carlos naar Invi-Thee?'

'Zodra ik deze draad vast heb getapet, pap. Hij wil niet meewerken.'

'Waarschijnlijk moet-ie gesoldeerd worden,' zeg ik, al denk ik niet dat ze op dit moment zin heeft om naar mijn suggesties te luisteren.

'Laat maar weten wanneer je klaar bent om te gaan. In de tussentijd wil ik even met Carlos praten.' Westford wenkt me naar zich toe. 'Loop maar mee naar mijn kantoor.'

Hij lijkt niet al te blij te zijn met mij en zo klinkt hij ook. Dat kan ik hem niet kwalijk nemen. Ik had gisteravond letterlijk mijn handen vol aan zijn dochter.

Op weg naar het kantoor van de professor loop ik langs Brandon, die een of andere tekenfilm zit te kijken in de tv-kamer.

'Wat is er?' vraag ik als ik ga zitten.

'Mis jij niet iets?' Hij gooit mijn shirt van gisteravond naar me toe. 'Deze vond ik op de grond in de tv-kamer. Het is wel duidelijk dat jullie hebben zitten flikflooien.'

Oké, dus hij weet dat we hebben geflikflooid. Maar in ieder geval heeft hij behalve mijn shirt niet ook nog Kiara's beha aangetroffen.

'Ja... het liep een beetje uit de hand nadat jij en mevrouw W. naar bed waren gegaan gisteravond,' vertel ik hem.

'Daar was ik al bang voor. Colleen en ik vinden dat we open moeten communiceren met onze kinderen. En al ben je niet mijn eigen kind, op dit moment ben ik wel verantwoordelijk voor je.' De professor wrijft met zijn hand over zijn gezicht en zucht. 'Je zou denken dat ik wel voorbereid zou zijn op een gesprek als dit. Ik ben ook ooit een tiener geweest en toen deed ik precies hetzelfde in mijn ouderlijk huis.' Hij kijkt op. 'Al deed ik natuurlijk wel wat meer mijn best om het bewijs te verbergen.'

'Het zal niet meer gebeuren, meneer.'

'Wat, dat je bewijs achterlaat, of dat je met mijn dochter flikflooit in mijn eigen huis? En laat dat "meneer" maar zitten. We zijn hier niet in het leger.'

'Ik was degene die zich aan hem heeft opgedrongen, pap,' zegt Kiara plotseling vanuit de deuropening. 'Het is niet zijn schuld.'

'De tango dans je met z'n tweeën.' Het kost de professor zichtbaar moeite om hierover te praten. 'Ik wil niemand de schuld geven. Ik wil het gewoon bespreekbaar maken. Ik wou dat je moeder hier was om dit gesprek te voeren. Hebben jullie, eh, in ieder geval bescherming gebruikt?'

Kiara kreunt beschaamd. 'Pap, we hebben het niet gedaan.'

'O,' zegt hij. 'Echt niet?'

Ik schud mijn hoofd.

Niet te geloven dat ik dit gesprek aan het voeren ben. Mexicaanse vaders praten niet over dit soort dingen, zeker niet met de jongens met wie hun dochters stoute dingen doen. Ze zouden die jongen eerst een pak slaag geven, en dan pas vragen stellen. En daarna zouden ze hun dochter verbieden naar buiten te gaan zonder begeleiding. Ze doen niet aan open communicatie.

Het voelt net of ik in een talkshow voor blanke mensen met problemen zit, en ik weet niet precies wat ik moet zeggen. Ik ben ook niet gewend aan een vader die daadwerkelijk over dit soort shit wil praten. Is dit normaal, of gebeurt dit alleen bij vaders die toevallig ook psycholoog zijn en iedereen proberen te analyseren?

'Ik heb heus niet de illusie dat ik jullie kan tegenhouden om te doen... wat jullie dan ook aan het doen waren,' gaat Westford verder. 'Maar ik stel wel een nieuwe regel in: geen geflikflooi meer tussen jullie twee onder mijn dak. Als ik het jullie moeilijker maak, denken jullie er misschien beter over na. En als jouw vader, Kiara, en als jouw voogd, Carlos, hoor ik jullie ook te vertellen dat je beter maagd kunt blijven tot je getrouwd bent.' Hij leunt achterover in zijn stoel en glimlacht ons toe, behoorlijk tevreden met zichzelf vanwege die laatste zin. Jammer dat dit gesprek een paar jaar te laat komt, in ieder geval voor mij.

'Was jij nog maagd toen je trouwde?' vraag ik hem uitdagend. Zijn grijns is op slag verdwenen.

'Ja, eh, nou, eh... Dat waren andere tijden. De tieners van tegenwoordig zijn slimmer en weten meer. Er zijn ongeneeslijke ziektes... en andere gevaren voor beide partners als ze geen serieuze, monogame, vaste relatie hebben.' Berispend heft hij zijn vinger naar ons op. 'En vergeet het Z-woord niet.'

Ik moet moeite doen om niet te lachen. Perdón? 'Het Z-woord?'

'Zwangerschap!' De professor kijkt me met samengeknepen ogen aan. 'Ik ben er nog lang, lang, lang niet aan toe om opa te worden.'

Ik denk aan mijn moeder, die op haar zeventiende in verwachting was van Alex. Mi'amá heeft me laten beloven om altijd een condoom te gebruiken als ik met een meisje naar bed ga – ze wilde niet dat haar zoons net zo zouden worden als zij en mi papá. Shit man, soms stopte ze zelfs wat condooms tussen mijn ondergoed om me eraan te helpen herinneren.

Ik ben echt enorm geschrokken van gisteravond. Want hoewel ik anders altijd mijn hoofd erbij hou als het erom gaat mezelf en het meisje met wie ik ben te beschermen, weet ik niet of ik ons gisteravond wel had kunnen tegenhouden, ook al had ik geen condoom bij de hand. En ik was niet eens bezopen. Als ik me niet was rot geschrokken van die pistoolschoten op tv, hadden Kiara en ik nu misschien een heel ander gesprek met de professor gehad.

'Pap, dat weten we allemaal al,' mengt Kiara zich in het gesprek.

'Het kan geen kwaad om je geheugen wat op te frissen, zeker gezien het feit dat Carlos' T-shirt vanochtend op de grond in de tv-kamer lag.'

Ik hou het shirt omhoog zodat ze weet waar hij het over heeft. 'O,' stamelt Kiara verbaasd.

Westford kijkt op de klok op zijn bureau. 'Het is de hoogste tijd dat ik even naar buiten ga met Brandon, voor hij nog ADHD krijgt van te veel televisie kijken.' Hij houdt zijn handen op alsof hij me een offergave wil aanbieden. 'Carlos, begrijpen wij elkaar?'

'Ja,' zeg ik. 'Zolang het niet in jouw huis gebeurt en je er niets vanaf weet, vind je het niet erg als Kiara en ik wat flikflooien.'

'Ik weet dat je me in de maling neemt. Dat was toch een grapje, of niet?'

'Misschien.'

Kiara stapt de kamer binnen. 'Pap, het was maar een grapje.'

De professor kijkt me indringend aan en telt elk woord af op zijn vingers. 'Onthou... één: serieus; twee: monogaam; drie: vaste relatie; vier: niet in mijn huis; en vijf: vertrouwen.'

'En vergeet zes niet, het Z-woord,' herinner ik hem.

Hij knikt. 'Ja. Het Z-woord. Eén dag in het leger, Carlos, en ze zouden die verwaandheid van jou er onmiddellijk uit rammen.'

'Jammer dat ik niet van plan ben het leger in te gaan.'

'Dat is inderdaad jammer. Als je dat wel zou doen, en je zou er net zoveel energie in steken om een goede soldaat te worden als je nu gebruikt voor die brutale houding van je, zou je het nog ver schoppen. Misschien moet ik maar iets roods bij de was stoppen zodat je ondergoed roze wordt. Als klein aandenken aan dit gesprek van vandaag.'

Ik haal mijn schouders op. 'Doe maar. Ik draag toch geen ondergoed,' lieg ik.

'Eruit, wijsneus,' beveelt hij, en hij jaagt ons de deur uit. Volgens mij zie ik zijn mondhoek even opkrullen, geamuseerd door mijn opmerking, maar hij kijkt snel weer serieus. 'Mijn kantoor uit, allebei. En laten we dit gesprek onder ons houden. Nu als de wiedeweerga naar Invi-Thee. Mijn vrouw rekent erop dat ze jullie vandaag aan het werk kan zetten. Niet treuzelen onderweg,' roept hij ons na als we door de gang lopen. 'Ik bel haar over een kwartier om te controleren of jullie er zijn.'

40

Kiara

'Luister, chica...' begint Carlos als we een paar minuten later naar mijn moeders winkel rijden.

Ik knijp in het stuur. 'Noem me niet meer zo,' zeg ik.

'Hoe moet ik je dan noemen?'

Ik haal mijn schouders op. 'Maakt niet uit. Maar geen chica.' Ik wil de radio aanzetten, maar realiseer me dan dat die het nog steeds niet doet. Ik grijp het stuur steviger vast en concentreer me op de weg, zelfs wanneer we voor een stoplicht staan.

Carlos steekt zijn handen in de lucht. 'Wat wil je van me? Wil je dat ik tegen je lieg, is dat wat je wilt? Oké, mij best. Kiara, ik ben niets zonder jou. Kiara, ik heb mijn hart aan jou verloren. Kiara, zonder jou heeft mijn leven geen enkele betekenis. Kiara, ik hou van je. Is dat wat je wilt horen?'

'Ja.'

'Geen enkele jongen meent het wanneer hij dat soort dingen zegt.'

'Ik durf te wedden dat je broer het wel meent als hij dat tegen Brittany zegt.'

'Omdat hij niet goed wijs is. Ik dacht dat jij het enige meisje was dat niet voor mijn praatjes viel.'

'Dat doe ik ook niet. Zie het maar als een vlaag van verstandsverbijstering dat ik jou serieus als vriendje wilde,' zeg ik. 'Daar ben ik allang weer overheen. Van nu af aan verwacht ik helemaal niets meer van je, en ik heb me gerealiseerd dat je totaal niet mijn type bent. Misschien...' zeg ik en ik kijk hem vluchtig aan, '... bel ik Michael wel. Hij wilde weer met me uit.'

Carlos reikt naar mijn handtas en haalt mijn telefoon uit het zijvakje. Ik probeer hem uit zijn handen te grissen, maar hij is me te snel af. 'Wat doe je?'

'Let op de weg, Kiara. Je wilt toch geen ongelukken veroorzaken omdat je niet op zat te letten, of wel?'

'Leg hem terug,' beveel ik.

'Zal ik doen. Maar eerst even iets regelen.'

Bij het volgende stoplicht gris ik de telefoon uit zijn hand. Ik lees het sms'je dat Carlos zojuist naar Michael heeft gestuurd. F*ck U. 'Zeg dat je dat niet hebt gedaan.'

'Jawel.' Hij leunt achterover met een zelfingenomen blik. 'Bedank me later maar.'

Hem bedanken? Hem bedanken! Ik zet de auto langs de weg, pak mijn tas en zwaai hem rond als een katapult, mikkend op Carlos' hoofd.

Hij grijpt de tas voor ik hem kan raken. 'Je gaat me toch niet vertellen dat je echt weer met die lul uit wilt?'

'Ik weet niet meer wat ik wil.'

Ik rij de weg weer op naar mijn moeders winkel. Daar parkeer ik de auto en stap uit, zonder op Carlos te wachten.

'Kiara, wacht.' Grommend klimt Carlos door het raampje. Ik hoor hem rennen om me in te halen. 'Ik zal dat kloteportier repareren, al is het het laatste wat ik doe.' Hij haalt zijn hand door zijn haar. 'Luister, als de dingen anders waren geweest...'

'Welke dingen?'

'Het is nogal ingewikkeld.'

Ik draai mijn rug naar hem toe. Als hij het me niet wil vertellen, heeft deze discussie geen zin.

'Hoi, jongens!' Mijn moeder wacht ons op voor de winkel, dus ons gesprek wordt afgekapt. 'Kiara, ik heb de bonnetjes van vorige maand en afgelopen week erbij gepakt. Voel je vrij om die na te kijken. Carlos, loop maar met mij mee.'

Terwijl ik in het kantoor bezig ben met bonnetjes optellen en de boekhouding in orde maken, hoor ik mijn moeder aan Carlos uitleggen hoe hij de pas bezorgde dozen met losse thee moet uitpakken.

Rond één uur steekt mijn moeder haar hoofd om de hoek van de deur om te zeggen dat ik met haar kan komen lunchen in het keukentje.

Mijn moeder is zich niet bewust van de gespannen sfeer als we met zijn allen in het keukentje zitten. Ze denkt dat iedereen altijd maar vrolijk en energiek is, dus ik vraag me af hoe lang het duurt voor ze merkt dat de vrolijkheid hier ver te zoeken is.

'Deze heb ik bij Teddy gehaald, van het kraampje voor de winkel,' zegt ze, terwijl ze eten uit een zak haalt.

'Wat is het?' vraagt Carlos terwijl ze hem een pakketje aangeeft.

'Biologische vega-dogs.'

'Wat is een vega-dog?'

'Een vegetarische hotdog,' zegt ze. 'Zonder dierlijke producten.'

Aarzelend pakt Carlos zijn vegadog uit.

'Je gaat heus niet dood van gezond eten, Carlos,' zegt mijn moeder. 'Maar als je het niet lekker vindt, kan ik wel wat fastfood voor je gaan halen.'

Ik neem een hap van mijn vega-dog. Ik vind het niet erg om al die gezonde dingen van mijn moeder te eten, al vind ik fastfood ook erg lekker zo af en toe.

Carlos neemt ook een hap. 'Het is best lekker. Zit er ook friet bij?'

Ik moet bijna lachen wanneer mijn moeder een hele berg oranje frietjes op een servet kiept. 'Dit zijn frietjes van zoete aardappelen. Met schil, zodat je meer vezels binnenkrijgt. Als ik me niet vergis, zitten er ook omega-3-vetzuren in.'

'Ik hoef niet per se te weten wat er allemaal in mijn eten zit,' zegt Carlos onder het kauwen.

Mijn moeder schenkt ons een glas zelfgemaakte ijsthee in uit een grote kan. 'Je zou er juist wel op moeten letten wat je allemaal in je lichaam stopt. In deze theemelange, bijvoorbeeld, zit açaibes, sinaasappelschil en munt.'

'Mam, eten,' zeg ik tegen haar. Voor je het weet, gaat ze nog een heel betoog houden over antioxidanten en vrije radicalen.

'Oké, oké.' Ze pakt haar vegadog uit en begint te eten. 'En hoe was de film gisteravond?'

'Hij was goed,' zeg ik, hopend dat ze niet naar de details zal vragen, want ik heb geen idee waar hij precies over ging.

Ze pakt een frietje en neemt een hap. 'Hij leek me een beetje gewelddadig. Ik hou niet van gewelddadige films.'

'Ik ook niet,' zeg ik. Carlos zegt niets. Ik voel hem naar me staren, maar ik kijk niet op. Ik richt mijn aandacht op alles behalve hem.

Iris, een van mijn moeders weekendhulpen, doet de deur van het keukentje open. 'Colleen, er is een klant die speciaal naar jou vraagt. Ze lijkt haast te hebben.'

Mijn moeder eet snel haar vegadog op. 'De plicht roept.'

Ik sta ook op om te gaan, maar Carlos steekt zijn hand uit en pakt me bij mijn pols. God, wat zou ik graag willen dat hij me nu naar zich toe trok en zei dat gisteravond geen vergissing was. Het hoeft helemaal niet zo ingewikkeld te zijn tussen ons.

'Het ligt niet aan jou, weet je. Je bent het eerste meisje naar wie ik zo heb verlangd sinds...' Zijn stem sterft weg en hij laat mijn pols los.

'Sinds wie?' vraag ik.

'Dat doet er niet toe.'

'Voor mij wel.'

Hij aarzelt, alsof hij haar naam niet wil zeggen. Als hij eindelijk 'Destiny' zegt, kan hij niet verbergen dat hij nog steeds iets voor haar voelt. Haar naam rolt van zijn tong alsof hij elke lettergreep koestert.

Ik ben echt jaloers. Ik kan nooit tegen Destiny op. Het is wel duidelijk dat Carlos nog steeds van haar houdt. 'Ik snap het.'

'Nee, je snapt het niet. Ik ben me rot geschrokken gisteravond, Kiara. Want ik voelde iets wat ik niet meer heb gevoeld...'

'Sinds Destiny,' zeg ik.

'Ik laat het me nooit meer gebeuren dat ik zo verliefd word op een meisje.'

'Moet ik op school nog steeds doen alsof we iets met elkaar hebben?'

'Een paar weken nog maar, tot Madison het erbij laat zitten.' Hij kijkt me aan. 'Dan kunnen we een nepreden bedenken om het uit te maken. We hadden een deal, toch?'

'Ja.'

Eenmaal terug in mijn moeders kantoor kijk ik naar de berekeningen voor mijn neus. De cijfers vervagen voor mijn ogen. Ik gooi mijn potlood neer, laat mijn hoofd in mijn handen zakken en zucht.

Wat ontzettend dom van me om Carlos gisteravond te vertellen dat ik verliefd op hem aan het worden was. Ik heb hem duidelijk afgeschrikt. Mijn hele leven heb ik me ingehouden. En toen ontmoette ik Carlos, een jongen die me juist aanspoort om er vol voor te gaan en nooit ergens spijt van te hebben.

Toen hij met mijn broertje aan het voetballen was en ik een glimp opving van zijn zachtaardige kant, die hij alleen laat zien aan de paar mensen die dat echt waard zijn volgens hem, wist ik dat schijn kan bedriegen bij Carlos.

Aan het eind van de dag tref ik hem aan in het magazijn, waar hij nauwkeurig de verschillende ingrediënten voor mijn moeders zelfgemaakte melanges zit af te wegen.

'Ik heb een reden bedacht waarom we het zogenaamd uit zouden kunnen maken,' zeg ik.

'Vertel op.'

'Dat je nog steeds verliefd bent op Destiny.'

Zijn vingers houden op met bewegen. 'Bedenk maar iets anders.'

'Wat dan?'

'Weet ik veel. Gewoon iets anders.' Hij legt de ingrediënten terug in de kast. 'Ik loop nog even naar de garage om met Alex te praten. Zeg je ouders maar dat ik later thuis ben.'

'Ik kan je wel afzetten,' zeg ik. 'Ik ben ook klaar.'

Hij schudt zijn hoofd. 'Ik ga liever lopen.' Een paar minuten later zie ik hem de achterdeur uit lopen, en ik vraag me af of hij eigenlijk vooral zo snel mogelijk bij mij vandaan probeert te komen.

41

Carlos

Als ik ver genoeg bij de theewinkel vandaan ben, haal ik de telefoon tevoorschijn die Brittany me heeft gegeven. Ik toets Devlins nummer in en wacht.

Zodra ik hem hoor opnemen, zeg ik: 'Met Carlos Fuentes. Je wilde mijn aandacht trekken, en dat is je gelukt.'

'Ah, señor Fuentes. Ik zat al te wachten op je telefoontje,' zegt een gladde stem aan de andere kant van de lijn. Dat moet Devlin zijn.

'Wat wil je van me?' vraag ik, zodat hij meteen weet dat ik geen zin heb in spelletjes.

'Ik wil alleen maar praten.'

Ik loop al pratend door, want ik heb zo'n gevoel dat die gast me laat schaduwen. 'Had je dat niet kunnen doen zonder mij te laten naaien door Nick Glass?'

'Ik moest je aandacht trekken, Fuentes. Maar nu dat is gelukt, wordt het tijd om elkaar te ontmoeten.'

Mijn hele lichaam verstijft. Of ik Devlin nu wil ontmoeten of niet, het zal toch gebeuren. 'Wanneer?'

'Wat dacht je van nu?'

'Laat je me volgen?' vraag ik, ook al weet ik het antwoord al nog voor ik de vraag stel.

'Natuurlijk, Fuentes. Ik ben een zakenman, en jij bent mijn nieuwste pupil. Ik moet een oogje in het zeil houden.'

'Ik heb er nooit mee ingestemd om ook maar ene reet voor jou te doen,' zeg ik.

'Nee, maar dat komt nog wel. Ik heb gehoord dat je uit het juiste hout bent gesneden.'

'Van wie?'

'Laten we het erop houden dat ik het van een kleine Guerrero heb.

Maar genoeg gekletst. Als je een van mijn jongens ziet langsrijden, stap dan in.'

'Hoe weet ik dat het een van jouw jongens is?' vraag ik.

Devlin lacht. 'Dat merk je wel.'

De verbinding wordt verbroken. Een paar minuten later stopt er een zwarte stationwagen met getinte ramen pal voor mijn neus. Ik haal diep adem wanneer het portier opengaat. Ik ben er klaar voor, wat er ook gaat gebeuren. Dit is mijn lot, wat iedereen in mi familia ook mag denken.

Ik kruip op de achterbank en herken de man die naast me zit: Diego Rodriguez, een Guerrero die zo hooggeplaatst was dat iedereen het over hem had, maar bijna niemand hem ooit zag. Ik knik naar hem en vraag me ondertussen af wat hij met Wes Devlin moet. Ik weet dat sommige gasten zichzelf als hybride zien en tussen gangs switchen, maar ik heb nog nooit meegemaakt dat iemand die zo hoog in een organisatie zat daarmee wegkwam.

'Dat is lang geleden,' zegt Rodriguez. Voorin zitten twee blanke mannen die er allebei uitzien als bodybuilders, of in ieder geval alsof ze getraind zijn om mensen in elkaar te rossen. Het is wel duidelijk dat ze hier zijn om iemand te beschermen, en zeker niet mij.

'Waar is Devlin?' vraag ik.

'Je zult hem snel genoeg zien.'

Ik kijk uit het raam in de hoop dat ik kan herkennen waar we heen gaan, maar het heeft geen zin. Ik heb geen idee waar we zijn en ik ben totaal overgeleverd aan deze drie mannen. Ik vraag me af wat Kiara zou doen als ze wist dat ik in de auto zat bij een stelletje criminelen. Waarschijnlijk zou ze zeggen dat ik sowieso nooit had moeten instappen. Ik zorg er wel voor dat ik continu op mijn hoede blijf.

Dat ik op mijn hoede moet blijven, doet me denken aan Kiara. Gisteravond toen ik haar in mijn armen had en met mijn vingers over haar zachte huid streelde, was ik de controle helemaal kwijt. Man, ik zou alles hebben aangenomen wat ze me maar had willen aanbieden, zonder over de gevolgen na te denken.

'We zijn er,' wekt Diego me bruut uit mijn dagdromen over Kiara en hoe het had kunnen lopen.

We staan voor een groot huis met een betonnen muur eromheen. We worden doorgelaten. Diego leidt me naar de voordeur en brengt me naar een kantoor dat zo groot is dat zelfs de meest succesvolle directeur er nog van onder de indruk zou zijn.

Er zit een blonde man achter een donker houten bureau; dat moet Devlin zijn. Hij draagt een donker pak met een lichtblauwe stropdas in dezelfde kleur als zijn ogen. Hij gebaart me in een van de stoelen tegenover zijn bureau te gaan zitten. Wanneer ik blijf staan, komen de twee uit de kluiten gewassen mannen van het autoritje ieder aan een kant naast me staan.

Ik begeef me op gevaarlijk terrein, maar ik hou voet bij stuk. 'Roep die getrainde honden van je eens terug,' zeg ik tegen hem. Devlin wuift hen weg en de twee mannen stappen meteen naar achteren om de deur van het kantoor te blokkeren. Ik vraag me af hoeveel hij hun betaalt om voor zijn waakhond te spelen.

Diego is er ook nog, als zijn zwijgende rechterhand. Devlin leunt achterover in zijn stoel en bekijkt me eens goed. 'Dus jij bent Carlos Fuentes, over wie Diego me zoveel heeft verteld. Hij zegt dat je de Guerreros del barrio hebt laten stikken. Gewaagde actie, Carlos, al neem ik aan dat je ten dode bent opgeschreven zodra je ook maar één voet in Mexico zet.'

'Gaat dit daarover?' vraag ik. 'Als je banden hebt met de Guerreros en opdracht hebt gekregen om mij uit de weg te ruimen, waarom heb je me dan laten naaien door Nick?'

'Omdat we je niet uit de weg gaan ruimen, Carlos,' mengt Diego zich in het gesprek. 'We gaan je inzetten.'

Bij het horen van die woorden zou ik het liefst flink uitvallen tegen deze mannen en hun vertellen dat ik me door niemand laat commanderen of gebruiken, maar ik hou me in. Hoe meer deze mannen praten, hoe meer informatie ik te horen krijg.

'We gaan het zo doen, Carlos,' zegt Diego. 'Wij bewijzen jou een dienst door je niet in stukken bij de Guerreros af te leveren, en jij bewijst ons een wederdienst door onze *bag boy* te worden.'

Bag boy. Hij bedoelt dat ik hun nieuwe straatdealer moet worden, en vrijwillig de schuld op me moet nemen als ik word gepakt. De drugs in mijn kluisje waren een test om te zien of ik Nick zou aangeven. Als ik dat had gedaan, was ik als verrader aangemerkt en had ik nu waarschijnlijk in het lijkenhuis gelegen. Ik heb bewezen dat ik geen verrader ben, dus nu ben ik een waardevol goed voor hen. Het doet me denken aan Brandons computerspelletje, al is het wel duidelijk dat dit geen spelletje is.

Devlin leunt naar voren. 'Laat ik het zo zeggen, Fuentes. Als je meewerkt, heb je niets te vrezen. Bovendien zul je bakken met geld verdienen.' Hij haalt een envelop uit zijn bureaula en schuift hem naar me toe. 'Kijk maar eens.'

Ik pak de envelop op. Er zitten briefjes van honderd dollar in, meer dan ik ooit in mijn handen heb gehad. Ik leg de envelop terug op zijn bureau.

'Pak aan, het is van jou,' zegt Devlin. 'Zie het als voorproefje van wat je binnen een week bij mij kunt verdienen.'

'Dus de Devlin-clan heeft zich aangesloten bij de Guerreros? Sinds wanneer?'

'Ik sluit me aan bij alles en iedereen, zolang het me maar dichter bij mijn uiteindelijke doel brengt.'

'Wat is je doel, de wereld veroveren?' grap ik.

Devlin lacht niet. 'Op dit moment is het mijn doel om te zorgen dat de zendingen die ik uit Mexico aangeleverd krijg veilig binnenkomen, als je begrijpt wat ik bedoel. Rodriguez hier denkt dat jij wel uit het juiste hout bent gesneden. Luister, ik sta niet aan het hoofd van een gang die vecht om grondgebied, of vanwege huidskleur of hun fucking nationaliteit. Ik ben een zakenman die een bedrijf runt. Het kan me geen reet schelen of je zwart, blank, Aziatisch of Mexicaans bent. Man, ik heb meer Russen in dienst dan het Kremlin. Iedereen mag voor me komen werken, zolang het mijn bedrijf maar voordeel oplevert.'

'En als ik nou eens niet wil meewerken?' vraag ik.

Devlin kijkt naar Rodriguez.

'Woont je mamá niet in Atencingo?' vraagt Rodriguez nonchalant, terwijl hij naar voren stapt. 'Samen met je kleine broertje. Luis heet hij, geloof ik. Schattig jongetje. Ik laat hen al weken in de gaten houden. Ik hoef maar met mijn vingers te knippen of ze worden doorzeefd met kogels. Ze zullen al dood zijn voor ze zelfs maar beseffen wat er is gebeurd.'

Ik storm op Rodriguez af. Het kan me niet schelen dat hij waarschijnlijk gewapend is. Niemand komt ermee weg mijn familie te bedreigen.

Hij schermt zijn gezicht af met zijn handen, maar ik ben snel en weet hem flink te raken voor de twee kleerkasten me bij mijn armen pakken en wegsleuren. 'Als je aan mi familia komt, dan ruk ik verdomme eigenhandig je hart uit je lijf,' waarschuw ik hem terwijl ik me los probeer te worstelen.

Rodriguez reikt naar de plek op zijn wang waar ik hem heb geslagen. 'Laat hem niet los,' beveelt hij, waarna hij me begint uit te schelden in een mengeling van Engels en Spaans. 'Je bent loco, weet je dat?'

'*Sí. Muy loco*,' zeg ik hem, als een van de mannen de fout maakt zijn hand te verplaatsen om me beter vast te kunnen pakken. Ik trap hem weg en hij klapt tegen een schilderij aan de muur. Wanneer het scheurt en van de muur stort, draai ik me om en kijk wat voor schade ik nog meer kan aanrichten om te laten zien dat ik niet hulpeloos zal toekijken hoe mijn familie wordt bedreigd.

Er stormen nog twee mannen de kamer binnen. Shit. Ik ben sterk en kan flink van me af slaan, maar bij vijf tegen één maak ik praktisch geen kans. Devlin tel ik niet mee; die kijkt toe vanuit zijn grote leren stoel terwijl wij het uitvechten, alsof we dit allemaal alleen maar doen om hem te vermaken.

Ik weet me los te worstelen en het lukt me een paar minuten stand te houden, tot twee van de mannen zich op me storten en me tegen de muur kwakken. Nog duizelig van de klap voel ik dat een andere gast op me in begint te slaan. Misschien is het Rodriguez, maar het kan ook een van de andere vier mannen zijn. Op dit moment is alles wazig.

Ik probeer me te verzetten, maar elke stomp in mijn maag eist zijn tol en doet verdomd veel pijn. Als ik één, twee, drie keer met een vuist tegen mijn kaak geslagen wordt, proef ik bloed in mijn mond. Ik lijk verdomme wel een levende boksbal.

Ik verzamel al mijn krachten, negeer de bijtende pijn en worstel me los. Ik schiet naar voren en beuk keihard tegen een van hen aan. Ik geef me niet zomaar gewonnen, zelfs al heb ik geen enkele kans om te winnen.

Even heb ik de overhand. Dan word ik van de man af getrokken en op het tapijt gesmeten. Als ik overeind kan komen kan ik misschien nog wat uitrichten, maar ik word van alle kanten geslagen en getrapt en ik voel mijn kracht nu snel afnemen. Door een harde, pijnlijke trap in mijn rug weet ik dat een van de mannen schoenen met stalen neuzen draagt. Met mijn laatste restje energie grijp ik de schuldige bij zijn been. Hij valt voorover, maar het maakt niet uit. Ik kan niet meer. Mijn strijdlust en kracht zijn verdwenen en hebben plaatsgemaakt voor een allesoverheersende pijn, die opvlamt bij elke beweging die ik maak. Het enige wat ik nog kan doen is bidden dat ik snel bewusteloos zal raken... of het loodje leg. Op dit moment klinken beide opties even aanlokkelijk.

Als ik stop met vechten, roept Devlin dat ze moeten stoppen. 'Hijs hem overeind,' beveelt hij.

Ik word in een stoel geduwd tegenover Devlin, die er nog steeds uitziet als een machtige directeur in zijn kreukloze pak. Mijn shirt is gescheurd en zit onder de bloedvlekken.

Devlin trekt mijn hoofd naar achteren. 'Zie dit maar als je uittreding bij de Guerreros del barrio en je inwijding bij de Devlin-clan. Vanaf nu ben je een Devlin. Ik ben ervan overtuigd dat je me niet teleur zult stellen.'

Ik geef geen antwoord. Shit man, ik weet niet eens of ik wel zou kunnen antwoorden als ik zou willen. Ik weet alleen dat ik geen Devlin ben en er ook nooit een zal worden.

'Ik waardeer je vechtlust, maar waag het niet nog eens om mijn huis overhoop te halen of met mijn jongens op de vuist te gaan, want dan ga je eraan.' Hij loopt de kamer uit, maar niet voor hij zijn jongens opdracht heeft gegeven om zijn kantoor opgeruimd te hebben voor hij terugkomt.

Ik word uit de stoel gehesen, en het volgende moment word ik op de achterbank van de stationwagen geduwd.

'Zoek geen ruzie met mij of Devlin,' zegt Rodriguez terwijl we terugrijden. 'We hebben grootse plannen, en ik heb je nodig. Devlins jongens hebben niet de Mexicaanse connecties die wij hebben. Dat maakt ons waardevol.'

Op dit moment voel ik me allesbehalve waardevol. Het voelt alsof mijn hoofd op ontploffen staat. 'Stop de auto,' beveelt Rodriguez als we vlak bij het huis van de Westfords zijn. Hij doet het portier open en sleurt me de auto uit. 'Zorg goed voor dat meisje bij wie je in huis woont. Ik zou niet willen dat haar iets overkomt.' Hij stapt weer in en gooit de envelop met geld voor mijn voeten. 'Over een week ben je weer zo goed als nieuw. Dan zal ik contact met je opnemen,' zegt hij, en dan rijdt hij weg.

Ik kan amper staan, maar ik sleep mezelf naar de voordeur van de familie Westford. Ik zie er vast net zo uit als ik me voel: zwaar klote. Binnen probeer ik snel de trap op te sluipen zodat niemand mijn bebloede gezicht ziet. Ik hou mijn shirt voor mijn mond zodat er geen bloed op het tapijt drupt.

Ik loop rechtstreeks naar de badkamer. Maar net wanneer ik naar binnen wil glippen, komt Kiara haar kamer uit.

Zodra ze me ziet, hapt ze naar adem en slaat haar hand voor haar mond. 'Carlos! Oh my god, wat is er gebeurd?'

'Je herkent me in ieder geval nog met een tot moes geslagen gezicht. Dat is een goed teken, toch?'

42

Kiara

Mijn hart bonst van angst en schrik als Carlos langs me heen loopt en zich over de wastafel buigt.

'Doe de deur dicht,' zegt hij kreunend van de pijn, terwijl hij bloed uitspuugt in de wasbak. 'Ik wil niet dat je ouders me zo zien.'

Ik doe de deur op slot en haast me naar hem toe. 'Wat is er gebeurd?'

'Ik ben in elkaar geslagen.'

'Dat zie ik.' Ik pak een marineblauwe handdoek van het rek en maak hem nat onder de kraan. 'Door wie?'

'Dat wil je niet weten.' Hij spoelt zijn mond en bekijkt zichzelf dan in de spiegel. Zijn lip is gebarsten en bloedt nog steeds, zijn oog is opgezwollen, en als ik zie hoe hij op de wastafel moet steunen, kan ik me wel voorstellen hoe hij zich verder voelt.

'Volgens mij moet je naar het ziekenhuis,' zeg ik. 'En je moet de politie bellen.'

Hij draait zich naar me toe en krimpt ineen. Elke beweging doet hem zichtbaar pijn. 'Geen ziekenhuis. Geen politie,' kreunt hij. 'Ik zal me morgen wel beter voelen.'

'Geloof je het zelf?' Hij krimpt weer ineen, en ik kan zijn pijn haast voelen. 'Ga zitten,' zeg ik, wijzend naar de rand van het bad. 'Ik zal je wel helpen.'

Carlos moet echt uitgeput zijn, zowel fysiek als mentaal, want hij gaat op de rand van het bad zitten en verroert zich niet wanneer ik de handdoek weer nat maak en voorzichtig het bloed van zijn lippen veeg, dezelfde lippen waarmee hij gisteren nog glimlachte toen ik hem kuste. Nu lacht hij niet.

Ik dep zijn wonden voorzichtig schoon en ben me er pijnlijk van bewust hoe dicht we bij elkaar zitten. Hij pakt mijn hand wanneer ik met de handdoek over zijn opgezwollen gezicht ga. 'Bedankt,' zegt hij terwijl ik in zijn droevige ogen kijk.

Ik moet iets doen om die doordringende blik te ontwijken, dus ik maak de handdoek weer nat en wring hem uit. 'Ik hoop maar dat die andere jongen er nog slechter uitziet.'

Hij lacht zachtjes. 'Het waren er vijf. Ze zien er allemaal beter uit dan ik, al kon ik me wel een tijdje staande houden. Je zou trots op me zijn geweest.'

'Dat betwijfel ik. Ben jij begonnen?'

'Dat weet ik niet meer.'

Vijf jongens? Ik durf niet verder te vragen, want mijn maag draait zich al om als ik naar zijn verwondingen kijk. Maar ik moet weten wat er met hem is gebeurd. Er ligt een envelop op de wastafel. Ik pak hem op en zie er geld uit steken. Briefjes van honderd dollar. Een heel stapeltje. Ik hou Carlos de envelop voor. 'Is dit van jou?' vraag ik aarzelend.

'Min of meer.'

Er schieten wel duizend scenario's door mijn hoofd over hoe Carlos aan dat geld kan zijn gekomen, en ze zijn geen van alle positief. Maar dit is niet het juiste moment om hem te vragen hoe hij aan zo'n grote smak geld komt. Hij is gewond, en misschien moet ik erop staan hem naar het ziekenhuis te brengen.

Ik steek mijn vinger in de lucht. 'Volg mijn vinger met je ogen. Ik wil kijken of je geen hersenschudding hebt.'

Ik kijk goed naar zijn pupillen terwijl zijn ogen mijn bewegende vinger volgen. Hij lijkt in orde, maar hij doet meteen wat ik vraag, zonder zeuren, en dat beangstigt me. Ik zou het een stuk fijner vinden als hij door een arts werd nagekeken.

'Trek je shirt uit,' beveel ik hem terwijl ik wat pijnstillers zoek in mijn medicijnenkastje.

'Waarom, wil je verdergaan waar we zaterdag waren gebleven?'

'Niet grappig, Carlos.'

'Je hebt gelijk. Maar ik moet je waarschuwen. Het zou kunnen dat ik flauwval als ik mijn arm boven mijn hoofd til. Mijn zij doet verrekt veel pijn.'

Aangezien zijn shirt toch al verpest is, pak ik een schaar uit een van de laden en knip de voorkant open.

'Hierna ben jij aan de beurt,' grapt hij.

Ik probeer net te doen alsof we alleen maar vrienden zijn, maar hij blijft me bestoken met dubbelzinnige opmerkingen en dat verwart me. 'Ik dacht dat je niets serieus met me wilde.'

'Dat klopt. Ik wil alleen de pijn verzachten, en ik dacht dat de aanblik van jouw naakte lichaam me daar wel bij zou helpen.'

'Hier,' zeg ik, en ik duw een paracetamol en een plastic bekertje met water in zijn hand.

'Heb je niets sterkers?'

'Nee, maar als je je nou door mij naar het ziekenhuis laat brengen, krijg je daar vast wel wat sterkers.'

Hij geeft geen antwoord en gooit zijn hoofd achterover om de pillen door te slikken. Ik trek zijn stuk geknipte shirt verder uit en moet mijn best doen om niet weer naar adem te happen wanneer ik zijn verwondingen bekijk. Ik had al wel een paar oude littekens op zijn lijf gezien, maar zijn rug en borst zijn vandaag wel heel lelijk toegetakeld.

'Ik heb wel vaker gevochten,' zegt hij, alsof ik me daardoor beter zou voelen.

'Dat kun je dan misschien maar beter niet meer doen,' opper ik, terwijl ik voorzichtig zijn rug en borst schoon dep. 'Je rug zit onder de wonden en blauwe plekken,' zeg ik. Ik kan wel huilen bij de aanblik van al die verwondingen.

'Ik weet het. Ik voel ze stuk voor stuk.'

Als ik al het bloed heb weggeveegd, stap ik naar achteren. Hij probeert te glimlachen, maar zijn lip is zo opgezwollen dat zijn glimlach helemaal scheef trekt. 'Zie ik er al beter uit?'

Ik schud mijn hoofd. 'Dit kun je nooit voor mijn ouders verborgen houden. Zodra ze je zien, zullen ze meteen vragen gaan stellen.'

'Daar wil ik niet over nadenken. Niet nu, tenminste.' Wanneer hij overeind komt, grijpt hij naar zijn maag, grommend van de pijn. 'Ik ga naar bed. Kom morgenochtend maar kijken of ik nog leef.' Carlos pakt zijn shirt en envelop en strompelt naar zijn kamer, waar hij op zijn bed neerploft. Als hij opkijkt en zich realiseert dat ik hem ben gevolgd, zegt hij: 'Had ik je al bedankt?'

'Een paar keer.'

'Mooi. Want ik meende het, en ik zeg zoiets bijna nooit.'

Ik trek de dekens over zijn beurse lijf. 'Dat weet ik.'

Ik wil net de kamer uit lopen, maar dan hoor ik hem in paniek raken, en zijn ademhaling klinkt gehaast. Hij steekt zijn hand naar me uit. 'Niet weggaan. Alsjeblieft.'

Ik ga op de rand van zijn bed zitten en vraag me af of hij bang is om in de steek gelaten te worden. Hij slaat zijn arm om mijn bovenbenen en laat zijn voorhoofd op mijn knie rusten. 'Ik moet je beschermen,' zegt hij zacht.

'Tegen wie?'

'El Diablo.'

'El Diablo? Wie is dat?' vraag ik.

'Dat is nogal ingewikkeld.'

Wat bedoelt hij daarmee? 'Probeer wat te rusten,' zeg ik.

'Dat gaat niet. Mijn hele lijf doet pijn.'

'Ik weet het.' Voorzichtig streel ik de arm die hij om me heen heeft geslagen, tot zijn ademhaling rustiger wordt. 'Ik wou dat ik je kon helpen,' fluister ik.

'Dat doe je al,' mompelt hij met zijn mond tegen mijn knie. 'Laat me gewoon niet in de steek, oké? Iedereen laat me in de steek.'

Zodra ik uit zijn kamer kan wegglippen, ga ik Alex bellen en ga ik hem en mijn vader vertellen wat er is gebeurd. Dan zal Carlos vast niet meer zo dankbaar zijn. Eerder pisnijdig.

43

Carlos

Ik hou Kiara stevig vast, zo sterk heb ik het gevoel dat ik haar moet beschermen. Kon ik me maar bewegen zonder me zo waardeloos te voelen, dan zouden haar zachte strelingen over mijn arm me nooit in slaap kunnen sussen. Ook al zou ik nu het liefst gaan slapen, ik wil Kiara niet uit het oog verliezen. Rodriguez zou haar iets kunnen aandoen en dat mag ik niet laten gebeuren. Zolang Kiara maar veilig is, *está bien*. Ik moet Luis en mamá ook waarschuwen. Maar eerst even slapen om de pijn wat te verzachten... een paar minuten maar. De strelingen van haar vingers over mijn arm verzachten de ergste pijn. Ik doe mijn ogen dicht. Het geeft niet als ik een paar minuutjes in slaap val.

Als ik de deur hoor kraken, doe ik mijn ogen open. Ik realiseer me ineens dat Kiara niet meer naast me zit. Niet dat ik had verwacht dat ze over me zou blijven waken terwijl ik sliep. Ik probeer rechtop te gaan zitten, maar al mijn botten, spieren en gewrichten zijn zo stijf dat mijn lichaam protesteert. Ik geef het op en blijf op mijn zij onder de dekens liggen, in de hoop dat het Kiara is die binnenkomt en niet haar ouders... of nog erger, Brandon. Als dat jochie nu boven op me zou springen, zou dat wel eens nare gevolgen kunnen hebben.

Ik doe mijn ogen dicht. 'Kiara?'

'Ja.'

'Zeg me alsjeblieft dat je alleen bent.'

'Dat kan ik niet.'

Shit. Ik laat mijn hoofd nog dieper in het kussen zakken in een zwakke poging het bewijs op mijn gezicht te verbergen.

'Carlos, vertel me wat er aan de hand is. Nu,' beveelt Westford op afgemeten, militaire toon. Normaal gesproken is hij heel relaxed en kalm... maar nu niet.

'Ik ben in elkaar geslagen,' antwoord ik. 'Over een paar dagen ben ik wel weer de oude.'

'Kun je lopen?'

'Ja, maar vraag me alsjeblieft niet om dat nu te bewijzen. Misschien later. Morgen of zo.'

Westford trekt de dekens van me af en hij vloekt zacht. Ik had niet gedacht dat hij dat in zich had.

'Dat had je beter niet kunnen doen,' zeg ik. Ik heb geen shirt aan, dus hij kan met eigen ogen zien hoe erg het is. Ik kijk op naar Kiara die naast het bed staat. 'Je hebt me verraden. Ik zei nog dat je hun niets mocht vertellen.'

'Je hebt hulp nodig,' zegt ze. 'Dit kun je niet alleen af.'

Westford hurkt neer zodat hij me recht in de ogen kan kijken. 'We gaan naar het ziekenhuis.'

'Mooi niet,' zeg ik.

Ik hoor nog meer voetstappen in de kamer. 'Hoe gaat het met hem?' vraagt mijn broer.

'Heb je iedereen er maar meteen bij gehaald of zo?' vraag ik Kiara.

Mijn broer werpt één blik op me en schudt dan zijn hoofd. Hij wrijft over zijn gezicht, vol frustratie en woede en schuldgevoel. Maar het is niet zijn schuld, het is mijn eigen schuld. Ik heb mezelf in de nesten gewerkt – of ik nu wel of geen keus had – en ik zal er zelf ook weer uit komen. Op dit moment zou ik gewoon het liefst door iedereen met rust gelaten willen worden, want ik wil niet hoeven vertellen wie er allemaal betrokken was bij de vechtpartij en waar het überhaupt over ging.

'Het gaat best. Of het komt in ieder geval wel weer goed,' zeg ik tegen hem.

De professor kijkt zo bezorgd dat je zou denken dat het om zijn eigen zoon ging. 'Hij wil niet naar het ziekenhuis,' zegt hij tegen Alex.

'Daar kan hij niet naartoe,' vertelt Alex hem.

'Dat slaat nergens op, Alex. Welk mens weigert nou naar het ziekenhuis te gaan wanneer hij overduidelijk medische zorg nodig heeft?'

'Mensen zoals wij,' antwoord ik.

'Dit bevalt me niks. Helemaal niks. We kunnen hier niet gewoon maar hulpeloos blijven toekijken. Kijk hem dan, Alex. Hij ligt zowat in de foetushouding. We moeten iets doen.' Ik hoor Westford ijsberen over het tapijt. 'Oké. Charles, een vriend van mij, is arts. Ik kan hem bellen en vragen of hij wil langskomen om te kijken naar Carlos' verwondingen.'

Westford knielt naast me neer. 'Maar als hij zegt dat je naar het ziekenhuis moet,' zegt hij, met zijn vinger waarschuwend in de lucht, 'dan ga je, al schreeuw je de hele boel bij elkaar en moet ik je ernaartoe sleuren.'

Over schreeuwen gesproken... 'Waar is Brandon?' vraag ik. Ik wil niet dat hij me ziet met al die zwellingen.

'Colleen heeft hem naar haar moeder gebracht nadat Kiara ons had verteld wat er aan de hand was. Hij zal een paar dagen bij haar blijven logeren.'

Ik heb hun hele leven in de war geschopt. Het is al erg genoeg dat ik hun eten opeet en een kamer in hun huis bezet hou. Maar nu is hun kind ook nog eens verbannen, alleen omdat ik het heb verkloot. 'Sorry,' zeg ik tegen Westford.

'Maak je daar maar niet druk om. Kiara, ik ga Charles bellen. Laten we Carlos en zijn broer wat privacy geven.' Fuck man, dat is wel het laatste wat ik wil.

Als ze de deur achter zich dicht hebben getrokken, buigt Alex zich over me heen. 'Je ziet er verrot uit, broertje.'

'Dank je.' Ik zie dat zijn ogen rood zijn en vraag me af of hij heeft gehuild toen hij hoorde dat ik in elkaar was geslagen. Ik heb Alex nog nooit zien huilen, ook al hebben we al heel wat meegemaakt. 'Jij ook.'

'Het waren Devlins jongens, hè? Kiara vertelde me dat je zei dat het El Diablo was.'

'Zij zijn degenen die me erin hebben geluisd op school. Ik ben gisteravond ingewijd – tegen mijn zin. Ze zeggen dat ik nu een Devlin ben.'

'Wat een onzin.'

Ook al doet elke beweging pijn, ik kan een lachje niet onderdrukken. 'Zeg dat maar tegen Devlin.' Bij nader inzien... 'Dat was een grapje. Blijf maar ver bij Devlin uit de buurt. Jij hebt al die shit achter je gelaten. Hou dat ook zo. Ik meen het.'

Ik probeer overeind te komen zodat ik zeker weet dat Alex naar me luistert. Hij is mijn broer, mijn bloedverwant. Vaak erger ik me dood aan hem, maar eigenlijk wil ik gewoon dat hij zijn studie afmaakt en later een stelletje irritante mini-Alexjes en mini-Brittany'tjes krijgt. Dit gedoe met Devlin... ik kan gewoon niet met zekerheid zeggen of ik me eruit kan redden. Ik krimp ineen en hou mijn adem in terwijl ik met veel moeite probeer rechtop te gaan zitten.

Alex kucht een paar keer en kijkt dan weg zodat hij mijn gezwoeg niet langer hoeft aan te zien. 'Shit man, niet te geloven dat dit nog een keer gebeurt.' Hij schraapt zijn keel en draait zich dan weer naar me toe. 'Wat zei Devlin? Hij moet toch een bepaalde reden hebben om achter jou aan te zitten.'

Hoe meer hij weet, hoe dieper hij in deze puinhoop zal zitten. Dat kan ik niet laten gebeuren. 'Daar kom ik zelf wel achter.'

'Mooi niet. Ik ga niet weg voor je me alles hebt verteld wat je weet.'

'Dan zul je hier nog wel even zijn. Maak het jezelf maar gemakkelijk.'

Westford klopt aan en komt weer naar binnen. 'Ik heb mijn vriend Charles gebeld. Hij komt eraan.'

Even later komt ook mevrouw W. binnen, met een dienblad in haar hand. 'Arme schat,' zegt ze, waarna ze het dienblad neerzet en zich naar me toe haast. Ze bekijkt mijn kapotte lip en blauwe plekken. 'Hoe is dit gebeurd?'

'Je wil de details niet weten, mevrouw W.'

'Ik haat vechtpartijen. Ze lossen niets op.' Ze pakt het dienblad en zet het op mijn schoot. 'Het is kippensoep,' licht ze toe. 'Mijn oma zei altijd dat dat alles weer beter maakt.'

Ik heb geen honger, maar mevrouw W. is zo trots op haar kippensoep dat ik een hapje neem, zodat ze me in ieder geval niet meer zo bezorgd aankijkt.

'En?' vraagt ze.

Verrassend genoeg gaat de zoute bouillon met vermicelli er best in. 'Het is heerlijk,' antwoord ik.

Ze kijken me allemaal aan als moederkloeken. Bij Kiara voelde ik me prima, maar nu voel ik me kwetsbaar en ik wil even niemand om me heen hebben. Behalve Kiara dan. Waar is ze?

Als de arts er is, is hij bijna een halfuur bezig met het bekijken van al mijn verwondingen. 'Je hebt echt flink gevochten, Carlos.' Hij draait zich om naar Westford. 'Dick, het komt wel weer goed met hem. Geen hersenschudding, geen diepe kneuzingen. Maar hij heeft wel flink gekneusde ribben. Ik kan niet met zekerheid zeggen dat hij geen interne bloedingen heeft, maar hij ziet niet bleek. Hou hem maar een paar dagen thuis van school, dan zal hij zich wel weer beter gaan voelen. Ik kom woensdag terug voor controle.'

Nadat iedereen naar beneden is gegaan voor het avondeten, glipt Kiara weer mijn kamer in. Ze gaat aan de rand van het bed staan en kijkt op me neer. 'Het spijt me niet dat ik ze heb verteld wat er met je is gebeurd. Je bent niet zo onoverwinnelijk als je dacht. En dan nog iets...' Ze bukt zich zodat ze op ooghoogte staat. 'Nu ik weet dat het weer goed komt met je, heb ik besloten dat ik geen medelijden meer met je heb. Als je drugs aan het dealen was, kun je dat maar beter bekennen. Ik weet dat je dat geld in de envelop onder je kussen niet hebt verdiend met het verkopen van mijn koekjesmagneten.'

'Ik vond je leuker toen je medelijden met me had,' zeg ik tegen haar. 'En je overschat jezelf. Ik zou die stomme koekjes van je nog niet kunnen weggeven, laat staan verkopen. En ik deal niet in drugs.'

'Vertel me dan hoe je aan dat geld komt.'

'Het is nogal ingewikkeld.'

Ze rolt met haar ogen. 'Bij jou is alles ingewikkeld, Carlos. Ik wil je helpen.'

'Je zei net dat je geen medelijden met me had. Waarom zou je me dan willen helpen?'

'Eigenlijk is het nogal egoïstisch. Ik kan er niet tegen om mijn nepvriendje pijn te zien lijden.'

'Dus dit gaat om jou, niet om mij?' vraag ik haar geamuseerd.

'Ja. En dan nog iets: je hebt het Homecoming-bal flink voor me verpest.'

'Hoe dan?'

'Voor het geval je de posters niet hebt zien hangen op school: het is volgend weekend al. Als je niet kunt lopen, zul je al helemaal niet kunnen dansen zaterdagavond.'

44

Kiara

Op woensdag wil Carlos per se weer naar school. Hij zegt dat hij zich beter voelt, al merk ik dat hij zich langzamer beweegt dan normaal en nog steeds pijn heeft. Hij heeft een blauw oog en zijn lip is nog steeds opgezwollen, maar daardoor ziet hij er juist nog stoerder en sterker uit... De meeste leerlingen van Flatiron staren en wijzen naar ons als we door de gang lopen. Telkens als Carlos iemand ziet kijken, slaat hij zijn arm om me heen. Het is helemaal niet leuk om zijn vriendin te spelen als we alleen maar worden nagestaard. Maar we zijn in ieder geval samen, en ik voel me gesterkt door hoe hij zich houdt onder al dat geroddel.

Als ik zit te lunchen met Tuck, komt Carlos naar ons toe lopen. 'Getsie,' zegt Tuck. 'Ik krijg haast tranen in mijn ogen als ik naar dat dichtgeslagen oog van je kijk. Doe ons allemaal een plezier en draag een ooglapje of zo. Of een blinddoek.'

Voordat ik Tuck onder tafel een trap kan geven, pakt Carlos de rugleuning van zijn stoel en kiept hem om. 'Opzouten, fucker.'

'Ik heet Tucker,' zegt Tuck. Hij glijdt steeds verder van zijn stoel af maar blijft zich krampachtig vasthouden.

'Wat jij wilt. Ik moet met Kiara praten, onder vier ogen.'

'Hou eens op met ruziën, jullie twee,' zeg ik. 'Carlos, je kunt Tuck niet zomaar wegsturen.'

'Zelfs niet als ik je mee wil vragen naar het Homecoming-bal?'

Ik bijt op mijn lip. Dat meent hij vast niet. Dat kan niet. Hij kan me nooit meenemen naar het Homecoming-bal terwijl hij zich drie dagen geleden nog amper kon bewegen. Ik zie heus wel dat hij zijn best moet doen om niet ineen te krimpen telkens wanneer hij moet bukken om zijn boeken uit zijn kluisje te pakken of op een stoel te gaan zitten. Hij vertelde me dat hij van de arts moest blijven bewegen zodat hij niet stijf zou worden, maar hij is geen superheld. Al wil hij dat volgens mij wel zijn.

Tuck wijst naar de grond. 'Ga je op je knieën? Want iedereen zit toch al naar jullie te staren. Ik kan er een foto van maken met mijn mobiel voor in het jaarboek.'

'Tuck,' zeg ik, opkijkend naar mijn beste vriend. 'Opzouten.'

'Oké, oké. Ik ga wel bij Jake Somers zitten. Misschien raak ik wel zo geïnspireerd door Carlos dat ik genoeg moed verzamel om hem mee te vragen naar het Homecoming-bal.'

Carlos schudt zijn hoofd. 'Niet te geloven dat ik ooit heb gedacht dat je iets met hem had.' Als Tuck weg is, komt Carlos op de stoel naast me zitten. Ik zie dat hij zijn adem inhoudt als hij vooroverbuigt om te gaan zitten. Het lukt hem aardig om zijn pijn te verbergen, want volgens mij ziet niemand anders het. Maar ik wel. Hij reikt in zijn zak en haalt een kaartje voor het Homecoming-bal tevoorschijn. 'Wil je met me naar het Homecoming-bal?'

Hij heeft zijn aandacht helemaal op mij gericht en het kan hem niet schelen wie er allemaal meekijkt. Ik daarentegen ben me er maar al te sterk van bewust dat alle ogen op mij zijn gericht, alsof het dartpijltjes zijn. 'Waarom vraag je me nu, midden in de kantine?'

'Ik heb het kaartje net gekocht. Laten we het erop houden dat ik er zeker van wilde zijn dat je nog steeds met mij zou gaan.'

Sinds hij in elkaar is geslagen lijkt hij erg kwetsbaar en onzeker. Dat maakt me zenuwachtig, want ik weet nooit of hij me uiteindelijk toch weer van zich af zal duwen. Ik zou wel kunnen wennen aan deze Carlos, de Carlos die niet bang is om me te vertellen dat hij graag bij me wil zijn. Maar het maakt me ook emotioneel, en hoe emotioneler ik word, hoe meer ik ga stotteren. 'Je kunt je amper b-b-bewegen, Carlos. Je hoeft d-d-dit niet te doen.'

'Maar ik wil het graag.' Hij haalt zijn schouders op. 'Bovendien kan ik niet wachten om jou op hakken en in een jurk te zien.'

'W-w-wat trek jij dan aan?' vraag ik. 'Een pak met een stropdas?'

Hij steekt het kaartje weer in zijn zak. 'Ik dacht meer aan een spijkerbroek en een T-shirt.'

Spijkerbroek? T-shirt? Zulke kleding is helemaal niet geschikt voor een Homecoming-bal, en bovendien... 'Dan passen we niet bij elkaar.

Ik kan toch geen boutonnière vastspelden op een T-shirt?'

'Boutonnière? Wat is dat nou weer, en waarom zou ik willen dat je het op mijn shirt speldt?'

'Zoek maar op in het woordenboek,' antwoord ik.

'Als je toch bezig bent, amigo,' zegt Tuck, die ineens achter Carlos op-duikt, 'zoek dan ook maar meteen het woord "corsage" op.'

45

Carlos

cor-sa-ge (kor-saa-zje) [zelfst. nw.] Een klein versiersel van bloemen gedragen om de pols of op een kledingstuk.

Dat staat er in het woordenboek. Bij REACH hebben ze een kleine kamer met een stapel zelfhulpboeken die ze de bibliotheek noemen. Gelukkig stond er ook een woordenboek tussen, en het eerste wat ik deed
toen ik hier vanmiddag aankwam was het openslaan. Het zou Kiara vast
verbazen dat ik die woorden ook echt heb opgezocht. Maar nu vraag ik
me af hoe ik aan een fatsoenlijke outfit voor het Homecoming-bal moet
komen. En ik pieker me al helemaal suf over de vraag waar ik in godsnaam zo'n corsage vandaan moet halen.

Voor Berger de kamer binnenkomt om te beginnen met onze knus-
se groepstherapie, of welke politiek correcte term ze nu weer hebben
bedacht voor ons groepje losers, komen Zana en Justin naar me toe.

'Wat is er met jou gebeurd?' vraagt Justin. 'Ben je een paar keer over-
reden door een vrachtwagen?'

Zana, die weer eens zo'n kort rokje draagt dat ze nog naar huis gestuurd wordt, neemt een hap van een van de brownies die voor ons zijn
klaargezet. 'Ik heb gehoord dat je bent ingelijfd door een stelletje gangsters hier uit de buurt die om territorium vechten,' zegt ze zacht, zodat
de rest het niet kan horen.

'Jullie hebben het allebei mis.' Ik laat me op een stoel glijden en hoop
maar dat Berger me niet ook nog gaat uithoren over de vechtpartij. Man,
ik heb eindelijk Alex zover gekregen om erover op te houden. Ik zei hem
dat hij zich er niet mee moest bemoeien en heb beloofd dat ik hem zou
waarschuwen als Devlin of zijn jongens me nog eens komen opzoeken.

Zoals ik al eerder zei, ik geloof niet in beloftes. Waarom zijn mensen
toch zo naïef?

Keno komt te laat binnen, en ik merk meteen dat hij me negeert. Normaal gesproken zou het me niet eens opvallen, maar alle anderen staren me met grote ogen aan, alsof mijn gezicht is overgenomen door een buitenaardse levensvorm. Ik ben blij dat ik hen zondag niet ben tegengekomen. Ik zie er nu stukken beter uit.

Berger komt de kamer binnen, maar loopt meteen de gang weer op zodra ze mij ziet. En ja hoor, na een minuut verschijnen Kinney en Morrisey in de deuropening.

Morrisey wijst naar mij. 'Carlos, meekomen.'

Kinney en Morrisey brengen me naar een klein zijkamertje. Het lijkt op de spreekkamer van een arts, compleet met van die doosjes aan de muur om naalden in weg te gooien. Maar er is één verschil. Er staat een toilet in de hoek, afgeschermd door een gordijntje.

Morrisey wijst naar mijn gezicht. 'Je voogd heeft je maandag en dinsdag afgemeld. Hij zei dat je hebt gevochten. Wil je ons erover vertellen?'

'Niet echt.'

Kinney stapt naar voren. 'Oké, Carlos, het werkt als volgt. Door hoe je eruitziet, vermoeden we dat je de afgelopen week iets hebt gebruikt. Vechtpartijen gaan meestal gepaard met drank en drugs. We gaan een urinetest bij je afnemen. Ga je handen wassen daar bij de wasbak.'

Het liefst zou ik met mijn ogen rollen en zeggen dat in elkaar geschopt worden nog niet betekent dat je aan de drugs zit. Maar ik haal alleen mijn schouders op. 'Mij best,' zeg ik, nadat ik mijn handen heb gewassen. 'Geef me maar een bekertje, dan ben ik er maar vanaf.'

'Als de test positief is, word je geschorst,' zegt Morrisey, terwijl hij een van de kasten opentrekt en een urinebekertje pakt. 'Je kent de regels.'

Ik wil het bekertje aanpakken, maar Kinney steekt zijn hand op. 'Ik zal je uitleggen wat je moet doen. Je kleed je in ons bijzijn uit tot op je ondergoed, en daarna stap je achter dat gordijn om in het bekertje te plassen.'

Ik gooi mijn shirt op een van de stoelen en wurm me dan uit mijn spijkerbroek. Ik spreid mijn armen en draai een rondje. 'Zo tevreden?' vraag ik hun. 'Ik heb geen verboden waar bij me.'

Morrisey geeft me het bekertje. 'Je hebt vier minuten de tijd. En niet doortrekken, anders moeten we de hele procedure weer opnieuw doen.'

Ik stap achter het gordijn met het bekertje in mijn hand en plas erin.

Ik moet toegeven dat het best vernederend is dat Morrisey en Kinney meeluisteren terwijl ik sta te pissen, al is het voor hen een routineklus.

Als ik klaar ben en me weer heb aangekleed, krijg ik de instructie om mijn handen nog eens te wassen en terug te gaan naar de groep. De resultaten komen morgen pas binnen, dus tot die tijd mag ik weer gaan. Ik stap de kamer weer binnen en iedereen staart me aan, behalve Keno. Ze kennen de procedure, en ze hebben waarschijnlijk wel begrepen dat ik zojuist ben getest.

'Welkom terug,' zegt Berger. 'Zo te zien heb je een zware week achter de rug. We hebben je gemist.'

'Ik moest op bed blijven.'

'Wil je ons erover vertellen? Alles wat hier wordt verteld, blijft onder ons. Of niet, jongens?'

Iedereen knikt, maar ik zie Keno zachtjes mompelen en hij blijft mijn blik ontwijken. Hij weet iets, en ik wil weten wat. Maar het is lastig om hem onder vier ogen te spreken, want hij smeert 'm altijd gelijk na elke bijeenkomst.

'Geef iemand anders maar het woord,' antwoord ik haar.

'Hij heeft iets met Kiara Westford,' bemoeit Zana zich ermee. 'Ik zag hem op school door de gang lopen met zijn arm om haar heen. En mijn vriendin Gina zag ze bij elkaar zitten tijdens de lunchpauze en hoorde dat hij haar meevroeg naar het Homecoming-bal.'

Dat was de laatste keer dat ik iets in het openbaar heb gedaan. 'Kun je je niet met je eigen zaken bemoeien?' vraag ik Zana. 'Serieus, heb je niets beters te doen dan roddelen met je stomme vriendinnen?'

'Hou je bek, Carlos.'

'Zo is het genoeg. Zana, zo praten we hier niet. Ik tolereer geen grove taal. Ik geef je een waarschuwing.'

Berger pakt haar pen en schrijft iets op haar notitieblok. 'Carlos, vertel eens over het Homecoming-bal.'

'Er valt niets te vertellen. Ik ga ernaartoe, met een meisje, meer niet.'

'Is het een bijzonder meisje?'

Ik kijk naar Keno. Als hij banden heeft met Devlins mensen, geeft hij misschien informatie aan hen door. Gelooft Berger nou echt dat alles wat er tijdens onze groepstherapie wordt gezegd ook onder ons blijft? Zodra we hier klaar zijn, belt Zana vast meteen met haar stomme vriendinnen om elk beetje informatie dat ze uit ons heeft weten te persen aan hen door te vertellen.

'Kiara en ik zijn nogal een... ingewikkeld verhaal,' vertel ik de groep.

Ingewikkeld. Dat lijkt een terugkerend thema in mijn leven de laatste tijd. De rest van de groepssessie richt zich op Carmela, die klaagt dat haar vader zo ouderwets is. Hij heeft haar verboden met haar vrienden naar Californië te gaan tijdens de kerstvakantie. Carmela zou ouders als de Westfords moeten hebben, die geloven dat iedereen zijn eigen weg moet vinden en zijn eigen fouten moet kunnen maken (tot je in elkaar wordt geslagen, dan laten ze je ineens niet meer met rust). Ze zijn het tegenovergestelde van Carmela's ouders.

Als de REACH-bijeenkomst is afgelopen, volg ik Keno het gebouw uit. 'Keno,' roep ik, maar hij loopt door. Ik vloek in mezelf en begin dan te rennen om hem in te halen voordat hij in zijn auto stapt. 'Jezus man, wat is jouw probleem?'

'Ik heb geen probleem. Aan de kant.'

Ik blijf tussen hem en zijn auto in staan. 'Je werkt voor Devlin, of niet?' zeg ik.

Keno kijkt om zich heen, alsof hij vermoedt dat iemand ons ziet praten. 'Laat me met rust, verdomme.'

'Dat gaat mooi niet gebeuren. Jij weet iets, en dat betekent dat jij en ik beste vriendjes gaan worden. Ik blijf je lastigvallen tot je me alles wat je weet over mij of Devlin hebt verteld.'

'Je bent een pendejo.'

'Ik ben wel voor erger uitgemaakt. Daag me niet uit.'

Hij lijkt wat nerveus. 'Stap maar in dan, voor iemand ons ziet.'

'De vorige keer dat iemand me dat zei, ben ik door vijf pendejos in elkaar geslagen.'

'Doe het nou maar. Anders zeg ik niets.'

Ik wil al bijna door het raampje naar binnen hoppen, maar realiseer me dan dat alleen Kiara's auto een portier heeft dat vastzit. Keno rijdt de parkeerplaats af. Alex zit op me te wachten bij de garage. Ik weet zeker dat hij groot alarm zal slaan als ik niet kom opdagen, dus bel ik hem op.

'Waar ben je?' vraagt mijn broer.

'Bij een... vriend.' Hij is niet echt een vriend van me, maar het heeft geen zin om Alex ongerust te maken. 'Ik zie je later,' zeg ik, en hang dan op voor hij kan protesteren.

Keno zegt niets tot hij voor een klein appartementencomplex buiten de stad parkeert. 'Volg mij,' zegt hij, en hij gaat me voor het gebouw in.

Binnen begroet hij zijn moeder en zusjes in het Spaans. Hij stelt me aan hen voor en dan lopen we naar het achterste deel van het appartement. Zijn kleine slaapkamer voelt vreemd vertrouwd aan. Ik herken het meteen als de slaapkamer van een Mexicaanse tiener. De crèmekleurige muren hangen vol met familiefoto's. De Mexicaanse vlag aan de muur en de groen-wit-rode stickers op het bureau stellen me op mijn gemak, al weet ik dat ik op mijn hoede moet zijn bij Keno. Ik weet gewoon niet wat ik aan hem heb.

'Wil je een sigaret?' vraagt Keno terwijl hij een pakje sigaretten tevoorschijn haalt.

'Nee.' Ik heb sigaretten nooit veel aan gevonden, ook al ben ik opgevoed door een stelletje rokers. Mi'amá rookt en Alex rookte ook, tot hij iets met die schoonheidskoningin kreeg. Als hij me nou een paar pijnstillers zou aanbieden, zou ik ze waarschijnlijk wel aannemen. Ik heb zo'n beetje de hele tijd op bed gelegen sinds zondag, en mijn lichaam is nog steeds stijf.

Keno haalt zijn schouders op en steekt er een op. 'Morrisey heeft vandaag een drugstest bij je gedaan, hè?'

Blijkbaar wil hij eerst wat slap ouwehoeren voor we het gaan hebben over de echte reden dat hij me hier mee naartoe heeft genomen. 'Yep.'

'Kom je daar doorheen, denk je?'

'Ik maak me geen zorgen.' Ik leun tegen de vensterbank terwijl Keno al paffend op zijn bureaustoel gaat zitten. Die jongen lijkt zich helemaal nergens druk om te hoeven maken en daar ben ik nu maar wat jaloers op. 'Berger kreeg zowat een hartaanval toen ze je zag vandaag.'

'Je kunt wel Spaans tegen me praten, hoor.'

'Ja, maar als ik Spaans spreek, weet mijn moeder wat ik zeg. Ze kan beter van niets weten.'

Ik knik. Het is altijd beter dat ouders van niets weten. Jammer genoeg moest ik gisteren mijn oom Julio bellen om hem in te lichten over wat hier allemaal is gebeurd. Hij beloofde me dat hij ervoor zou zorgen dat Luis en mi'amá bescherming krijgen, zonder hen onnodig bang te maken. Hij was er niet bepaald blij mee dat ik bij Devlin betrokken ben geraakt, maar hij denkt toch al dat ik nergens voor deug, dus verbaasd was hij niet.

Ik zou wel willen bewijzen dat ik geen hopeloos geval ben, maar dat zal me niet gauw lukken. Ik ben er al mijn hele leven erg goed in om de boel te verkloten. Het stelt me gerust om te weten dat Kiara en haar ouders vinden dat iedereen op elk moment met een schone lei kan beginnen.

'Dus je hebt iets met die chick Kiara, hè?' Hij blaast wat rook uit. 'Is ze lekker?'

'Superlekker,' zeg ik, wetend dat Keno geen idee heeft wie ze is omdat hij niet op Flatiron zit. Ik zie haar weer voor me in haar VOEL JE TOP, BEKLIM EEN VIERDUIZENDER-shirt. Ik moet toegeven dat ik meestal niet op meiden als Kiara val, en Keno zou haar al helemaal niet aantrekkelijk vinden, maar de laatste tijd kan ik niets sexyers bedenken dan een meisje dat weet hoe je moet solderen en stomme koekjesmagneten kan maken. Ik moet haar echt uit mijn hoofd zetten, alleen wil ik dat helemaal niet. Nog niet. Misschien na het Homecoming-bal. Bovendien moet ik haar bij me in de buurt houden om haar tegen Rodriguez en Devlins jongens te beschermen.

Over Devlin gesproken... 'Genoeg geluld, Keno. Vertel me alles wat je weet.'

'Ik weet dat jij nu een van Devlins jongens bent. Daar hebben ze het allemaal over...'

'Wie?'

'De Six Point Renegados, ook wel bekend als de R6.' Hij trekt zijn shirt omhoog en laat een tattoo van een zwarte zespuntige ster zien met een grote blauwe R in het midden. 'Je zit diep in de shit, *ese*. Devlin is gestoord, en de R6 is er niet blij mee dat hij zijn gebied steeds verder uitbreidt. De R6 was hier de baas, tot Devlin alles overhoop kwam gooien. Er staat een oorlog op stapel en Devlin is jongens aan het rekruteren die goed kunnen vechten. Op dit moment heeft hij alleen een stelletje sukkelige bag boys in dienst die ongeveer net zoveel oproken als ze verkopen. Hij heeft strijders nodig. Eén blik op jou, Carlos, en je ziet meteen dat je een strijder bent, een guerrero.'

'Hij zei dat hij me als bag boy wilde inzetten.'

'Trap er niet in. Hij zal je inzetten voor wat hij maar wil, wanneer hij maar wil. Als er een levering binnenkomt uit Mexico, wil hij er Mexicanen bij hebben. Hij weet dat we gringo's niet vertrouwen. Als hij een soldaat nodig heeft om een straatgevecht uit te vechten, heeft hij jou tot zijn beschikking.'

Keno kijkt me aan en probeert mijn reactie te peilen. Maar eigenlijk wist ik dit allemaal al, behalve het nieuws over de R6. Lekker dan, ik ben gerekruteerd voor een drugsoorlog die alleen maar om geld draait.

'Waarom vertel je me dit?' vraag ik. 'Wat heb jij daar voor belang bij?'

Keno leunt naar voren, neemt een trekje en blaast de rook langzaam uit in een lange sliert. Hij kijkt me aan met een ernstige blik. 'Ik stap eruit.'

'Eruit?'

'Sí. Eruit. Ik ga ervandoor, naar een plek waar niemand me kan vinden. Ik heb genoeg van al die mierda, Carlos. Shit man, misschien dringt al dat gezeik bij REACH dan toch tot me door. Telkens wanneer Berger zegt dat we onze toekomst zelf in de hand hebben, denk ik: mens, je weet niet waar je het over hebt. Maar wat nou als ik wel mijn eigen toekomst kan bepalen, Carlos? Wat als ik gewoon zou vertrekken en ergens anders opnieuw zou beginnen?'

'Wat ga je dan doen?'

Hij lacht. 'Wat ik maar wil, man. Shit, misschien vind ik wel een baantje en haal ik op een dag mijn eindexamen zodat ik kan gaan studeren. Misschien trouw ik wel en krijg ik een stel kinderen die niet eens weten dat hun vader vroeger een gangster was. Ik heb altijd rechter willen worden. Je weet wel, om het systeem te veranderen zodat tieners niet in een uitzichtloze situatie terechtkomen, zoals ik. Dat heb ik opgeschreven op Kinney's doelenlijstje. Je vindt het vast stom dat ik rechter wil worden terwijl ik ben gearresteerd voor drugsbezit...'

'Het is niet stom,' onderbreek ik hem. 'Ik vind het cool.'

'Echt?' Hij wuift de rook uit zijn gezicht, en voor het eerst zie ik de mengeling van angst en verwachting in zijn ogen. 'Wil je mee? Ik vertrek aan het eind van de maand, met Halloween.'

'Dat is over drie weken.' Weggaan uit Colorado zou betekenen dat ik van Devlin af ben en dat mijn broer en de Westfords weer een normaal leven kunnen leiden. Dat ze geen last meer van mij en mijn problemen hebben. En dan kan Kiara ook verder met haar leven, een leven waarin toch geen plaats zou zijn voor mij. Ze zal zich al snel realiseren dat ik haar helemaal niets te bieden heb. Het laatste waar ik behoefte aan heb is haar met andere jongens te zien uitgaan. Ik zou het al helemaal niet trekken als ze teruggaat naar die Michael. Ik zou wel gek zijn om te denken dat wat er nu tussen ons speelt zou kunnen uitgroeien tot iets blijvends.

Ik knik naar Keno. 'Je hebt gelijk, ik moet hier weg. Maar ik moet eerst terug naar Mexico om ervoor te zorgen dat mijn familie veilig is. Als ik hier wegga, zijn zij het enige wat ik nog heb.'

46

Kiara

Mijn moeder was niet verbaasd toen ik haar vertelde dat ik met Carlos naar het Homecoming-bal ga. Ze zei dat ze me vrijdag mee zou nemen naar het winkelcentrum om een jurk uit te zoeken. Het duurde even, maar uiteindelijk vond ik in een winkel met vintage kleding, een lange, mouwloze jurk van zwart satijn. Alle rondingen van mijn lichaam komen erin uit. Normaal gesproken zou ik echt nooit iets dragen wat zo strak zit en zo'n hoge split heeft aan de zijkant, maar toen ik hem aantrok voelde ik me mooi en zelfverzekerd. Ik moest meteen denken aan Audrey Hepburn in *Breakfast at Tiffany's*.

Toen ik met de jurk thuiskwam, ben ik snel naar mijn kamer geglipt om hem in mijn kast te hangen. Ik wil niet dat Carlos hem al ziet voor ik hem aandoe naar het bal.

Zaterdagmorgen zijn we vroeg opgestaan om met het hele gezin, inclusief Carlos, naar de footballwedstrijd te gaan kijken. Flatiron won met 21-13, dus iedereen was vrolijk en uitgelaten. Na de wedstrijd zei Carlos dat hij nog wat dingen moest regelen voor het feest, en ik ben met mijn moeder meegegaan om schoenen te kopen.

Ze pakt een paar zwarte ballerina's uit het rek met kleine gespjes aan de zijkant. 'Wat vind je van deze? Ze zien eruit alsof ze lekker zitten.'

Ik schud mijn hoofd. 'Ik zoek geen schoenen die lekker zitten.'

Ik loop door de winkel en let erop dat ik geen hakken uitkies die er volgens Carlos uitzien als 'omaschoenen'. Mijn blik valt op een zwarte satijnen pump met een smalle hak van negen centimeter en een vintage gesp rond de enkel. Ze zijn perfect. Ik weet niet of ik er wel op kan lopen, maar ze passen goed bij mijn jurk en zien er mooi uit. 'Wat vind je van deze?' vraag ik mijn moeder.

Haar ogen worden groot. 'Die? Weet je het zeker? Met die hakken ben je nog langer dan je vader.'

Mijn moeder heeft niet eens pumps met hakken van vijf centimeter, laat staan zulke hoge als deze.

'Ik vind ze geweldig,' zeg ik.

'Dan moet je ze maar passen. Ze zijn voor jouw speciale dag.'

Een kwartier later loop ik de winkel uit met de schoenen, dolblij dat ik het perfecte paar heb gevonden voor onder de perfecte jurk. Ik wil dat alles perfect is vanavond. Hopelijk voelt Carlos zich niet onder druk gezet, ook al heb ik hem zo'n beetje gedwongen om me te vragen. Ik hoop dat we er gewoon een leuke avond van kunnen maken en vergeten wat er vorig weekend is gebeurd. Ik verwacht niet dat we veel zullen dansen omdat hij nog niet helemaal beter is, maar dat geeft niet. Ik ben al blij om er samen met hem naartoe te gaan, of we nu een echt stel zijn of niet.

'We moeten de boutonnière nog ophalen,' zegt mijn moeder als we in de auto stappen.

'Die heb ik vanmorgen al opgehaald.'

'Mooi. Ik heb mijn fototoestel bij de hand. Pap is de videocamera aan het opladen... we zijn er helemaal klaar voor. We zullen de foto's maandag naar Carlos' moeder sturen, zodat ze ook nog een beetje kan meegenieten.'

Als we weer thuis zijn, sluit ik me op in mijn kamer om te oefenen met lopen op mijn nieuwe schoenen. Bij elke stap heb ik het gevoel dat ik vooroverval, en het kost me een uur voor ik het een beetje onder de knie heb. Tuck komt langs en maakt me nog nerveuzer als hij me een doos vol cadeautjes geeft voor vanavond.

'Maak maar open,' zegt Tuck terwijl hij me de doos overhandigt.

Ik til het deksel op en kijk in de doos. Ik haal een zwarte jarretel tevoorschijn.

'Je hoort toch geen jarretel te dragen naar het Homecoming-bal?'

'Deze is speciaal voor het Homecoming-bal gemaakt. Kijk, er hangt een klein nepgouden footballbedeltje aan.' Ik gooi hem op mijn bed en haal dan het volgende cadeautje tevoorschijn. Roze lipgloss.

Tuck haalt zijn schouders op terwijl ik hem opendraai. 'Persoonlijk vind ik het echt smerig, maar ik heb gehoord dat heterojongens juist wel op glanzende lippen vallen. Er zit ook een oogpotlood en een mascara bij. De dame in de winkel heeft ze aangeraden.'

Ik begin alles uit de doos te halen, maar stop dan en kijk Tuck aan. 'Waarom heb je al deze spullen eigenlijk voor me gekocht?'

Hij haalt zijn schouders op. 'Ik wilde gewoon niet... dat je iets zou mislopen. Je vindt hem leuk, of je dat nu wel of niet wilt toegeven. Ik weet dat ik hem vaak loop af te kraken, maar misschien zie jij iets in hem wat de rest van ons niet ziet.'

Tuck is een fantastische beste vriend. 'Wat lief van je,' zeg ik, terwijl ik wat pepermuntjes uit de doos haal en... twee condooms. Ik hou ze omhoog. 'Je hebt toch geen condooms voor me gekocht, hè?'

'Nee, wees maar niet bang. Ik heb ze meegenomen uit het kantoortje van de schoolarts. Ze delen die gewoon uit als je er een wil... of twee. Maar je kunt hem beter wel vragen of hij allergisch is voor latex. Als dat zo is, heb je vette pech.'

Ik denk aan seks met Carlos en mijn wangen beginnen te gloeien. 'Ik ben niet van plan om seks te hebben vanavond.' Ik gooi de vierkante verpakkingen op het bed, maar Tuck pakt ze weer op.

'Daarom heb je die condooms juist nodig, sufferd. Als je het niet van plan bent en het komt er toch van, dan ben je niet voorbereid en dan raak je straks nog zwanger of loop je een ziekte op. Doe me een lol en stop ze in je handtas of steek ze tussen je corrigerende onderbroek.'

Ik sla mijn armen om Tuck heen en kus hem op zijn wang. 'Wat fijn dat je zoveel om me geeft. Ik vind het heel jammer dat Jake niet met je mee wilde naar het Homecoming-bal.'

Tuck lacht. 'Dan heb ik nog een nieuwtje voor je.'

'Wat dan?'

'Jake belde me ongeveer een uur geleden. Hij wil niet naar het Homecoming-bal... maar hij wil wel met me chillen vanavond.'

'Dat is fantastisch. Ik dacht trouwens dat hij hetero was.'

'Wat mankeert jou toch? Je hebt echt totaal geen gaydar, en dat voor iemand met een homo als beste vriend. Jake Somers is net zo homo als ik, geloof mij maar. Maar ik moet bekennen dat ik zo nerveus en ongerust en opgewonden ben, dat ik maar hoop dat ik het niet verpest. Ik vind Jake stiekem al een hele tijd leuk.' Tuck loopt naar mijn bureaula en haalt het schift met de VOORWAARDEN VOOR AANTREKKELIJKHEID tevoorschijn. Hij scheurt alle bladzijdes eruit en versnippert ze.

'Wat d-d-doe je n-n-nou?'

'Mijn voorwaarden voor aantrekkelijkheid verscheuren. Ik heb iets ontdekt.'

'Wat dan?'

Tuck gooit de papiersnippers in de prullenbak. 'Dat er geen voorwaarden voor aantrekkelijkheid bestaan. Jake is totaal niet het type waar ik normaal op val. Hij heeft niet dezelfde interesses als ik, hij haat Ultimate Frisbee en hij vindt het leuk om in zijn vrije tijd poëzie te lezen en te analyseren. Maar toch kan ik deze jongen maar niet uit mijn hoofd zetten. Hij zei dat hij vanavond met me wilde chillen. Wat bedoelt hij met chillen?'

'Daar ben ik ook nog steeds niet achter.' Ik pak een van de condooms en gooi hem naar Tuck. 'Neem jij er ook maar een mee, voor de zekerheid.'

47

Carlos

'Ik zei toch dat je me ooit nog eens zou bellen,' zegt Brittany terwijl we door het winkelcentrum lopen.

Ik heb haar gisteren gebeld om te vragen of we vandaag konden afspreken na de footballwedstrijd van Flatiron. Ik heb haar hulp nodig, want zij is de enige die ik ken die deftig genoeg is om verstand te hebben van al die Homecoming-shit.

'Ja ja, hou er maar over op,' antwoord ik. 'Het verbaast me dat Alex er niet bij is. Jullie doen altijd alles samen.'

Ze houdt haar aandacht op de rekken met driedelige pakken gericht en zoekt er een paar voor me uit om te passen. 'Laten we het niet over Alex hebben.'

'Waarom niet, hebben jullie ruzie gehad?' zeg ik grappend, want ik geloof geen moment dat mijn broer ruzie zou maken met zijn vriendin.

Brittany knippert een paar keer met haar ogen, alsof ze haar best moet doen om niet in huilen uit te barsten. 'Toevallig zijn we gisteren uit elkaar gegaan.'

'Dat meen je niet.'

'Jawel, en ik wil er niet over praten, dus ga nu die pakken maar passen voor ik nog begin te janken midden in de winkel. Dat wil je niet meemaken.' Ze duwt de pakken in mijn handen en stuurt me naar de paskamer. Als ik omkijk, zie ik dat ze een tissue uit haar tas heeft gepakt om haar ogen te deppen.

Wat is dit nou weer? Geen wonder dat mijn broer niet veel heeft gezegd de laatste tijd en me sinds zondag niet meer heeft uitgehoord over Devlin. Hoe kon hij het nou verknallen met Brittany, het meisje dat volgens hem zijn leven heeft veranderd?

Met geld uit Devlins envelop koop ik het pak waarin ik er volgens

Brittany uitzie als een model. Daarna halen we de corsage op die ik gister heb besteld, nadat ik een bloemist had gevonden die er op zo'n korte termijn nog een voor Kiara wilde maken. Als we eenmaal in de auto zitten, lijkt het me wel veilig om Brittany te vragen naar hun breuk. Als ze nu moet huilen, zal niemand de uitgelopen mascara op haar wangen zien.

Ik kan me niet langer inhouden. Mijn nieuwsgierigheid wint het. 'Jij en mijn broer vormen een misselijkmakend perfect stel, dus wat is er aan de hand?'

'Vraag maar aan je broer.'

'Ik zit hier nu toevallig met jou, en niet met hem. Tenzij je wilt dat ik hem bel...' Ik haal mijn telefoon uit mijn zak.

'Nee!' roept ze. 'Waag het niet hem te bellen. Op dit moment heb ik totaal geen behoefte om hem te zien, te horen, of ook maar iets met hem te maken te hebben.'

O shit, dit is niet best. Ze maakt geen grapje, dus ik moet snel iets bedenken. 'Zet me maar af bij de garage. Ik mag Alex' nieuwe auto lenen vanavond.'

'Je mag mijn auto wel lenen,' zegt ze zonder met haar ogen te knipperen.

O shit. Nu moet ik een smoesje bedenken waarom ik per se mijn broers nieuwe auto wil lenen in plaats van een vette BMW-cabrio. 'Kiara houdt van oude auto's. Ze zal enorm teleurgesteld zijn als ik aankom in een BMW terwijl ze een Monte Carlo verwacht. Ze is nogal een vreemde meid, weet je. En ze raakt snel overstuur. Ik wil niet dat ze huilend en stotterend op het Homecoming-bal aankomt.'

'Blijf je net zo lang uit je nek kletsen tot ik je afzet bij de garage?'

'Zo ongeveer.'

Als we voor een stoplicht staan, zucht Brittany en haalt diep adem. 'Goed, ik breng je wel. Maar verwacht niet dat ik uitstap of met hem praat.'

'Maar ik leen zijn auto, dus hij heeft een lift naar huis nodig. Kun jij dat doen, zodat ik me kan klaarmaken voor het feest?' Ik word al misselijk bij de gedachte aan mijn broer en Brittany als stel, maar de gedachte dat ze niet meer samen zijn en zich doodongelukkig voelen, is gewoon... *no está bien*, het is niet goed. Ik maak het ze soms moeilijk, maar diep vanbinnen ben ik gewoon jaloers op hun relatie. Als zij samen zijn, kan de hele wereld vergaan zonder dat ze het zouden merken of er iets om zouden geven, zolang ze elkaar maar hebben.

'Niet doordrammen, Carlos,' zegt Brittany. 'Ik zet je af en dan ga ik weer. Maar ik zal je wel nog wat advies geven voor vanavond – en dan hou ik mijn mond. Gedraag je vanavond eens wat minder brutaal en egoïstisch en behandel Kiara als een prinses. Geef haar het gevoel dat ze speciaal is.'

'Denk je dat ik brutaal en egoïstisch ben?' vraag ik.

Ze begint te lachen. 'Dat dénk ik niet, Carlos. Dat wéét ik. Een van de slechte eigenschappen van de familie Fuentes, helaas.'

'Ik zou het eerder een pluspunt noemen. Daarom zijn wij Fuentes-broers juist zo onweerstaanbaar.'

'Ja hoor, tuurlijk,' zegt ze. 'Daarom lopen al jullie relaties juist op de klippen. Als je wilt dat Kiara geweldige herinneringen overhoudt aan vanavond, denk dan aan wat ik heb gezegd en gedraag je.'

'Heb ik je wel eens verteld dat Alex zoveel van je houdt dat hij je naam overal op zijn lichaam heeft laten tatoeëren? Shit man, het staat zelfs in zijn nek.'

'Daar staat LB, Carlos. De initialen van de Latino Blood.'

'Nee, nee, nee. Dat heb je helemaal fout. Dat wil hij iedereen doen geloven, maar in werkelijkheid betekent het Lieve Brittany. LB, snap je?'

'Leuk geprobeerd, Carlos. Complete onzin natuurlijk, maar toch leuk geprobeerd.'

Brittany houdt zich aan haar woord en scheurt meteen weg nadat ze me bij de garage heeft afgezet. Met piepende banden rijdt ze weg van de parkeerplaats. Dat heeft mijn broer haar vast geleerd. Nog meer bewijs dat ze bij elkaar horen.

Mijn broer staat in de garage onder de motorkap van een Cadillac te kijken. Ik vraag me af of hij doorheeft dat zijn kersverse ex-vriendin/ liefde van zijn leven zojuist is weggescheurd.

'Wat doe jij hier?' vraagt Alex terwijl hij zijn handen afveegt aan een doek. 'Ik dacht dat je halfdood was.'

'Het zou je nog verbazen hoeveel verschil er zit tussen halfdood en helemaal dood, Alex. Eerlijk gezegd voel ik me klote, maar ik kan verdomd goed de schijn ophouden.'

'Hm hm.' Ik zie dat Alex een zwarte bandana om heeft. Die heb ik hem niet meer zien dragen sinds hij uit de Latino Blood is gestapt. Dat is geen goed teken. Hij ziet eruit als een rebel; hij lijkt te veel op mij. Ik weet maar al te goed dat als je de tijd neemt om je te kleden als een rebel, je je ook al snel als een rebel zal gaan gedragen. 'Ik heb een hoop werk te doen en jij moet je klaarmaken voor het feest, dus als je het niet erg vindt...'

'Waarom heb je het uitgemaakt met Brittany?'

'Heeft ze je dat verteld?' zegt Alex, met een boze, gefrustreerde uitdrukking op zijn gezicht. Man, hij is helemaal opgefokt. Aan zijn slonzige uiterlijk te zien heeft hij de afgelopen tijd slecht geslapen.

'Relax, bro,' zeg ik. 'Ze heeft helemaal niets verteld. Ze zei dat ik maar aan jou moest vragen wat er is gebeurd.'

'We zijn uit elkaar. Je had gelijk, Carlos. Brit en ik zijn te verschillend. We komen uit andere werelden en het zou toch nooit hebben gewerkt.'

Hij wil weer onder de motorkap duiken, maar ik hou hem tegen. '*Usted es estúpido.*'

'Noem je mij dom? Ik ben niet degene die afgelopen zondag "per ongeluk" door een gang is ingelijfd.' Hij schudt zijn hoofd. 'Over dom gesproken.'

'Ik weet het goed gemaakt, Alex. Als jij me vertelt waarom jij en de schoonheidskoningin uit elkaar zijn, vertel ik je alles wat ik over Devlin weet.'

Alex zucht, en dat lijkt zijn woede wat te temperen. Ik weet dat hij mij en onze familie wil beschermen, dat is het allerbelangrijkste voor hem. Hij weet dat ik volgende week in actie moet komen voor Devlin. Hij kan het niet laten om te proberen me uit de shit te helpen.

'Haar ouders komen over twee weken naar de stad om haar zus Shelley op te zoeken,' zegt Alex. 'Ze wil hun vertellen dat we stiekem een relatie zijn begonnen sinds we hier studeren. Ze weten hoe het is afgelopen tussen ons in Chicago. Ik gedroeg me als een klootzak en daarna ben ik ervandoor gegaan.' Hij wrijft in zijn ogen en kreunt. 'Kijk dan naar me, Carlos. Ik ben nog steeds diezelfde jongen met wie Brittany in Chicago niet mocht omgaan van haar ouders. Ze vinden me een stuk tuig, en waarschijnlijk hebben ze nog gelijk ook. Brittany wil verdomme dat ik met hen mee uit eten ga, alsof ze het maar gewoon zullen accepteren dat hun prinsesje ineens thuiskomt met de jongen die in hun ogen altijd die arme, vieze Mexicaan uit de achterbuurt zal blijven.'

Ik kan het niet geloven. Mijn eigen broer – die zich moedig tegen zijn eigen gang heeft gekeerd en niet bang was om daarvoor neergeschoten te worden – schijt in zijn broek bij het vooruitzicht om tegenover Brittany's ouders voor zichzelf en hun relatie op te komen. 'Je bent bang,' zeg ik.

'Niet waar. Ik heb gewoon geen zin in dat gezeik.'

Mijn broer is gewoon bang, dat is het punt. Hij is bang dat Brittany het uiteindelijk met haar ouders eens zal zijn en hem zal dumpen. Hij kan het niet aan om door haar afgewezen te worden, dus duwt hij haar van zich af en wijst haar af voordat zij het kan doen. Dat weet ik, want dat doe ik zelf ook altijd.

'Brittany wil voor jullie relatie opkomen,' zeg ik, ondertussen een blik werpend op Alex' oude Monte Carlo in de hoek van de garage. 'Waarom doe jij dat niet? Omdat je een schijterd bent, bro. Heb een beetje vertrouwen in je novia. Anders raak je haar nog voorgoed kwijt.'

'Haar ouders zullen mij nooit goed genoeg vinden voor haar. Ik zal me altijd die straatarme pendejo blijven voelen die misbruik heeft gemaakt van hun dochter.'

Ik ben blij dat Kiara's ouders precies het tegenovergestelde zijn. Zij vinden alles goed, zolang hun kinderen maar gelukkig zijn. Ze proberen ons wel te sturen, maar ze zouden niemand veroordelen. Eerst dacht ik dat het allemaal nep was, dat niemand mij gewoon zou kunnen accepteren zoals ik ben, terwijl ik hen juist van me weg probeerde te duwen. Maar volgens mij accepteren de Westfords iemand echt zoals hij is, met gebreken en al.

'Als jij jezelf als die straatarme pendejo blijft zien, dan blijf je dat ook. Maar het punt is dat Brittany helemaal niet bezig is met het verschil in sociale klasse of met wat jij op je bankrekening hebt staan. Ze houdt gewoon onvoorwaardelijk van je, hoe misselijkmakend dat ook is. Misschien moeten jullie inderdaad maar uit elkaar gaan, want ze verdient een vent die opkomt voor zijn relatie, koste wat kost.'

'Rot toch op,' zegt Alex. 'Jij weet helemaal niks van relaties. Wanneer heb je ooit een relatie gehad?'

'Ik heb er op dit moment een.'

'Dat is nep. Dat heeft Kiara zelf toegegeven.'

'Ja, nou, dat is nog altijd beter dan wat jij hebt, want jij hebt helemaal niets.'

Ik loop naar de blauwe Monte Carlo. 'Even ter informatie, ik hoopte dat ik vanavond je auto mocht lenen. Niet voor mij, maar voor Kiara. Ik weet dat je haar graag mag, en ik kan haar moeilijk in haar eigen auto komen ophalen voor onze eerste officiële date.'

'Ik was van plan om voor het bal naar de Westfords te gaan. Ze hebben me uitgenodigd.'

'Bespaar je de moeite,' zeg ik.

'Goed. Als je hem maar terugbrengt na het feest, want ik wil er morgen aan sleutelen.' Als ik mijn pak en de corsage op de achterbank heb gegooid, zegt Alex: 'Ik dacht dat je mij en Brittany zo'n vreselijk stel vond.'

'Ik vind het gewoon leuk om je te treiteren, Alex. Daar zijn jongere broers toch voor?' Ik haal mijn schouders op. 'Ze is dan misschien geen chica Mexicana, maar ze is het beste wat jij ooit zal kunnen krijgen. Misschien moet je het maar officieel maken en met haar trouwen.'

'Wat heb ik haar te bieden? Een half diploma en een oude auto?'

Ik haal mijn schouders op. 'Ze zou vast ja zeggen, ook al is dat alles wat je te bieden hebt. Shit man, het is een stuk meer dan ik heb, en meer dan onze ouders hadden toen zij trouwden. Zij hadden het nog veel slechter, want mi'amá was in verwachting van jou, lelijkerd.'

'Over lelijk gesproken, heb je de laatste tijd nog in de spiegel gekeken?'

'Ja. En weet je wat het grappige is, Alex? Zelfs met een dikke lip en een blauw oog zie ik er nog beter uit dan jij.'

'Ja hoor, tuurlijk. Wacht,' zegt Alex. 'Je hebt me nog niks over Devlin verteld.'

'O ja.' Ik start de auto en laat de motor ronken. 'Dat vertel ik je morgen wel. Misschien.'

Thuis bij de Westfords tref ik Brandon op mijn kamer aan, zittend op mijn bed met zijn armen over elkaar. Het jochie doet hard zijn best om een kwaaie kop te trekken, waarmee hij best nog eens iemand bang zou kunnen maken, over een jaar of tien.

'*Wha's up, cachorro?*'

'Ik ben boos op jou.'

Man, ze moeten me wel hebben vandaag. 'Trek maar een nummertje, jochie.'

Hij bromt als een auto met een kapotte uitlaat. 'Je zei dat we bondgenoten waren. Dat je niet zou klikken als ik iets deed. En dat ik niet zou klikken als jij iets deed.'

'Ja, en?'

'Je bent een klikspaan. Nu mag ik alleen nog maar computerspelletjes spelen als pap erbij is, alsof ik een baby ben. Dat is allemaal jouw schuld.'

'Sorry. Het leven is niet eerlijk.'

'Waarom niet?'

Als het leven eerlijk was, zou mijn vader niet zijn doodgegaan toen ik vier was. Als het leven eerlijk was, zou ik me geen zorgen hoeven maken om Devlin. Als het leven eerlijk was, zou ik echt kans maken bij Kiara. Het leven is gewoon klote. 'Geen idee. Laat maar weten als je daarachter bent, cachorro.'

Ik verwacht dat hij in woede zal uitbarsten, maar dat gebeurt niet. Hij springt van mijn bed en loopt naar de deur. 'Ik ben nog steeds boos op je.'

'Dat gaat wel weer over. Nu wegwezen. Ik moet me nog douchen en omkleden, en ik ben al laat.'

'Het zou sneller overgaan als je wat snoep voor me kunt pikken uit het kastje boven de koelkast. Dat is mama's geheime verstopplek.' Hij gebaart dat ik moet bukken zodat hij me een geheim kan vertellen. 'Daar bewaart ze al het ongezonde snoep,' fluistert hij. 'Je weet wel, de lekkere dingen.' Hij klinkt steeds opgewekter.

Shit, ik heb nog geen uur de tijd om me klaar te maken voor mijn date met Kiara, maar ik wil het jochie niet teleurstellen. 'Goed dan, Racer. Klaar voor een geheime missie, op zoek naar de schat?'

Brandon wrijft in zijn handen, trots dat hij me heeft weten te manipuleren. Dat jochie heeft echt talent als het op overtuigen aankomt, dat moet ik hem nageven.

'Volg mij.' Ik steek mijn hoofd door de deuropening en wenk hem. Ik moet mijn lachen inhouden als hij naar me toe komt geslopen. De ene keer gedraagt hij zich gewoon als een kind van zes en de andere keer is hij verstandiger dan sommige volwassenen die ik ken.

Zwijgend sluipen we de trap af. Voor we bij de keuken zijn, komt er iemand Westfords kantoor uit. Het is Kiara, gekleed in een lange zwarte jurk die haar heerlijke rondingen accentueert, van haar borsten tot haar dijen. Haar haar golft niet alleen los over haar schouders, maar de puntjes zijn ook nog eens zorgvuldig en perfect in de krul gezet. Een van haar lange, slanke benen piept tussen de ongelooflijk sexy split aan de zijkant uit.

Ik ben verbijsterd.

Ik ben sprakeloos.

Genietend laat ik mijn blik over haar hele lichaam glijden en ik weet dat ik dit moment nooit meer zal vergeten. Wanneer ik omlaag kijk naar haar sexy pumps met een hogere hak dan ik ooit van haar had verwacht, maakt mijn hart een sprongetje. Ik durf niet eens met mijn ogen te knipperen, uit angst dat ik me dit maar verbeeld en ze zo weer verdwenen is.

'N-n-nou, w-w-wat v-v-vind je ervan?'

Brandon sist luid en houdt zijn vinger voor zijn lippen. 'We zijn op een geheime missie,' fluistert hij. Hij heeft totaal niet door dat zijn zus in een godin is veranderd. 'Niets tegen pap of mam zeggen.'

'Zal ik niet doen,' fluistert ze. 'Waar zijn jullie naar op zoek?'

'Snoep. Heel ongezond snoep. Kom mee!'

Ik kijk om naar Kiara en wou dat we alleen waren. Shit man, wat zou ik graag willen dat we nu alleen waren. 'Brandon, ga eens kijken waar je vader is zodat we weten of de kust veilig is,' zeg ik tegen hem. Ik wil zijn zus een paar minuutjes voor mezelf hebben.

'Oké,' zegt hij, en hij glipt de gang uit. 'Ben zo terug.'

Ik heb hooguit een minuut alleen met haar. Ik steek mijn handen in mijn zakken, zodat ze niet ziet dat ze trillen van de zenuwen. Ze trakteert me op een aarzelende glimlach en kijkt dan naar de grond.

Ik kijk naar het plafond en wou dat mijn vader me raad kon geven, of op z'n minst een teken. Ik kijk weer naar Kiara. O, man. Ze kijkt me nu recht aan, wachtend tot ik iets zeg. Maar voor ik iets zinnigs of iets grappigs kan bedenken, is Brandon alweer terug. 'Hij zit in zijn kantoortje. Laten we het nu doen, voor hij ons betrapt.'

Ik klapte helemaal dicht. Ik moet Brandon zien af te schudden. We lopen met z'n allen naar de keuken. Ik reik omhoog en trek het kleine kastje boven de koelkast open. Ja hoor, er staat een grote mand gevuld met verboden waar.

Brandon trekt aan de zoom van mijn shirt. 'Laat eens zien, laat eens zien.'

Ik zet de mand op tafel. Brandon stapt op een keukenstoel om de buit te bekijken. 'Hier,' zegt hij, en hij duwt een chocoladereep in mijn hand. 'Die is met nootjes. Ik hou niet van nootjes.'

Uiteindelijk pikt Brandon één melkchocoladereep en twee dropjes. Hij springt van de stoel, tevreden met zijn buit.

Ik zet de mand terug op de geheime verstopplek die iedereen weet te vinden. Als ik me omdraai, heeft Brandon al een stuk chocolade in zijn mond gestopt. 'Kiara, waarom zie je eruit als een meisje?' vraagt Brandon met zijn mond vol chocolade.

'Ik ga uit. Met Carlos.'

'Ga je met hem tongen?'

Kiara kijkt hem bestraffend aan. 'Brandon! Dat vraag je toch niet! Wie heeft je daarover verteld?'

'De vierdeklassers in de bus.'

'Wat is het dan volgens hen?'

Hij kijkt haar geërgerd aan. 'Je weet wel...'

'Vertel jij het me maar,' zegt ze. 'Misschien weet ik het wel niet.'

Ik weet uit ervaring dat ze echt wel weet wat tongen is, maar dat zal ik niet verklappen.

'Dan lik je met je tong langs die van iemand anders,' fluistert hij.

Jezus, dat jochie weet meer dan ik wist op zijn leeftijd. Eerst is hij een cyberdrugsdealer en nu heeft hij het over tongen. Kiara kijkt naar mij, maar ik steek verwerend mijn handen op. Ook al zou ik haar het liefst hier en nu tongen, ik kan wel wachten. 'Hij is mijn kind niet.'

'Zo kun je een hoop bacillen binnenkrijgen,' zegt Brandon met zijn mond vol, peinzend over de gevolgen van tongzoenen.

'Inderdaad,' stemt Kiara in. 'Toch, Carlos?'

'Precies. Bacillen. Een heleboel.' Ik vertel hem maar niet dat je van sommige meiden best bacillen zou willen krijgen.

'Dat ga ik dus echt nooit doen,' zegt Brandon vastberaden.

'Als je je mond niet afveegt nadat je chocolade hebt gegeten, zal er überhaupt niemand zijn die dat ooit met jou zou willen doen, cachorro. Wat ben jij een viespeuk.'

Terwijl Kiara een servetje pakt en Brandons gezicht begint schoon te boenen, kijkt hij nieuwsgierig naar haar op. 'Je hebt geen antwoord gegeven op mijn vraag. Gaan jij en Carlos tongen?'

48

Kiara

'Brandon, als je dat nog één keer vraagt, dan ga ik mam vertellen dat je net stiekem een chocoladereep hebt gepakt zonder haar toestemming.' Ik leun naar voren en geef hem een kus op zijn inmiddels schone wang. 'Maar ik vind je nog steeds lief, hoor.'

'Gemenerik,' zegt Brandon, maar ik weet dat hij niet boos is, want hij huppelt opgewekt de keuken uit.

Eindelijk zijn we alleen. Carlos komt achter me staan en strijkt voorzichtig mijn haar uit mijn nek. '*Eres hermosa,*' fluistert hij in mijn oor. Alleen al bij de klank van die Spaanse woorden smelt ik vanbinnen.

Ik draai me om en kijk hem aan. 'Bedankt. Dat wilde ik even horen.'

'Ik zou me eigenlijk moeten gaan douchen en omkleden, maar ik wil niet ophouden naar je te kijken.'

Ik duw hem weg, al voel ik me stiekem helemaal glunderen omdat hij zijn ogen niet van me af kan houden. 'Schiet op. Ik ben niet van plan om mijn eerste schoolfeest te missen.'

Drie kwartier later sta ik nog steeds balancerend op mijn hakken te wachten. Ik wil niet gaan zitten, want ik ben bang dat mijn jurk dan kreukt. Mijn moeder wilde per se mijn nagels roze lakken, dus nu moet ik de drang weerstaan om eraan te pulken, ook al sta ik zenuwachtig met mijn handen te wriemelen. We staan in de achtertuin, waar mijn vader en moeder de ene na de andere foto maken van mij naast het huis, naast een plantenbak, naast mijn auto, met Brandon, naast het hek, en...

Dan doet Carlos de glazen schuifdeuren open en stapt het terras op. Zijn gebruikelijke T-shirt en gescheurde spijkerbroek zijn vervangen door een zwart pak en een wit overhemd. Nu ik hem zo zie staan, helemaal opgedoft voor mij, begint mijn hart sneller te slaan en voelt mijn tong dik en onwillig. Vooral wanneer ik zie dat hij een corsage in zijn hand heeft.

'O, wat zie je er knap uit. Erg lief van je om samen met Kiara naar het Homecoming-bal te gaan,' zegt mijn moeder. 'Daar wilde ze altijd al naartoe.'

'Geen probleem,' zegt Carlos.

Ik vertel mijn moeder maar niet dat hij me alleen heeft gevraagd omdat we dat hadden afgesproken. Zonder die deal zouden we hier nu vast niet staan in onze mooiste kleren.

'Hier,' zegt Carlos, en hij wil me de corsage van paars-witte bloemen met gele harten aangeven.

'Doe hem eens bij haar om, Carlos,' zegt mijn moeder enthousiast, met haar fotocamera in de aanslag.

Mijn vader zorgt ervoor dat ze de camera weer laat zakken. 'Colleen, laten we naar binnen gaan,' zegt hij. 'Ik denk dat we hun even wat privacy moeten gunnen.'

Als mijn ouders ons alleen hebben gelaten, schuift Carlos de corsage om mijn pols. 'Ik weet dat hij niet echt bij je jurk past,' zegt hij verlegen. 'En het zijn geen rozen zoals je vast had gehoopt. Het zijn Mexicaanse asters. Ik wilde dat je vanavond telkens als je ernaar kijkt aan mij zou denken.'

'Ze zijn p-p-perfect,' zeg ik, en ik hou de paars-witte bloemen voor mijn neus zodat ik hun zoete geur kan opsnuiven.

De boutonnière die ik voor hem heb gekocht ligt op de tuintafel. Het is een eenvoudige witte roos met groene blaadjes. Ik pak hem op en hou hem Carlos voor. 'Ik hoor hem op je revers vast te s-s-spelden.'

Hij komt dichterbij staan. Met trillende handen pak ik de grote speld en probeer hem goed vast te maken. 'Hier, ik doe het wel,' zegt hij als hij ziet dat ik de speld niet door het groene bloementape onder aan de boutonnière krijg. Onze vingers raken elkaar en ik kan amper ademhalen.

Nadat we ons dapper door nog een fotosessie met mijn ouders heen hebben geslagen, begint de lucht ineens te betrekken. 'Het zou vanavond gaan regenen,' zegt mijn moeder, waarna ze me opdraagt om mijn beige regenjas mee te nemen. Hij past totaal niet bij mijn jurk, maar hij is wel waterdicht. Carlos lijkt het erg leuk te vinden om me naar het feest te brengen in Alex' auto. Hij wist dat ik het cool zou vinden dat onze auto's matchen.

Tien minuten later rijden we de bomvolle parkeerplaats van de school op. Maar voor we bij de ingang zijn, wordt ons ineens de weg versperd door Nick Glass en twee andere grote jongens. Het is wel duidelijk dat ze niet zijn gekomen om te dansen... ze zijn hier om ruzie te zoeken.

Ik pak Carlos' arm beet, bang dat hij weer bij een vechtpartij betrokken raakt.

'Niets aan de hand,' verzekert hij me zacht. 'Vertrouw me maar, chica.'

'Dit is mijn territorium,' zegt Nick, en hij komt dichterbij. 'Dat ga ik niet delen.'

'Ik heb er ook helemaal geen interesse in,' antwoordt Carlos.

'Wat is hier aan de hand?' vraagt Ram, die op ons af komt lopen met een meisje dat ik niet ken. Ram en Carlos zijn vrienden geworden op school, en het is fijn om te weten dat er iemand is die voor Carlos wil opkomen, ook al is het de avond van het Homecoming-bal.

'Niks. Toch, Nick?' vraagt Carlos.

Nick kijkt van Carlos naar Ram en weer terug. Nicks vrienden zitten niet op Flatiron High. Ze lijken wel zin te hebben in een knokpartij, maar uiteindelijk stapt Nick opzij om ons erlangs te laten.

Carlos pakt mijn hand en loopt zonder angst langs hen heen.

'Als je me nodig hebt, Carlos, dan ben ik er voor je,' zegt Ram als we bij de ingang van de school komen.

'En ik voor jou, man,' antwoordt Carlos, en hij knijpt in mijn hand. 'Als je ergens anders heen wilt, Kiara, zou ik dat helemaal niet erg vinden.'

Ik schud mijn hoofd. 'Afspraak is afspraak. Ik wil dat de fotograaf een foto van ons maakt voor op het prikbord boven mijn bureau, als aandenken aan mijn eerste schoolfeest. Maar beloof me dat je niet gaat vechten.'

'Oké, chica. Maar als je na de foto ergens anders heen wilt, dan zeg je het maar.'

'Waar zouden we dan heen moeten gaan?' vraag ik.

Hij kijkt om zich heen naar de slingers en posters en de leerlingen die staan te joelen en te dansen op de harde muziek. Hij trekt me naar zich toe. 'Naar een rustig plekje, waar we alleen kunnen zijn. Ik heb geen zin om je te moeten delen vanavond.'

Eerlijk gezegd heb ik ook geen zin om hem te moeten delen.

De fotograaf laat ons poseren voor de foto voor we de gymzaal in lopen. Of beter gezegd, hij zet ons in de juiste houding, alsof we paspoppen zijn in een kledingwinkel.

'Wil je wat drinken?' vraagt Carlos terwijl hij zijn arm om mijn middel slaat en me naar zich toe trekt zodat ik hem kan horen boven de harde muziek uit.

Ik schud mijn hoofd en kijk eens goed om me heen. De meeste meiden dragen hele korte rokjes die opvliegen als ze dansen en zwieren. Ik pas er niet echt tussen met mijn lange, zwarte, nauwsluitende vintage jurk.

'Iets te eten dan?' vraagt hij. 'Ze hebben pizza.'

'Nog even niet.' Ik kijk naar de andere leerlingen die staan te dansen. De meeste van hen dansen in groepjes en staan te springen op de harde muziek. Madison is er niet. Lacey ook niet. Nu ik weet dat ik niet het mikpunt van hun gemene opmerkingen zal zijn vanavond durf ik me wat meer te ontspannen.

Carlos pakt mijn hand en neemt me mee naar de achterste hoek van de gymzaal. 'Laten we dansen.'

'Je bent nog niet helemaal genezen. Laten we wachten tot er een langzaam nummer komt. Ik wil niet dat je je pijn doet.'

Carlos luistert niet naar me en begint te dansen. Hij gedraagt zich niet alsof hij pijn heeft. Het lijkt eerder alsof hij al zijn hele leven aan streetdance doet. De dreunende muziek heeft een snelle beat. De meeste jongens die ik ken hebben geen ritmegevoel, maar Carlos wel. Hij danst geweldig. Het liefst zou ik naar achteren willen stappen om hem te kunnen zien bewegen op de maat van de muziek.

'Laat eens zien wat jij kan,' zegt hij op een gegeven moment. Hij trekt zijn wenkbrauw op en ik zie een ondeugende glinstering in zijn ogen verschijnen. 'Ik daag je uit, chica.'

49

Carlos

Kiara danst als een professional. Man, ik hoef haar maar een beetje uit te dagen en die meid begint meteen op de muziek te bewegen alsof ze niet anders gewend is. Ik dans met haar mee, en onze bewegingen vloeien samen. We gaan helemaal op in het ritme en we blijven dansen op elk nummer zonder te stoppen. Door Kiara zijn mijn gedachten aan Devlin en het drama rond Brittany en Alex even helemaal naar de achtergrond verdwenen.

Midden in een snel nummer mixt de dj er ineens een ander nummer doorheen. Een pijnlijk langzaam nummer over liefde en liefdesverdriet schalt door de gymzaal. Kiara kijkt me aarzelend aan en weet niet wat we nu moeten doen.

Ik pak haar handen en leg ze om mijn nek. Jezus, wat ruikt ze lekker... naar verse frambozen waar ik wel voor altijd aan zou willen blijven ruiken. Ik trek haar dicht tegen me aan. Het liefst zou ik haar nu ontvoeren en nooit meer terugbrengen. Ik probeer net te doen alsof Devlin niet bestaat en ik haar niet voorgoed ga verlaten eind deze maand. Ik wil genieten van dit moment, want mijn toekomst is één grote puinhoop.

'Waar denk je aan?' vraagt ze.

'Hier weggaan,' antwoord ik eerlijk. Ze weet niet dat ik het eigenlijk heb over weggaan uit Colorado, maar dat geeft niet. Als ze van mijn plannen zou weten, zou ze vast Alex en haar ouders bellen om een interventiegesprek te organiseren. Volgens mij zou ze zelfs Tuck vragen om te komen, als ze toch bezig was. Ze kijkt naar me op, met haar armen nog steeds om mijn nek geslagen. Ik buig naar haar toe en kus haar teder op haar zachte, glanzende lippen. Het kan me niet schelen dat de docenten staan te kijken. Alle leerlingen zijn gewaarschuwd dat ze van het feest kunnen worden weggestuurd wegens flikflooien in het openbaar.

'We m-m-mogen niet zoenen,' zegt Kiara, en ze trekt zich van me te-rug.

'Laten we dan ergens heen gaan waar dat wel mag.' Mijn hand glijdt omlaag langs haar rug en blijft rusten vlak boven de ronding van haar billen.

'Hé, Carlos!' roept Ram terwijl hij en zijn date op ons af lopen nadat we hebben gedanst en gegeten en klaar zijn om te gaan. 'Wij gaan chillen in het zomerhuisje van mijn ouders. Zin om mee te gaan?'

Ik kijk naar mijn date. Ze knikt.

'Zeker weten?' vraag ik.

'Ja.'

Het regent, dus we haasten ons naar de auto. Ik rij achter Ram aan de parkeerplaats af, samen met nog wat auto's. Een halfuur later draaien we allemaal de hoofdweg af en rijden over een lange oprit naar een klein huis aan een privémeer.

'Weet je zeker dat je het oké vindt dat we hierheen zijn gegaan?' vraag ik Kiara. Ze heeft niet veel gezegd sinds we van het feest zijn weggegaan.

'Ja. Ik w-w-wil niet dat deze avond al voorbij is.'

Ik ook niet. Na vanavond zal ik de harde realiteit weer onder ogen moeten komen. We rennen achter drie andere stelletjes aan naar binnen, want het begint nu echt te gieten. Het is geen groot huis, maar het heeft gigantische ramen met uitzicht op het meer. Als het niet donker was buiten zouden we het meer zeker kunnen zien. Nu zien we alleen maar regen langs de ramen stromen.

Ram heeft de koelkast volgestouwd met blikjes bier. 'Allemaal voor ons,' zegt hij terwijl hij ons allemaal een blikje toegooit. 'En er staat nog meer in de garage, als we dorst hebben.'

Kiara houdt het blikje bier vast dat Ram haar heeft toegegooid. Ze heeft het nog niet opengemaakt. 'Ga jij drinken?' vraagt ze me.

'Misschien.'

Ze steekt haar hand uit. 'Geef mij de sleutels dan maar. Ik wil niet dat je rijdt als je hebt gedronken,' zegt ze zacht, zodat de andere koppels het niet horen.

'Trouwens,' roept Ram. 'Iedereen die hier drinkt, moet hier blijven slapen. Dat zijn de huisregels.'

Ik kijk om me heen. Het lijkt erop dat de andere stelletjes klaar zijn om zich terug te trekken. 'Wacht hier,' zeg ik tegen Kiara, en ik ren naar buiten en pak de telefoon die ik op het dashboard had gelegd. Vijf minuten later loop ik weer naar binnen. Ondanks haar zogenaamde verlegenheid redt Kiara zich prima. Ram heeft haar aan het praten gekregen over de voordelen van dieselbrandstof. Ik heb de neiging om te zeggen: 'Dat is nou mijn meisje.' Maar ze is niet echt mijn meisje. Tenminste, binnenkort niet meer. Maar vanavond wel.

Ik neem Kiara even terzijde. 'We slapen hier,' vertel ik haar. 'Ik heb net je ouders gebeld. Ze vonden het goed.'

'Hoe heb je hen zover gekregen dat ze het goed vonden dat we niet thuis slapen?'

'Ik heb ze verteld dat we hebben gedronken. Het blijkt dat ze liever hebben dat we hier slapen dan dat we achter het stuur kruipen.'

'Maar ik was helemaal niet van plan om te drinken.'

Ik werp haar een ondeugende glimlach toe. 'Dat weten zij niet, chica.'

Als de rest langzaamaan een eigen plekje opzoekt om de nacht door te brengen, pak ik een stel dekens die Ram uit de kast heeft gehaald en loods Kiara mee naar buiten.

'Waar gaan we naartoe?' vraagt ze.

'Ik heb een droogdok gezien bij het meer. Ik weet dat het koud is en dat het regent... maar het is overdekt en afgezonderd.' Ik trek mijn jasje uit en geef het aan haar. 'Hier.'

Ze steekt haar armen door de mouwen en slaat het jasje stevig om zich heen. Ik vind het wel leuk dat ze mijn jasje draagt, zo lijkt het net of ze van mij is, en van niemand anders.

'Wacht!' zegt Kiara en ze pakt me bij mijn pols. 'Geef me je sleutels.'

O shit. Daar zal je het hebben. Nu gaat ze me vertellen dat ze helemaal niet van mij is – en dat ze nog steeds verliefd is op Michael. Of dat ze alleen maar met me naar het Homecoming-bal wilde en dat ik haar verkeerd heb begrepen. Hoewel ik maar één biertje ophep en op dit moment helaas maar al te nuchter ben, wil ik haar nog helemaal niet terug naar huis brengen. Ik wil dat deze avond zo lang mogelijk duurt.

'Ik heb mijn handtas nodig,' legt ze uit. 'Die ligt nog in de auto.'

O. Haar handtas. Ik sta in de regen en staar verbijsterd naar dit meisje dat ik zo graag wil vasthouden en nooit meer wil loslaten, alsof ze mijn knuffeldekentje is. Deze gevoelens maken me echt bang. Op weg naar het dok lopen we snel even langs de auto. Ze pakt haar tas en klemt hem stevig vast terwijl we verder lopen over het gras.

'Mijn hakken zakken weg,' zegt ze.

Ik geef haar de dekens en til haar op.

'Laat me niet vallen,' zegt ze terwijl ze zich stevig aan me vastklampt en tegelijkertijd de dekens probeert vast te houden.

'Vertrouw me maar.' Dat is de tweede keer vanavond dat ik haar zeg dat ze me kan vertrouwen. Eigenlijk zou ze dat helemaal niet moeten doen, want na vanavond is niets meer zeker. Maar ik wil niet aan morgen denken. Ik zal de rest van mijn leven op deze ene avond moeten teren. Vanavond... vanavond kan ze me vertrouwen, en ik haar.

Ik zet haar neer in het overdekte dok. Het is donker en de maan gaat schuil achter dikke regenwolken. De bovenste deken is nat geworden, dus ik ben blij dat ik een hele stapel heb meegegrist. Ik pak ze van haar aan en spreid ze uit over de houten planken zodat we een zachte plek hebben om op te slapen.

Al weet ik niet of het vanavond alleen bij slapen zal blijven. 'Kiara?' vraag ik.

'J-j-ja?' antwoordt ze fluisterend in het donker.

'Kom bij me liggen.'

50

Kiara

Bij deze woorden begint mijn hart wild te bonzen en trekt er een golf van opwinding door me heen. 'Het is d-d-donker. Ik zie niets.'

'Volg mijn stem, chica. Ik zorg wel dat je niet valt.'

Ik tast in het donker rond als een blinde en ik ril van de zenuwen, of van de koude regen. Ik weet niet precies welke van de twee me het meest doet rillen. Als onze handen elkaar vinden in de donkere nacht, leidt hij me naar de dekens. Ik leg mijn tas met het condoom erin naast de deken en trek dan onhandig mijn jurk op zodat ik voor hem kan gaan zitten.

Hij slaat zijn sterke, gespierde armen om me heen. 'Je rilt helemaal,' zegt hij, en trekt me dicht tegen zich aan.

'Ik k-k-kan er niets aan d-d-doen.'

'Heb je het koud? Ik kan wel meer dekens gaan halen als je...'

'Nee, niet weggaan. B-b-blijf bij me.' Ik draai me om zodat ik mijn armen om zijn middel kan slaan. Ik kruip dicht tegen zijn warme lichaam aan en laat hem niet meer los. 'Ik ben gewoon n-n-nerveus.'

Hij strijkt over mijn haar, dat nu nat is van de regen. 'Ik ook.'

'Carlos?'

'Ja?'

Aangezien ik hem niet kan zien, reik ik omhoog en strijk over zijn gladgeschoren wangen. 'Vertel me eens iets over je kindertijd. Iets l-l-leuks.'

Het duurt lang voor hij antwoord geeft. Heeft hij dan helemaal geen leuke herinneringen aan zijn tijd in Chicago?

'Alex en ik haalden altijd kattenkwaad uit na school als mijn moeder nog aan het werk was. Eigenlijk had Alex dan de leiding over alles, maar het laatste waar een kind van dertien zin in had was huiswerk maken meteen als hij thuiskwam. We hielden wedstrijdjes die we de Fuentes

Olympische Spelen noemden en bedachten de meest belachelijke spelletjes.'

'Zoals?'

'Alex had het domme idee om de bovenkant van mijn moeders panty's eraf te knippen en er tennisballen in te stoppen. Hij noemde het de Panty Discus. We zwaaiden ze rond als een windmolen en gooiden ze dan zo hard mogelijk weg. Soms won degene die het verst gooide, soms degene die het hoogst kwam.' Hij grinnikt. 'We waren zo dom om ze gewoon terug in mijn moeders la te leggen omdat we dachten dat ze er toch nooit achter zou komen dat wij ze hadden verknipt.'

'Was ze streng voor jullie?'

'Laten we het er maar op houden dat mijn kont nog steeds pijn doet van die dag, en dat was zeven jaar geleden.'

'Au.'

'Ja. Alex en ik deden toen veel samen. Ik wilde ooit eens piraat worden, dus liep ik naar mijn moeders kamer, pakte haar sieradendoosje en begroef het in de bosjes naast ons huis. Het waren vooral nepsieraden en stomme gratis buttons die ze naar haar werk moest dragen. Toen ik weer thuiskwam, tekende ik een kaart met een groot rood kruis op de plek waar ik het doosje had verstopt en toen zei ik tegen Alex dat hij het moest gaan zoeken.'

'Heeft hij het gevonden?'

'Nee.' Hij lacht zacht. 'Nee, en ik kon het ook niet meer vinden.'

'Werd je moeder boos?'

'Boos is zacht uitgedrukt, chica. Elke dag na school dook ik de bosjes in op zoek naar haar sieraden, maar ik heb ze nooit gevonden. Het ergste is nog dat haar trouwring in het doosje zat... die droeg ze niet meer nadat mi papá was overleden, omdat ze bang was hem kwijt te raken.'

'Oh my god. Wat erg.'

'Ja. Op dat moment was het echt niet grappig. Maar ooit zal ik dat doosje vinden, als iemand anders me niet voor is geweest. Oké, jouw beurt. Noem eens iets wat jij vroeger hebt uitgespookt waar de Almachtige Professor en de Koningin van de Biologische Thee ontzettend kwaad om zijn geworden.'

'Ik heb mijn vaders autosleutels eens verstopt zodat hij niet naar zijn werk kon,' vertel ik.

'Niet stout genoeg. Noem nog eens iets?'

'Ik deed wel eens alsof ik ziek was zodat ik niet naar school hoefde.'

'Alsjeblieft, zeg, daar was ik kampioen in. Heb je geen ergere verhalen? Of ben je je hele leven braaf geweest?'

'Als ik boos was op mijn ouders, deed ik altijd tabasco in hun tandpasta.'

'Dat lijkt er meer op. Goeie.'

'Maar mijn ouders hebben me nooit geslagen, daar geloven ze niet in. Al kreeg ik wel vaak een time-out toen ik op mijn twaalfde een rebelse fase had.'

Hij lacht. 'Ik zit nog steeds in een rebelse fase.' Zijn vingers strelen mijn knie en kruipen langzaam verder omhoog. Als ze bij de jarretel aankomen, strijkt hij over het kant. 'Wat is dat?'

'Een jarretel. Die hoor jij af te doen en als aandenken te bewaren. Als een soort t-t-trofee omdat je hebt gescoord bij een meisje. Nogal stom, eigenlijk. En een beetje v-v-vernederend nu ik er l-l-langer over nadenk.'

'Ik weet wel wat het is,' zegt hij geamuseerd. 'Ik wilde gewoon horen wat jij erover zou zeggen.' Hij trekt hem langzaam omlaag en zijn lippen volgen het spoor van de jarretel. 'Ik hou er wel van,' zegt hij terwijl hij mijn schoenen uittrekt en vervolgens de jarretel.

'Voel je je nu rebels?' vraag ik.

'Sí. Heel rebels.'

'Weet je nog toen je zei dat jij en ik vandaag of morgen nog eens flink in de problemen zouden raken?'

'Ja.'

'Volgens mij is dat moment aangebroken.' Met trillende handen begin ik zijn overhemd los te knopen. Ik duw het opzij en druk mijn lippen op zijn gespierde, ontblote bovenlijf. Ik trek een spoor van kusjes en daal steeds verder af terwijl ik de rest van de knoopjes losmaak. 'Wil je met mij in de problemen raken, Carlos?'

51

Carlos

Met haar in de problemen raken? Man, ik zat al in de problemen vanaf het moment dat ik haar voor het eerst zag op Flatiron High. Nu ga
ik helemaal op in de aanraking van haar zachte warme lippen op mijn
huid. Ik laat haar de leiding nemen. Ik hou me in, ook al schreeuwt mijn
lichaam om meer. Brittany zei dat ik me vanavond niet zo brutaal en
egoïstisch moest gedragen. Alleen heb ik mezelf op dit moment niet
meer onder controle.

Ze steekt haar tong uit en likt voorzichtig aan mijn linkertepel. 'Is
d-d-dat f-f-fijn?' vraagt ze.

Dat heeft nog nooit een meisje bij me gedaan. Shit man, ik weet niet
eens of een ander meisje dit ooit bij me zou mogen doen. Maar dit is
niet zomaar een meisje, dit is Kiara. Volgens mij zou zij nu met me kunnen doen wat ze maar wil, zonder enig protest van mijn kant. 'Ja. Dat
voelt verdomd lekker, chica. Ik kan niet wachten om hetzelfde bij jou te
doen.'

Mijn ademhaling is gehaast en ik probeer de rest van mijn lichaam
te kalmeren terwijl haar mond naar de andere kant van mijn borst gaat.

Ik wil haar tegen me aan voelen. Ik heb nooit beweerd dat ik geduld
heb. 'Hé,' zeg ik, en ik til haar hoofd op. Ik kus haar zacht en verlang ernaar om haar naast me te hebben liggen. 'Nu is het mijn beurt.'

Ik schuif mijn jasje van haar schouders en gooi het aan de kant. Mijn
vingers glijden omhoog langs de rits op haar rug tot ze bovenaan zijn.
Terwijl ik de rits langzaam omlaag trek en haar huid wordt ontbloot,
die ik zo graag zou zien maar me nu alleen maar kan inbeelden, knoopt
Kiara mijn broek los en steekt haar hand erin om me te strelen door
mijn boxershort heen.

'Wat doe je?' vraag ik.

'Sorry,' zegt ze, en ze trekt snel haar hand terug. 'Ik m-m-moest iets m-m-met mijn handen doen en ik wilde w-w-weten of je opgewonden w-w-was.'

Ik lach. Typisch iets voor Kiara om het antwoord op die vraag in mijn broek te gaan zoeken. 'Heb je het bewijs gevoeld?' vraag ik geamuseerd.

'Ja,' fluistert ze. 'Je bent opgewonden.'

'En even zodat je het weet...' Ik pak haar hand en leg hem weer op mijn boxershort. 'Alleen van de gedachte aan jou raak ik al opgewonden.'

Ik merk dat ze glimlacht, al kan ik het niet zien. Ik denk aan haar lange wimpers rond haar kameleonachtige ogen, die nu vast lichtgrijs zijn geworden.

Langzaam trek ik haar jurk van haar schouders en ik stop pas als hij helemaal uit is.

'Jouw beurt,' fluistert ze, en ze trekt zich terug als ik mijn hand uitstrek om haar aan te raken.

Ik trek alles uit behalve mijn boxershort en trek haar dan bij me onder de dekens. 'Heb je het koud?' vraag ik. Ik merk dat haar handen licht trillen wanneer ze de contouren van mijn gezicht streelt.

'Nee.'

Ik buig me over haar heen en kus haar. 'Kom maar op met die bacillen,' zeg ik, met een knipoog naar Brandons beeld van tongzoenen.

'Alleen als jij me die van jou geeft,' zegt ze met haar lippen op die van mij. Ze doet haar mond voor me open en onze tongen vinden elkaar. De vochtige sensatie maakt me nog opgewondener dan ik al was, als dat überhaupt nog kon.

We bewegen als één en wrijven onze lichamen langs elkaar. Ik verlies alle besef van tijd. Op een gegeven moment laat ik mijn hand in haar slipje glijden en begin haar te strelen, net wanneer haar handen mij vastpakken.

'Ik heb een condoom bij me,' zeg ik terwijl ik haar slipje uittrek. We zijn allebei opgewonden en bezweet en ik kan haar niet langer weerstaan.

'Ik ook,' fluistert ze in mijn nek. 'Maar dat kunnen we misschien niet gebruiken.'

'Waarom niet?' Ik verwacht dat ze nu gaat zeggen dat dit allemaal een vergissing was, dat het niet haar bedoeling was om me zo op te winden om me vervolgens te moeten vertellen dat ik niet goed genoeg ben om haar te mogen ontmaagden, maar dat het nu eenmaal zo is.

Ze schraapt haar keel. 'D-d-dat ligt eraan of je allergisch bent voor l-l-latex.'

Latex? Die vraag is me nog nooit gesteld. Misschien omdat alle andere meiden met wie ik het heb gedaan ervan uitgingen dat ik voor bescherming zou zorgen, of er überhaupt niet van uitgingen dat ik bescherming zou gebruiken. 'Chica, ik ben helemaal nergens allergisch voor.'

'Mooi,' zegt ze, en ze reikt naar haar tasje en haalt een condoom tevoorschijn. 'Zal ik hem bij je omdoen?'

Ze kan niet zien dat mijn mondhoeken opkrullen. Ik ben niet de maagd van ons tweeën, maar toch maak ik vannacht veel dingen voor de eerste keer mee. 'Weet je zeker dat dat gaat lukken?'

Ik hoor de verpakking openscheuren. 'Daag je me nu uit?' fluistert ze, waarna ze naar voren leunt om haar lippen op die van mij te drukken. 'O, Carlos,' zegt ze. 'Je weet dat ik geen nee kan zeggen tegen een uitdaging.'

52

Kiara

'Wakker worden, chica.'

Ik word gewekt door Carlos' stem en de zachte streling van zijn vingers over mijn blote schouder. Mijn benen zijn verstrengeld met die van hem, mijn hoofd rust op zijn borst en de herinnering aan wat we een paar uur geleden hebben gedaan brengt bitterzoete gevoelens naar boven.

Ik doe mijn ogen open. Het is nog donker, en we liggen allebei helemaal naakt onder de dekens. 'Hoi,' zeg ik. Mijn stem klinkt hees en slaperig.

'Hoi. We moeten gaan.'

'Waarom? Kunnen we niet nog even blijven?'

Hij schraapt zijn keel en rolt opzij, waardoor ik de koude nachtlucht over mijn blote huid voel strijken. 'Ik was vergeten dat ik Alex' auto vanavond zou terugbrengen.'

'O,' zeg ik verdwaasd. 'Oké.' Hij is duidelijk in paniek en heeft vast spijt van wat we hebben gedaan. Ik snap het. Ik weet niet waardoor dit ineens is gekomen, maar ik snap het.

'Kleed je aan,' zegt hij, zonder enige emotie in zijn stem.

Als we allebei zijn aangekleed, geeft hij me zijn jasje aan, maar ik pak het niet aan. 'Ik heb mijn regenjas bij me,' zeg ik.

'Die heb je in de auto laten liggen, Kiara. Trek dit nou maar aan. Dan blijf je droog.'

'Ik heb het niet nodig,' zeg ik, en ik loop in mijn jurk en op blote voeten weg door de regen. Ik heb zijn liefde nodig. Ik heb zijn eerlijkheid nodig. Dat hij me zijn jasje geeft, is niet meer dan een beschermend gebaar. Het jasje is door- en doornat, ook aan de binnenkant.

Carlos stopt de dekens in de kofferbak en mompelt dat hij ze naar de wasserette moet brengen. Eenmaal in de auto rijden we zwijgend door de donkere, verlaten straten. Het enige wat we horen is de regen die tegen de ramen tikt. Ik wou dat de regen me niet zo aan tranen deed denken.

'Ben je boos op me?' vraag ik, terwijl ik mijn regenjas aantrek zodat hij mijn armen niet ziet trillen.

'Nee.'

'Doe d-d-dan niet alsof dat wel zo is. Voor mij was dit een perfecte avond. Verpest het nou alsjeblieft niet.'

Hij rijdt onze oprit op en parkeert naast mijn auto. Het regent nu harder.

'Wacht een paar minuten tot het opklaart,' zegt hij als ik mijn schoenen en tasje pak.

'Hoe kom je weer thuis nadat je de auto hebt weggebracht?'

'Ik blijf wel bij mijn broer slapen,' zegt hij.

Ik kijk naar de regendruppels die langs het autoraam naar beneden stromen en dan verdwijnen. Ik kan hier niet veel langer blijven zitten zonder emotioneel te worden. 'Ik heb geen spijt van vannacht. Totaal niet.'

Hij kijkt me aan. De straatverlichting schijnt op zijn knappe, krachtige gelaatstrekken. 'Luister, ik moet alles even op een rijtje zetten. Het is allemaal zo...'

'Ingewikkeld,' maak ik zijn zin af. 'Laat me het dan m-m-makkelijk voor je maken. Ik ben niet zo naïef om te denken dat alles is veranderd alleen omdat we s-s-seks hebben gehad. Je hebt vanaf het begin d-d-duidelijk gemaakt dat je niet op zoek was naar een relatie. Zo, dat maakt alles een stuk minder ingewikkeld. Je bent ongebonden en je hebt niets fout gedaan.'

'Kiara...'

Ik wil hem niet horen zeggen dat deze nacht een grote vergissing was, ook al zei ik dat het niet meteen iets hoefde te betekenen. Ik stap de auto uit, maar loop dan rechtstreeks naar mijn auto in plaats van naar binnen te rennen door de regen. Ik wil even rustig kunnen nadenken en huilen zonder dat iemand me hoort. Op dit moment is mijn auto de enige plek waar dat kan. Ik wou dat Carlos snel wegreed, zodat ik mijn tranen niet langer hoef in te houden.

Hij draait zijn raampje omlaag en gebaart dat ik hetzelfde moet doen.

Ik doe wat hij vraagt en hij probeert iets tegen me te zeggen. Zijn stem komt amper boven het gekletter van de regen uit.

Ik leun uit het raam. 'Wat zeg je?'

Hij leunt ook uit zijn raam naar mij toe. We zijn allebei nat en doorweekt, maar dat lijkt ons allebei niets te kunnen schelen. 'Je moet niet van me weglopen als ik je iets belangrijks probeer te vertellen.'

'Wat dan?' zeg ik, hopend dat de tranen die over mijn wangen rollen zich vermengen met de regen zodat hij ze niet opmerkt.

'Deze avond was... nou, het was ook perfect voor mij. Je hebt mijn wereld op z'n kop gezet. Ik ben verliefd op je, chica, en dat maakt me doodsbang. Ik loop al de hele avond te rillen, omdat ik het gewoon wist. Ik heb het geprobeerd te ontkennen en je te laten denken dat ik je alleen maar als mijn nepvriendinnetje wilde, maar dat was niet waar.'

'Ik hou van je, Kiara,' zegt hij, en dan drukt hij zijn lippen op de mijne.

53

'Wat doe jij hier?' vraagt Alex als ik om vijf uur 's ochtends bij hem aankom.

'Ik trek weer bij je in,' zeg ik, en ik wurm me langs hem heen. In ieder geval tot Keno en ik er eind van de maand vandoor gaan.

'Je hoort bij de Westfords te wonen.'

'Ik kan daar niet meer blijven,' zeg ik.

'Waarom niet?'

'Ik hoopte eigenlijk dat je dat niet zou vragen.'

'Heb je iets illegaals gedaan?' vraagt mijn broer, en hij zet zich schrap voor mijn antwoord.

Ik haal mijn schouders op. 'Misschien dat het in sommige staten illegaal is. Luister, Alex, ik kan nergens anders heen. Al kan ik natuurlijk altijd nog op straat gaan leven, samen met de andere jongeren die door hun broer het huis uit zijn geschopt...'

'Hou op met dat gelul, Carlos. Je weet dat je hier niet kunt blijven. Dat heeft de rechter bepaald.'

Rechter of geen rechter, ik wil geen misbruik maken van Westford. Hij is zo'n goeierik waarvan ik altijd dacht dat ze alleen in de film bestonden. 'Ik heb de dochter van de professor geneukt,' flap ik er uit. 'Dus mag ik nou hier blijven, of niet?'

'Zeg alsjeblieft dat je een grapje maakt.'

'Dat zal niet gaan. Het was het Homecoming-bal, Alex. En voor je me nu de les gaat lezen over wat je wel en niet hoort te doen, bedenk dan dat jouw eerste keer met Brittany voor een weddenschap was – op de vloer van de garage van onze neef – met Halloween, nog wel.'

Alex masseert zijn slapen. 'Je weet helemaal niets over die avond, Carlos, dus doe niet alsof dat wel zo is.' Hij gaat op zijn bed zitten en laat zijn hoofd in zijn handen zakken. 'Sorry dat ik het vraag, maar ik moet het weten... heb je een condoom gebruikt?'

'Ik ben geen idioot.'

Alex kijkt me aan en trekt zijn wenkbrauw op.

'Oké,' zeg ik. 'Ik geef toe dat ik een idioot ben. Maar ik heb wel een condoom gebruikt.'

'Dan heb je in ieder geval nog iets goed gedaan. Je mag hier vannacht blijven,' zegt Alex terwijl hij een kussen en een deken uit de kast pakt en naar me toe gooit.

Alex heeft het luchtbed weer teruggebracht, dus ik moet op de grond slapen. Tien minuten later, als het licht uit is en ik naar de schaduwen op het plafond lig te staren, vraag ik: 'Wanneer ben je precies verliefd geworden op Brittany? Was je dat al vanaf het begin, of gebeurde er iets speciaals?'

Hij geeft niet meteen antwoord, dus ik begin het idee te krijgen dat hij slaapt. Maar dan wordt de stilte verbroken door een diepe zucht. 'Het was tijdens de scheikundeles van Peterson... toen ze zei dat ze me haatte. En nu mond dicht en slapen.'

Ik draai me op mijn zij en neem in gedachten de hele avond nog eens door, vanaf het moment dat ik Kiara in die zwarte jurk zag. Ze benam me letterlijk de adem. 'Alex?'

'Wat?' vraagt hij geïrriteerd.

'Ik heb haar gezegd dat ik van haar hou.'

'Meende je het?'

Ik was bloedserieus toen ik zei dat dit meisje mijn leven op zijn kop heeft gezet. Welk meisje draagt er nu elke dag wijde T-shirts, heeft een homo als beste vriend, stottert als ze zenuwachtig is, plakt doucheroosters op de badkamerspiegel, maakt stomme koekjesmagneten alleen maar om mij te irriteren, sleutelt aan auto's als een vent en wordt helemaal enthousiast als ze wordt uitgedaagd een condoom om te doen? Die meid is compleet gestoord. 'Ik zit diep in de shit, Alex, want volgens mij zou ik het liefst elke ochtend naast haar wakker willen worden.'

'Je hebt gelijk, Carlos. Je zit inderdaad diep in de shit.'

'Hoe kom ik onder dat gedonder met Devlin uit?'

'Geen idee, Carlos. Op dit moment weet ik daar net zo min een oplossing voor als jij, maar ik weet iemand die ons misschien kan helpen.'

'Wie?'

'Dat vertel ik je morgen wel. Hou nu eens je kop en laat me slapen.'

Dan begint mijn telefoon ineens te piepen. Het geluid galmt door het kleine appartement.

'Wie stuurt je nou op dit tijdstip nog een sms'je?' wil Alex weten. 'Is het Devlin?'

Ik lees het berichtje en moet lachen. 'Nee. Het is van je ex.'

Alex springt uit bed en grist de telefoon uit mijn hand. 'Wat stuurt ze? Waarom sms't ze jou?'

'Relax, bro. Ze vroeg hoe mijn date was gegaan, en ik heb haar terug ge-sms't voor ik hierheen kwam. Ik kon toch ook niet weten dat ze meteen zou antwoorden?'

'Ze wil weten of ik me net zo ellendig voel als zij,' zegt Alex als hij Brittany's sms'je heeft gelezen.

De uitdrukking op zijn gezicht in het licht van het schermpje zegt meer dan genoeg. Hij is nog steeds hopeloos en walgelijk verliefd op Brittany. Ik zou hem hebben uitgelachen als ik niet het idee had dat ik precies hetzelfde keek toen ik wakker werd naast Kiara's naakte lichaam en me realiseerde dat ik nog liever dood zou gaan dan één dag zonder haar te moeten leven. Ik ken haar nog maar net, maar alleen naar haar kijken voelt al zo goed. En met haar samenzijn voelt als... thuiskomen. Anderen zullen daar misschien niets van snappen, maar ik wel.

'Yo, Alex, waarom sms je haar niet terug dat je een zielig hoopje ellende bent en dat je alles wilt doen om haar terug te krijgen... zelfs als je daarvoor uit eten moet met haar stomme ouders en de komende zeventig jaar haar spierwitte kont moet kussen.'

'Wat weet jij nou van relaties, of van een spierwitte kont? Nee, laat maar. Ik hoef het antwoord niet te horen.' Hij loopt de badkamer in met mijn telefoon en trekt de deur achter zich dicht.

Zolang hij niet in de kamer is, kan ik net zo goed in zijn lege bed kruipen. Hij zal nog wel een tijdje in de badkamer met zijn ex zitten te sms'en, tot ze zijn vriendin weer is. Blijkbaar was het niet zo'n gek idee om haar te sms'en vlak voor ik hier aankwam, zeker aangezien ik toch al had verwacht dat ze nog wakker was en zich net zo ellendig zou voelen als mijn broer.

In het droogdok, toen ik over Kiara's lange haar streek terwijl ze in mijn armen in slaap viel, werd ik overspoeld door een verlammende angst. Ik realiseerde me dat mijn relatie met Destiny helemaal niets voorstelde in vergelijking met wat ik met Kiara heb. Dat maakte me bang, en ik raakte in paniek. Ik moest gewoon even bij haar uit de buurt zijn om alles te verwerken, want als ik bij Kiara ben, begin ik meteen te dagdromen over een toekomst samen met haar, in plaats van me te richten op de realiteit, namelijk dat ik aan het eind van de maand uit Colorado wegga. Zoals Keno al zei, ik heb geen keus.

Het volgende moment word ik wakker geschud door Alex. 'Opstaan,' beveelt hij.

'Ik heb nog een paar uurtjes slaap nodig,' antwoord ik.

'Dat kan niet,' zegt hij. 'Het is al middag. En je hebt een voicemailbericht.'

Vast Brittany weer. Die twee kunnen maar beter snel weer bij elkaar komen, dan hoef ik me daar in ieder geval geen zorgen meer om te maken. 'Ik zei toch dat je haar moest sms'en dat je alles zou doen om haar weer terug te krijgen.'

'Het is geen bericht van Brit.'

Ik doe één oog open. 'Van Kiara?'

Hij haalt zijn schouders op. 'Je hebt wel een sms'je van Kiara gehad.'

Ik kom zo snel overeind dat ik er duizelig van word. 'Wat zei ze?'

'Ze wilde weten of het goed met je ging. Ik heb haar terugge-sms't dat je vannacht hier hebt gelogeerd en nog steeds lag te slapen. Maar je hebt een voicemailbericht van Devlin. Hij wil vanavond met je afspreken.'

Ik wrijf over mijn nekspieren, die strak staan van de spanning. 'Nou, dat was het dan, denk ik. Het heeft geen zin meer om te hopen dat hij me is vergeten. Hij heeft een hoop moeite gedaan om mij in te lijven. Ik zie geen uitweg meer, Alex.'

'Er is altijd een uitweg.' Hij gooit me een handdoek toe. 'Ga douchen en kleed je aan. Je mag wel iets van mij lenen. Schiet op, we hebben niet veel tijd.'

Alex neemt me mee naar de campus van Boulder. Ik volg hem een van de gebouwen in, maar verstijf als we bij een deur komen waarop staat: RICHARD WESTFORD, PROFESSOR IN PSYCHOLOGIE.

'Wat doen we hier?' vraag ik mijn broer.

'Hij kan ons helpen.' Alex klopt op de deur van de professor.

'Kom binnen,' zegt hij.

Westford kijkt op als we zijn kantoor binnenstappen. 'Hé, jongens. Ik neem aan dat jij en Kiara gisteren een leuke avond hebben gehad, Carlos. Colleen zei dat ze nog sliep toen ik vanmorgen van huis ging, dus ik heb het haar niet kunnen vragen.'

'Het was leuk,' mompel ik. 'Kiara is...'

'Soms nogal veeleisend, ik weet het. Ze houdt ons in ieder geval scherp.'

'Ik wilde eigenlijk zeggen dat ze geweldig is,' zeg ik. 'Je dochter is geweldig.'

'Dat is niet alleen aan mij te danken. Colleen heeft de kinderen fantastisch opgevoed. Kiara moest gewoon een beetje uit haar schulp kruipen. Het was aardig van je om haar mee uit te nemen. Ik weet dat ze dat erg waardeerde. Maar Alex wilde vast niet alleen naar me toe komen om een praatje te maken. Wat is er?'

'Vertel hem wat je mij hebt verteld,' beveelt Alex.

'Waarom?'

'Omdat hij een bikkel is.'

Ik kijk naar de kalende Westford. Een bikkel, geloof je het zelf? Vroeger misschien, maar nu niet meer. Hij is allang geen soldaat meer, hij is een zielenknijper.

'Doe het nou maar,' zegt Alex ongeduldig.

Ik heb geen andere opties meer, dus ik kan het hem net zo goed vertellen. Misschien dat Westford iets kan bedenken waar ik nog niet was op gekomen. Waarschijnlijk niet, maar het is het proberen waard. 'Weet je nog toen ik in elkaar was geslagen en zei dat ik vlak bij het winkelcentrum was aangevallen?'

Hij knikt.

'Dat loog ik. In werkelijkheid...' Ik kijk naar Alex, die me bemoedigend toeknikt. '... ben ik gerekruteerd door een man die Devlin heet.'

'Ik weet wie Devlin is,' zegt de professor. 'Ik heb hem nooit ontmoet, maar ik heb wel van hem gehoord. Hij is een drugssmokkelaar.' Westford kijkt me met samengeknepen ogen aan en ik bespeur wat van zijn vechtersmentaliteit die naar de oppervlakte probeert te komen. 'Als je maar geen drugs dealt voor Devlin.'

'Dat is het probleem,' vertel ik de professor. 'Als ik niet voor hem ga dealen, vermoordt hij me. En ik zou dan toch liever gaan dealen dan dat ik doodga.'

'Dat gaat allebei niet gebeuren,' zegt Westford.

'Devlin is een zakenman die alleen maar bezig is met winst maken.'

'Winst maken, hè?' Westford leunt achterover in zijn stoel en laat zijn hersens kraken. De stoel kantelt zo ver naar achteren dat hij zich snel aan zijn bureau moet vastgrijpen om niet achterover te vallen. Nou, nou, wat een bikkel is de professor, zeg, tot zijn designerinstappers aan toe.

'Hebt u nog suggesties?' vraagt Alex. 'Wij weten het niet meer.'

Westford steekt een vinger in de lucht. 'Misschien kan ik jullie helpen. Wanneer heb je met hem afgesproken?'

'Vanavond.'

'Ik ga met je mee,' zegt Westford.

'Ik ook,' valt Alex bij.

'O, joepie. Laten we onze eigen rebellenbeweging beginnen.' Ik lach verbitterd. 'Je kunt niet zomaar op Devlin afstappen.'

'Dat zullen we nog wel eens zien,' zegt Westford. 'We krijgen je hier uit, hoe dan ook.'

Meent die man dat nou? Hij is geen familie van me. Hij zou me moeten zien als een last en een risico, niet als iemand die het waard is om voor te vechten.

'Waarom doe je dit?' vraag ik hem.

'Omdat mijn familie om je geeft. Luister, Carlos, volgens mij wordt het tijd dat ik je over mijn verleden vertel zodat je mijn achtergrond kent.'

O, dit moet ik horen.

Ik leun achterover in de stoel, klaar om een langdradig sentimenteel verhaal aan te horen over hoe gemeen het wel was van zijn ouders dat hij voor zijn zesde verjaardag niet precies het cadeau kreeg waar hij om had gevraagd. Of over de jongen die hem altijd zijn lunchgeld aftroggelde op high school. Of misschien was hij wel boos omdat zijn ouders toen hij zestien werd een tweedehandsauto voor hem kochten in plaats van een gloednieuwe. Verwacht de professor nou echt dat ik medelijden met hem krijg? Ik kan het makkelijk van hem winnen als het op sentimentele verhalen aankomt.

Westford gaat ongemakkelijk verzitten in zijn bureaustoel en slaakt een diepe zucht. 'Mijn ouders en broer zijn omgekomen bij een auto-ongeluk toen ik elf was.' Jezus, dat verwachtte ik niet. 'Op een avond reden we door de sneeuw naar huis en mijn vader verloor de macht over het stuur.'

Wacht. 'Zat jij ook in de auto?'

Hij knikt. 'Ik weet nog dat we in een slip raakten en dat de auto begon te tollen.' Hij aarzelt. 'En dat er een vrachtwagen vol op de auto botste. Ik kan mijn moeder nog horen gillen toen ze de grote koplampen recht op zich af zag komen, en ik zie mijn broer nog naar me kijken alsof ik hem op de een of andere manier zou kunnen helpen.'

Hij schraapt zijn keel en slikt moeizaam. Ineens ben ik er niet meer zo zeker van dat ik het spelletje 'wiens jeugd was erger' zou winnen.

'Na de knal, toen we eindelijk weer tot stilstand waren gekomen, deed ik mijn ogen open en zag dat de hele auto onder het bloed zat. Ik wist niet eens of het van mij was of van mijn ouders... of van mijn broer.' Zijn ogen staan nu glazig, maar hij laat geen traan. 'Het was alsof hij in stukken was gescheurd, Carlos. Ik moest hem proberen te redden, ook al deed bewegen zoveel pijn dat het voelde alsof ik doodging. Ik moest hen allemaal proberen te redden. Ik hield de wond in mijn broers zij zo lang mogelijk dichtgedrukt terwijl ik het verse warme bloed over mijn handen voelde stromen. De ambulancebroeders moesten me van hem lostrekken omdat ik niet wilde loslaten. Ik kon hem niet dood laten gaan. Hij was pas zeven, een jaar ouder dan Brandon nu is.'

'Ben jij de enige die het heeft overleefd?'

Hij knikt. 'Ik had geen familie bij wie ik kon gaan wonen, dus werd ik de daaropvolgende zeven jaar van pleeggezin naar pleeggezin gestuurd.' Hij kijkt me recht in de ogen. 'Of beter gezegd, meestal schopten ze me de deur uit.'

'Waarvoor?'

'Noem maar op. Vechten, drugsgebruik, van huis weglopen... Het enige wat ik nodig had, was wat begrip en begeleiding, maar niemand was bereid of had genoeg tijd om me op het juiste pad te helpen. Toen ik achttien werd, belandde ik op straat. Ik kwam in Boulder terecht, waar genoeg jongeren rondliepen zoals ik. Maar het leven op straat was smerig en ik voelde me eenzaam en had geen geld. Op een dag was ik aan het bedelen toen een man tegen me uitviel en zei: 'Weet je moeder wel waar je bent en wat er van je terecht is gekomen?' Op dat moment realiseerde ik me iets. Als mijn moeder vanuit de hemel op me neer zou kijken, zou ze echt enorm pissig zijn dat ik niet mijn best deed iets van mezelf te maken.'

'Ik besefte dat ik mijn familie nooit meer terug zou krijgen, al vocht ik nog zo hard,' vertelt hij verder. 'Geen enkele hoeveelheid drugs kon dat beeld verdrijven van mijn broer die me smeekte hem te helpen. En ik zou die herinnering nooit kunnen ontvluchten, want wegvluchten maakte alles alleen maar erger. In het leger leerde ik al die energie om te buigen.'

'Ik wil niet dat je je leven op het spel zet voor mij, professor. Het is al erg genoeg dat ik verkering wil met je dochter.'

'Daar hebben we het een andere keer wel over. Laten we ons nu op de huidige problemen richten. Hoe laat heb je met Devlin afgesproken?' vraagt Westford. Hij straalt een en al vastberadenheid uit.

We spreken af om zeven uur, om dan een bepaald plan ten uitvoer te brengen. Alleen heb ik geen idee wat voor plan precies. Hopelijk heeft Westford het vóór zeven uur vanavond uitgedokterd. Eerlijk gezegd is het best een opluchting dat ik mijn leven eindelijk in de handen kan leggen van iemand die ik vertrouw.

54

Kiara

Op maandagmorgen staat mijn moeder pannenkoeken te bakken voor het ontbijt. 'Wat doe jij nog thuis?' vraag ik.

'Ik laat de winkel door wat medewerkers openen.' Ze glimlacht warm, diezelfde lieve glimlach waardoor ik me altijd beter voelde als ik ziek thuis moest blijven van de basisschool. 'Het lijkt me leuk om voor de verandering eens bij jou en Brandon thuis te zijn.'

'Heb jij of pap nog met Carlos gepraat?' vraag ik voor de duizendste keer sinds gisteren. Mijn ouders gedragen zich allebei nogal vreemd sinds mijn vader gisteren thuiskwam uit zijn werk. Hij heeft zich uren met mijn moeder in zijn kantoor opgesloten. Sindsdien lijken ze allebei behoorlijk gespannen en ik kom er maar niet achter wat daar de reden voor is.

Carlos zei dat hij naar Alex ging, meteen nadat hij me had gezegd dat hij van me houdt. Ik wou dat hij hier was, zodat hij me kon vertellen dat het wel goed komt tussen ons, maar ik wist dat hij even wat tijd voor zichzelf nodig had om alles op een rijtje te zetten.

Maar het punt is, dat ik zijn grootste angst nooit heb weggenomen. Hij moet weten dat ik hem niet zomaar in de steek zal laten. Ik wou dat ik vandaag even met hem had kunnen praten voor schooltijd, maar dat zat er niet in. Hij is hier niet meer geweest sinds hij me zondagochtend heeft afgezet.

Ik zie dat mijn moeder het beslag sneller begint te kloppen. 'Dat weet ik niet zeker.'

'Wat wil dat zeggen?'

'Dat ik er niet over wil praten.'

Ik loop naar haar toe en leg mijn hand op haar arm zodat ze wel moet stoppen met kloppen. 'Wat is er aan de hand, mam? Je moet het me vertellen.' Ik slik moeizaam. Ik wil niet dat de jongen van wie ik hou zich ellendig voelt alleen omdat hij ook van mij houdt. Dat is het niet waard. Ik zou hem laten gaan als dat hem gelukkig zou maken. 'Ik moet het weten.'

Als mijn moeder me aankijkt, staan er tranen in haar ogen. Nu weet ik zeker dat er iets aan de hand is. 'Je vader zei dat hij het gaat oplossen. Ik vertrouw hem al twintig jaar. Ik was niet van plan daar nu mee te stoppen.'

'Heeft het met Carlos te maken? Heeft het te maken met die vechtpartij waarbij hij betrokken was? Loopt hij gevaar?'

Mijn moeder legt haar hand op mijn wang. 'Kiara, lieverd, ga naar school. Het spijt me dat ik wat gespannen ben vanmorgen. Het zal allemaal snel voorbij zijn.'

'Wat zal snel voorbij zijn, mam?' vraag ik in paniek. 'V-v-vertel het me gewoon.'

Ze stapt naar achteren, peinzend over wat de gevolgen zouden zijn als ze het geheim dat ze bewaart aan mij zou verklappen. 'Je vader zei dat hij het zou afhandelen. Hij heeft gisteren een lang gesprek gevoerd met Tom en David, zijn vrienden uit het leger die nu bij de narcoticabrigade werken.'

'Ik voel me hier echt beroerd onder,' zeg ik.

'Het komt wel goed, Kiara. Maak je nu maar klaar om naar school te gaan en praat hier verder met niemand over.'

'Is het ontbijt klaar?' vraagt mijn broertje terwijl hij de keuken binnenkomt.

Mijn moeder begint weer te kloppen. 'Bijna. We eten volkorenpannenkoeken.'

Brandon trekt zijn beroemde pruillip, die niemand bij ons thuis kan weerstaan. Ik vraag me af of die blik zijn werking ooit zal verliezen. Brandon kennende zal hij hem op zijn vijftigste nog steeds gebruiken. 'Wil je er stukjes chocolade in doen? Alsjeblíéééft.'

Mijn moeder zucht en kust hem dan op zijn ronde wangen. 'Oké, maar trek alvast je schoenen aan, anders mis je straks de bus nog.'

Terwijl ze het beslag in de hete pan schept, loop ik naar mijn vaders kantoor. Ik weet hoe verschrikkelijk fout en ongepast het is, maar ik kruip achter mijn vaders computer en blader door zijn geschiedenis. Eerst op internet en dan in al zijn documentmappen. Als er een aanwijzing is voor wat er aan de hand is, dan moet ik ervan weten. En aangezien niemand het me wil vertellen, heb ik geen andere keuze dan zelf op onderzoek uit te gaan.

Jammer voor mijn vader – maar gelukkig voor mij – heeft hij zijn geschiedenis niet gewist. Ik roep alles op waar hij de afgelopen vierentwintig uur aan heeft gewerkt. Ik bekijk een brief aan zijn baas over het invoeren van een nieuw curriculum, een opzet van een tentamen voor zijn college, en een spreadsheet met een hoop cijfers.

Ik bekijk de spreadsheet eens goed. Het is een financieel overzicht... van een van hun bankrekeningen. De laatste regel is van vandaag: een afschrijving van vijftigduizend dollar waardoor mijn ouders nog maar een saldo van vijfduizend dollar overhouden. Er staat slechts een enkel woord bij de omschrijving: CONTANT.

Mijn vader neemt vandaag vijftigduizend dollar op van zijn bankrekening. Dat geld heeft op de een of andere manier met die vechtpartij van Carlos te maken, dat weet ik zeker.

'Kiara, de pannenkoeken zijn klaar!' roept mijn moeder vanuit de keuken.

Mijn moeder gaat me echt niet vertellen waarom mijn vader maar liefst vijftigduizend dollar van hun bankrekening opneemt. Ik doe alsof ik van niets weet en werk mijn pannenkoeken naar binnen met een onbezorgde glimlach op mijn gezicht.

Zodra we klaar zijn met ontbijten, brengt mijn moeder Brandon snel naar de bus. Ik kruip stiekem weer achter mijn vaders computer want ik heb nog een idee... ik ga naar de site die mijn vader meestal gebruikt en klik op zijn recente zoekopdrachten.

Ja hoor, de laatste twee zoekopdrachten verwijzen naar adressen die ik niet ken. Het ene is vlak bij Eldorado Springs en het andere is in Brush, een stadje op ongeveer anderhalf uur rijden hiervandaan. Ik weet dat ze daar een hoop problemen hebben met drugs en ik voel mijn maag omdraaien. Wat is er aan de hand? Snel noteer ik de adressen. Dan sluit ik de computer af en probeer zo onschuldig mogelijk te kijken wanneer mijn moeder weer binnenkomt.

Als ik op school mijn kluisje opendoe, tref ik boven op mijn boeken twee rozen aan, een rode en een gele. Ze zijn samengebonden met een zwarte rozenkrans en er zit een briefje bij. Ik weet zeker dat ze van Carlos komen.

Ik hurk neer voor mijn kluisje om het briefje te lezen, geschreven op een afgescheurd notitievelletje.

K,
De dame van de winkel zei dat geel staat voor vriendschap en rood voor
liefde.
De rozenkrans is mijn enige waardevolle bezit. Nu is hij van jou.
Ik ben van jou.

'Is dat Kiara Westford?' zegt Tuck terwijl hij naar me toe komt. 'Het meisje dat me maar niet terugbelt?'

Ik klem de bloemen, de rozenkrans en het briefje tegen mijn borst. 'Hoi. Sorry, het is nogal hectisch geweest.'

Hij fronst zijn wenkbrauwen. 'Wat heb je daar?'

'Spullen.'

'Van die Mexicaanse spetter?'

Ik kijk omlaag naar de prachtige bloemen. 'Hij zit in de p-p-proble-men, Tuck. Mijn vader is met hem mee en mijn moeder gedraagt zich vreemd, en ik moet ze op de een of andere manier helpen. Ze kunnen niet zomaar alles voor me verzwijgen terwijl ze allemaal g-g-gevaar lopen. Ik voel me zo machteloos. Ik weet gewoon niet wat ik moet d-d-doen.' Ik realiseer het me eerst niet eens, maar ik zit over de kralen van de rozenkans te wrijven.

Tuck trekt me een leeg klaslokaal in. 'Wat voor problemen precies? En hou eens op met trillen, je maakt me bang.'

'Ik k-k-kan er niets aan doen. Volgens mij heeft het met Carlos en een bepaalde drugsdealer te maken. Ik ben doodsbang want mijn vader denkt dat hij Rambo is en dat hij dit wel even kan regelen. De narcoti-cabrigade is er misschien ook bij betrokken. Maar volgens mij heeft hij geen idee waar hij in verzeild raakt, Tuck. Ik weet niet eens wie die drugsdealer is, behalve dat Carlos hem na die vechtpartij de duivel noemde, maar dan in het Spaans: El Diablo.'

'El Diablo?' Tuck schudt zijn hoofd. 'Zegt me niets. Weet je met wie jij zou moeten praten?'

'Nou?' vraag ik.

'Met Ram Garcia. Zijn moeder werkt bij de narcoticabrigade. Ze heeft hier een tijdje geleden een presentatie gegeven over haar werk.'

Ik geef Tuck een kus op zijn wang. 'Je bent geniaal, Tuck!' zeg ik, en ren dan weg op zoek naar Ram.

Een halfuur later zit ik tegenover mevrouw Garcia, Rams moeder. Ze draagt een marineblauw broekpak en een hagelwitte blouse – ze ziet eruit als een typische narcotica-agent. Toen Ram me haar nummer had gegeven, ben ik meteen naar buiten geglipt om haar vanuit mijn auto te bellen. Ik heb haar alles verteld wat ik weet. Dit is de eerste keer dat ik spijbel, maar ik heb me dan ook nog nooit zo'n zorgen gemaakt om mijn vader en Carlos.

Mevrouw Garcia heeft net mijn moeder gebeld. 'Ze komt meteen hierheen,' vertelt ze me. 'Maar jullie zullen hier een paar uur moeten blijven. Jullie mogen het gebouw niet verlaten.'

'Dat begrijp ik niet,' zeg ik. 'Waarom niet?'

'Omdat je het adres in Brush kent. Die informatie kan een hoop mensen in gevaar brengen.' Mevrouw Garcia zucht en buigt zich dan over haar bureau, dat ligt volgestapeld met mappen van manillapapier. 'Ik zal het je maar eerlijk zeggen, Kiara: je vader, Carlos en Alex zijn gestuit op iets waar wij al maanden aan werken.'

'Zeg me alsjeblieft dat ze geen gevaar lopen,' smeek ik haar terwijl mijn hart steeds wilder begint te bonzen.

'We hebben onze infiltranten binnen de gang laten weten dat je vader en de broers Fuentes beschermd moeten worden. Meer veiligheid kunnen we ze niet bieden nu we aan de vooravond staan van een grote drugsinval, maar je vader zal alle nodige voorzorgsmaatregelen nemen.'

'Hoe weet u dat?'

'Je vader heeft ons al eerder geholpen bij enkele undercoveroperaties en bij het opstellen van profielen van criminelen,' zegt ze. 'Hij houdt deze operatie geheim voor Carlos en Alex om hen te beschermen. Hoe minder ze weten, hoe beter.'

Wat? Mijn vader werkt samen met de narcoticabrigade? Sinds wanneer? Hij heeft er nooit iets over gezegd. Ik zie hem altijd als mijn vader, niet als iemand die undercover voor de narcoticabrigade van de VS werkt. Ik wist alleen dat hij nog contact had met een paar vrienden uit het leger, met wie hij af en toe afsprak.

Waarschijnlijk is mijn verbijstering van mijn gezicht af te lezen, want mevrouw Garcia staat op van haar bureau en hurkt voor me neer. 'Je vader was bij enkele belangrijke gevechtsmissies betrokken, samen met een paar van onze agenten. Hij wordt zeer gerespecteerd, en hij weet wat hij doet.' Ze kijkt op haar horloge. 'Het enige wat ik je kan vertellen is dat ze vierentwintig uur per dag in de gaten worden gehouden en dat onze undercoveragenten zeer goed getraind zijn.'

'Het kan me niet schelen dat ze goed getraind zijn.' De tranen springen in mijn ogen en ik denk aan alle dingen die ik tegen Carlos zou willen zeggen maar die ik voor me heb gehouden, en aan al die keren dat ik mijn vader had willen zeggen hoezeer ik hem waardeer. 'Ik wil honderd procent zeker weten dat hun niets zal overkomen,' zeg ik tegen mevrouw Garcia.

Ze klopt even op mijn knie. 'Helaas is niets in het leven honderd procent zeker.'

55

Ik kijk naar mijn broer, die het stuur van zijn auto zo stevig vasthoudt dat zijn knokkels wit zijn. De professor heeft de hele dag verschillende scenario's met ons doorgenomen, voor het geval Devlin of een van zijn jongens zijn woord breekt en op ons begint te schieten.

Toen we gisteravond bij Alex thuis verzamelden, kwam de professor in een zwarte coltrui en zwarte broek aan, alsof hij Zorro was. Volgens mij mist die arme man de geheime militaire operaties waar hij vroeger bij betrokken was, want hij kon zijn enthousiasme nauwelijks verbergen.

Vraag me niet hoe Westford op het idee kwam om een deal te sluiten met Devlin. Ik heb een uur op hem ingepraat en gezegd dat ik echt niet wil dat hij tienduizenden dollars van zijn eigen geld neertelt om mij uit de problemen te helpen. Ik bleef aandringen tot ik er schor van werd, maar Westford stond erop. Hij zei dat hij met Devlin zou gaan onderhandelen, met of zonder mijn instemming.

Voordat hij de deal sloot met Devlin, hebben Westford en ik nog een lang gesprek gevoerd. Hij was bereid om Devlin af te kopen tegen elk bedrag... op één voorwaarde.

Dat ik het leger in ga, of ga studeren.

Dat was het. De professor was bereid om een berg geld van zijn eigen bankrekening op te nemen om mij vrij te kopen uit Devlins greep, maar alleen onder die voorwaarde. 'Het lijkt wel slavernij,' zei ik vanmiddag, toen we het plan stap voor stap doornamen.

'Niet zeuren, Carlos. Hebben we een deal of niet?' zei hij.

We gaven elkaar een hand, maar tot mijn verbazing trok hij me naar zich toe om me stevig te omhelzen, en hij zei dat hij trots op me was. Het voelt vreemd dat een man die weet wie ik ben en wat ik heb gedaan, nog steeds met mijn toekomst begaan is en wil dat ik succesvol ben.

Devlin gaf de professor vierentwintig uur de tijd om vijftigduizend dollar bij elkaar te krijgen om mij vrij te kopen, maar alleen als ik eerst naar een geheime locatie in Brush zou komen om aan zijn bondgenoten van de Guerreros te laten zien dat ik samenwerk met Rodriguez. Blijkbaar gaat er een grote deal gesloten worden, maar vertrouwen de Mexicaanse leveranciers Devlin niet. Ik vraag me af of de bendeoorlog met de R6 al is losgebarsten.

We zitten in de auto op weg naar onze afspraak met Devlin en Rodriguez in Brush. Het geld zit in een weekendtas, die tussen Westfords benen staat. Ik zit op de achterbank en kijk naar de twee mannen die nu mijn posse zijn. Mijn hart gaat als een razende tekeer bij het idee dat ik mijn broer en de professor bij me heb. Eigenlijk had ik dit in mijn eentje moeten doen, zonder anderen mee de afgrond in te sleuren. Devlin is mijn probleem, maar zij hebben hem ook tot hun probleem gemaakt.

Ik denk weer aan de keer dat Kiara met haar vingers over een van mijn tattoos streelde. *La rebelde.* Zo'n grote rebel ben ik niet als ik mijn grote broer en een oude man nodig heb om me te steunen. Maar ook al voelt het niet goed om hen nu bij me te hebben, ik moet toegeven dat ik niet weet wat ik zonder hen zou moeten.

'Jullie kunnen nog terug. Ik kan alleen naar binnen gaan.'

'Geen sprake van,' zegt Alex. 'Ik ga met je mee, wat er ook gebeurt.'

Westford klopt op de tas met geld. 'Ik ben er klaar voor.'

'Dat is een hele smak geld, professor. Weet je zeker dat je dat ervoor overhebt? Je kunt ook gewoon je handen van me aftrekken en het geld houden. Dat zou ik je niet eens kwalijk nemen.'

Hij schudt zijn hoofd. 'Ik krabbel nu niet meer terug.'

'Als een van ons het gevoel krijgt dat er iets niet klopt, smeer hem dan,' zeg ik tegen hen. 'Devlin zal zorgen dat hij in de meerderheid is.'

Alex rijdt langzaam door Brush. De straten doen me denken aan onze oude woonplaats, Fairfield in Illinois. We woonden niet bepaald in het rijke deel van de stad. Sommige mensen weigerden zelfs door zuid te rijden uit angst beroofd te worden, maar wij voelden ons er thuis.

Er staat een groep jongens van onze leeftijd op de hoek van de straat. Ze kijken wantrouwend naar de onbekende auto van Alex. Zolang we eruitzien alsof we weten waar we mee bezig zijn en waar we naartoe gaan, zal er niks gebeuren. Maar als we ons gedragen alsof we geen idee hebben waar we zijn en hoe we op onze bestemming moeten komen, dan zijn we de lul.

Alex rijdt een kronkelige oprit op die leidt naar een schijnbaar verlaten pakhuis. De rillingen lopen over mijn rug. Waarom wilde Devlin per se hier met ons afspreken?

'Ben je er klaar voor?' vraagt Alex terwijl hij de auto parkeert.

'Nee,' zeg ik. Westford en Alex draaien zich allebei naar me om. 'Ik wilde jullie eerst nog even bedanken,' mompel ik. 'Maar wat denken jullie... zal Devlin gewoon het geld aannemen en de benen nemen, of zal hij ons doodschieten en er alsnog met het geld vandoor gaan?'

Westford doet het portier open. 'Er is maar één manier om daarachter te komen.'

We stappen de auto uit, met al onze zintuigen op scherp. Ik mag Westford dan wel gepest hebben met zijn zwarte kleding, maar hij ziet er inderdaad uit als een bikkel. Een oude, kalende bikkel, maar toch.

'Er staat een man op het dak, en iemand op twee en op tien uur,' vertelt Westford ons.

Wat was zijn bijnaam in het leger, Arendsoog?

Er staat een man bij de ingang op ons te wachten. Zo te zien is hij ergens in de twintig, maar zijn blonde haar is zo gebleekt dat het haast wit lijkt. 'We verwachtten jullie al,' zegt hij op norse toon.

'Mooi,' zeg ik. Ik neem de leiding, en ik stap als eerste naar binnen. Als iemand plotseling het vuur opent, dan ben ik het doelwit en kunnen Alex en Westford misschien nog wegkomen.

Terwijl de witharige man ons fouilleert, houdt Westford de tas met geld dicht tegen zich aan geklemd, alsof het te pijnlijk is om er afstand van te doen. Arme Westford. Hij heeft echt geen idee waar hij in verzeild is geraakt. 'Je weet dat je dit voor mij niet hoeft te doen, toch?' vraag ik hem.

'Aandringen heeft geen zin,' antwoordt Westford. 'Dat is alleen maar tijdverspilling, want je bereikt er toch niets mee.'

De witharige man leidt ons naar een klein kantoor verderop. 'Wacht hier,' beveelt hij.

Daar staan we dan, twee broers Fuentes en een ex-militair met een weekendtas met vijftigduizend dollar aan losgeld.

Rodriguez komt de kamer binnen en gaat op het bureau zitten. 'Wat kom je brengen, Carlos?'

'Geld. Voor Devlin,' zeg ik. De Grote Baas zelf is zeker niet op komen dagen.

'Ik heb gehoord dat je een weldoener hebt gevonden die je wel wil uitkopen. Dus je hebt belangrijke connecties, hè?' zegt hij terwijl hij de professor in zich opneemt.

'Zoiets.'

Hij steekt zijn hand uit. 'Geef maar aan mij.'

Westford klemt de tas steviger vast. 'Nee. Ik heb de deal met Devlin gesloten, dus ik handel het met hem af.'

Rodriguez gaat vlak voor hem staan. 'Laten we één ding duidelijk stellen, opa. Jij hebt geen enkel middel om ons mee onder druk te zetten. Je kunt me maar beter te vriend houden, voor ik je straks nog overhoopknal.'

'O, maar ik kan jullie wel degelijk onder druk zetten,' zegt Westford. 'Want mijn vrouw heeft een brief die ze meteen aan de politie zal geven als we niet allemaal veilig thuiskomen. En een gerespecteerde professor wordt niet snel vergeten, geloof mij maar. Devlin en jij zullen niet ver komen.'

Westford klemt de tas nog altijd stevig vast.

Gefrustreerd laat Rodriguez ons weer alleen. Ik vraag me af of hij ons zo gewoon komt neerknallen, zodat hij het geld voor zichzelf kan houden.

'Denk je soms dat Devlin je een bonnetje zal geven of zo?' vraag ik de professor. 'Ik denk niet dat je losgeld van de belasting kunt aftrekken.'

Hij schudt zijn hoofd. 'Zelfs bij gevaar gedraag je je nog eigenwijs en arrogant. Hou je daar dan nooit eens mee op?'

'Nee. Dat maakt me juist zo charmant.'

'Hoe weet je of Devlin überhaupt hier is?' vraagt Alex.

De professor vertrekt geen spier. 'Als er een mannetje op het dak staat, en twee anderen houden in de gaten wie er komen en gaan, dan is De Grote Baas in de buurt. Geloof mij maar.'

En inderdaad, een halfuur later komt Devlin zelf binnenwandelen. Hij heeft ons duidelijk expres laten wachten, om te laten weten wie de baas is. Devlin kijkt meteen naar de weekendtas. 'Hoeveel zit erin?' vraagt hij.

'Het bedrag dat we hadden afgesproken... vijftigduizend.'

Devlin loopt door de kamer en kijkt ons wantrouwig aan. 'Ik heb je nagetrokken, professor Westford.'

Heel even kijkt Westford nerveus, maar hij weet het meteen te verbergen. Ik weet niet of mijn broer of Devlin het heeft opgemerkt, maar ik wel. 'En wat heb je ontdekt?' vraagt Westford.

'Dat is juist het vreemde,' zegt Devlin. 'Niet veel. Wat me het idee geeft dat je op een of andere manier banden hebt met de inlichtingendienst. Misschien ben je hier alleen naartoe gekomen om mij in de val te lokken.'

Ik barst in lachen uit. De professor heeft geen banden met de inlichtingendienst. Misschien dat hij in zijn gouden tijden geheime missies uitvoerde als soldaat, maar nu is hij gewoon de vader van Kiara en Brandon. Deze man wordt al blij van een Familieavond, ik bedoel maar.

'Ik heb alleen banden met de afdeling Psychologie van de universiteit.'

'Mooi, want als ik erachter kom dat je banden hebt met de politie, zullen jij en deze kinderen het betreuren dat jullie me ooit hebben ontmoet. Rodriguez vertelde me dat je vrouw een brief heeft voor de politie om jullie veiligheid te garanderen. Ik hou niet van dreigementen, professor. Maak nu die tas maar open.'

Westford maakt hem open en haalt het geld eruit. Wanneer Devlin zeker weet dat al het geld er is en dat het niet is gemarkeerd, beveelt hij me om het op te rapen en aan hem te geven.

'Nu hoeven we nog maar één ding af te handelen,' zegt Devlin, wijzend naar mij. 'Jij en Rodriguez gaan wat belangrijke vrienden van me ontmoeten. In Mexico.'

Wat? Echt niet.

'Dat was niet de afspraak,' zegt Westford.

'Tja,' zegt Devlin. 'Dan is de afspraak bij dezen veranderd. Ik heb het geld, een wapen en de macht. Jij hebt niets.'

Hij heeft het nog niet gezegd, of de grond begint te trillen alsof er een aardbeving is. 'Een inval!' roept iemand aan de andere kant van de deur. Devlins mannen stuiven ervandoor om hun eigen hachje te redden, in plaats van hun baas te beschermen, zoals hun was opgedragen.

Narcotica-agenten in blauwe jacks vallen het pakhuis binnen met ge-trokken pistolen. Ze schreeuwen dat iedereen op de grond moet gaan liggen.

Met een waanzinnige blik in zijn ogen haalt Devlin een .45 Colt uit zijn broeksband tevoorschijn en richt hem op de professor.

'Nee!' schreeuw ik, en ik spring naar voren om het pistool uit Devlins hand te slaan. Ik laat Westford niet vermoorden, ook al betekent het dat ik zelf in het lijkenhuis eindig. Ik hoor het pistool afgaan, en dan voelt het alsof mijn dijbeen in brand staat. Er druipt bloed langs mijn been op de betonnen vloer. Het voelt heel onwerkelijk en ik durf niet naar mijn been te kijken. Ik weet niet hoe erg het is, alleen dat het voelt als-of ik door duizend bijen in mijn dijbeen ben gestoken. Alex rent op Devlin af, maar Devlin is hem te snel af. Hij richt het pistool op mijn broer en ik word overspoeld door paniek. Ik strompel naar Devlin om hem te stoppen, maar Westford houdt me tegen. Precies op dat moment stormt de witharige man de kamer binnen met een Glock in de aan-slag. 'Politie! Leg dat pistool neer!' beveelt hij.

Wat is dit verd–

Razendsnel richt Devlin zijn pistool op de man en allebei openen ze het vuur. Ik hou mijn adem in totdat Devlin neergaat en met zijn han-den naar zijn borst grijpt. Zijn ogen staan wijd open en onder hem vormt zich een grote plas bloed op de grond. Het idee om mijn broer of Westford te verliezen door Devlins toedoen doet zoveel pijn dat ik mijn ogen dichtknijp.

Als ik ze weer opendoe, vang ik vanuit mijn ooghoek een glimp op van Rodriguez. Hij heeft een pistool op de witharige undercoveragent gericht. Ik probeer de agent te waarschuwen, maar tot mijn verbazing pakt Westford Devlins pistool en schiet Rodriguez neer als een getrain-de scherpschutter.

Westford buldert bevelen naar een van de narcotica-agenten terwijl hij en Alex me uit het pakhuis tillen.

'Ben je van narcotica?' vraag ik Westford met mijn tanden op elkaar geklemd omdat mijn been zo fucking veel pijn doet.

'Niet echt. Laten we het erop houden dat ik nog steeds belangrijke connecties heb.'

'Betekent dit dat je die vijftigduizend dollar in je zak kan houden?'

'Yep. Wat dan waarschijnlijk betekent dat onze deal niet doorgaat. Je hoeft niet bij het leger of naar de universiteit.'

Twee ambulancebroeders komen naar me toe gesneld met een brancard. Ze tillen me erop, maar voor ze me wegrijden steek ik mijn hand uit naar de professor. 'Ik ga wel in dienst, het is maar dat je het weet.'

'Ik ben trots op je. Maar waarom zou je dat doen?'

Ik kreun van de pijn maar het lukt me om hem flauwtjes toe te lachen. 'Ik wil er zeker van zijn dat Kiara een vriend heeft die meer te bieden heeft dan alleen een sexy lijf en een gezicht als een engel.'

'Zet je die arrogantie dan nooit eens opzij?' vraagt Westford.

'Jawel.' Als zijn dochter me kust, dan ben ik als was in haar handen.

56

Kiara

Ik streel Carlos' arm en laat hem in mijn hand knijpen terwijl we afwachten wat de dokter te melden heeft over zijn been. Alex houdt zich
groot, maar is ook niet van Carlos' zijde geweken sinds we in het ziekenhuis aankwamen. Hij is bang, en hij lijkt zich schuldig te voelen omdat hij niet kon voorkomen dat zijn broertje gewond is geraakt. Maar
in ieder geval is het nu eindelijk voorbij.

Mijn vader hoorde dat Carlos' moeder en kleine broertje ook werden
bedreigd, dus heeft hij met hun toestemming geregeld dat zij ook naar
Colorado kunnen komen. Hij helpt hen zelfs bij het vinden van tijdelijke woonruimte, wat echt geweldig is.

'Mijn vader zegt dat je het wel zult overleven,' zeg ik tegen Carlos terwijl ik vooroverbuig om een kus op zijn voorhoofd te drukken.

'Ben je daar blij om?'

Oké, Kiara, tijd om je hart uit te storten, zeg ik tegen mezelf. Het is
nu of nooit. Ik leun dichter naar hem toe zodat alleen hij me kan horen. 'Ik... ik geloof dat ik niet meer zonder je kan, Carlos. Nooit meer.'
Ik kijk hem aan. Carlos kijkt me recht in de ogen. Dit is wat ik wil, ik
wil hém. Sterker nog, ik kan echt niet meer zonder hem. We kunnen
niet zonder elkaar. Hoe dichter ik naar hem toe leun, hoe meer ik me
gesterkt voel door de kracht en de energie die hij uitstraalt.

Ik merk dat hij iets wil zeggen om de stilte te doorbreken, zoals hij
meestal doet, maar hij houdt zich in. We kijken elkaar nog steeds aan,
en ik zal mijn ogen niet afwenden. Dit keer niet.

Langzaam strek ik mijn trillende hand uit en streel voorzichtig over
zijn borst, door zijn shirt heen. Wat zou ik zijn pijn graag wegnemen.
Hij begint zwaarder te ademen, en ik voel zijn hart kloppen onder mijn
hand.

Hij legt zijn hand op mijn wang en streelt zachtjes met zijn duim over mijn huid. Ik doe mijn ogen dicht en druk mijn wang nog steviger tegen zijn hand aan, smeltend door de warmte van zijn aanraking.

'Je bent een gevaarlijk meisje,' zegt hij.

'Waarom?'

'Omdat je me laat geloven in het onmogelijke.'

Nadat Carlos is geopereerd, heeft ons hele gezin zich om Carlos' ziekenhuisbed heen verzameld. Dan wordt er op de deur geklopt. Brittany komt aarzelend binnen.

'Bedankt dat je me hebt gebeld, Kiara,' zegt ze.

Carlos vroeg vlak voor zijn operatie of ik haar wilde bellen, nadat hij me had verteld dat Alex en Brittany uit elkaar waren. 'Graag gedaan. Ik ben blij dat je er bent.'

'Ik ook,' zegt Carlos. 'Maar ik zit aan de morfine, dus misschien dat je dat wel officieel wil laten vastleggen.' Alex wil de kamer uit lopen, maar als hij bij de deur staat, roept Carlos: 'Alex, wacht.'

Alex schraapt zijn keel. 'Wat is er?'

'Ik weet dat ik hier spijt van ga krijgen, maar jij en Brittany kunnen niet uit elkaar gaan.'

'We zijn al uit elkaar,' zegt Alex, waarna hij Brittany aankijkt. 'Toch, Brit?'

'Wat jij wil, Alex,' zegt ze gefrustreerd.

'Nee.' Hij loopt naar haar toe. 'Jij wilde dat we uit elkaar gingen. Mamacita, ga mij nou niet de schuld geven.'

'Jij wilt onze relatie geheimhouden voor mijn ouders. Ik niet. Ik wil juist wel van de daken schreeuwen dat wij een stel zijn, Alex.'

'Hij is bang, Brittany,' zegt Carlos.

'Waarvoor?' vraagt ze.

Alex strekt zijn arm uit en duwt een plukje haar achter haar oor. 'Dat je ouders je ervan zullen overtuigen dat je beter verdient.'

'Alex, jij maakt me gelukkig, jij haalt het beste in me naar boven. Ik heb dezelfde dromen als jij en wil dolgraag een toekomst met je opbouwen. Jij hoort bij mij, of je het leuk vindt of niet. Daar kan niemand iets aan veranderen.' Ze kijkt naar hem op en de tranen stromen over haar wangen. 'Geloof me.'

Hij neemt haar gezicht in zijn handen en veegt haar tranen weg. Ik hoor dat Alex ook volschiet. Zonder iets te zeggen trekt hij haar naar zich toe, om haar nooit meer los te laten.

Een halfuur later zijn Alex, Brittany en mijn ouders naar het ziekenhuisrestaurant verdwenen. Tuck komt binnen met een grote vaas vol felroze anjers en een ballon met de tekst: VIJFTIG PROCENT VAN ALLE ARTSEN BEHOORT TOT DE SLECHTST PRESTERENDE STUDENTEN VAN HUN LICHTING – HOPELIJK IS JE OPERATIE GESLAAGD!

'Hé, amigo!' zegt Tuck.

'O nee,' snuift Carlos zogenaamd geïrriteerd. Het doet me goed om te merken dat hij zijn vechtersmentaliteit niet heeft verloren na alles wat er vandaag is gebeurd. 'Wie heeft jou uitgenodigd?'

Tuck zet de vaas in de vensterbank en glimlacht breed. 'O, kom op. Niet zo chagrijnig. Ik kom je opvrolijken.'

'Met een bos roze bloemen?' vraagt Carlos, wijzend naar de vaas.

'Eigenlijk zijn de bloemen voor Kiara, omdat zij met jou zit opgescheept.' Hij pakt de ballon en knoopt het touwtje aan de reling van het ziekenhuisbed. 'Zie mij maar als je eigen blow-assistent... ik bedoel, co-assistent.'

Carlos schudt zijn hoofd. 'Kiara, zeg me alsjeblieft dat hij zich niet net mijn blow-assistent noemde.'

'Lief zijn,' zeg ik tegen Carlos. 'Tuck is helemaal hiernaartoe gereden omdat hij om je geeft.'

'Laten we het erop houden dat ik je heb leren waarderen,' geeft Tuck toe, waarna hij zijn lange haar uit zijn gezicht veegt. 'Bovendien zou mijn leven niet hetzelfde zijn als ik jou niet had om te treiteren. Geef maar toe, amigo... jij maakt me compleet.'

'Je bent loco.'

'En jij bent homofoob, maar misschien lukt het Kiara en mij nog wel om een sympathiek en tolerant mens van je te maken.' Tucks telefoon begint te piepen. Hij haalt hem uit zijn zak. 'Het is Jake,' kondigt hij aan. 'Ik ben zo terug.' Hij verdwijnt de gang op en laat mij en Carlos alleen achter. Nou ja, bijna alleen. Brandon zit een computerspelletje te spelen in de hoek van de kamer.

Carlos pakt mijn arm en trekt me naast zich op het bed. 'Voordat dit alles gebeurde was ik van plan om weg te gaan uit Colorado,' vertelt hij me. 'Het leek me beter als ik je ouders en Alex niet langer tot last zou zijn.'

'En nu?' vraag ik nerveus. Ik moet hem horen zeggen dat hij hier voor altijd wil blijven.

'Ik kan hier niet weggaan. Heeft je vader je verteld dat mijn moeder en Luis hierheen komen?'

'Ja.'

'Maar dat is niet de enige reden dat ik blijf, chica. Ik kan jou niet achterlaten, net zo min als ik nu met mijn gewonde been de deur uit zou kunnen lopen. Ik vroeg me alleen af... zullen we het je ouders nu vertellen of later?'

'Wat moeten we ze vertellen?' vraag ik verbaasd.

Hij kust me zacht en zegt dan trots: 'Dat we een serieuze, monogame, vaste relatie hebben.'

'Is dat zo?'

'Sí. En als ik weer thuis ben, zal ik eerst dat portier van je auto eens repareren.'

'Niet als ik je voor ben,' zeg ik hem.

Hij bijt op zijn lip en kijkt me aan alsof hij daar enorm opgewonden van is geworden. 'Ben je me nu aan het uitdagen, chica?'

Ik pak zijn hand en verstrengel mijn vingers met die van hem. 'Ja.'

Hij trekt me dichter naar zich toe. 'Je bent niet de enige in deze relatie die wel van een uitdaging houdt,' zegt hij. 'En een tip voor de toekomst: ik heb mijn chocolate chip-koekjes het liefst warm en nog een beetje zacht vanbinnen... en zonder magneten erop gelijmd.'

'Ik ook. Laat maar weten wanneer je er een stel voor me gaat bakken.'

Hij lacht en buigt zijn hoofd naar me toe.

'Gaan jullie tongen?' roept Brandon ineens.

'Ja. Dus ogen dicht,' zegt Carlos, waarna hij de deken over ons heen trekt om ons nog een beetje privacy te geven. 'Ik zal je nooit meer verlaten,' fluistert hij met zijn lippen op de mijne.

'Mooi, want ik laat je nooit meer gaan.' Ik maak me even van hem los. 'En ik zal jou ook nooit verlaten. Onthou dat goed, oké?'

'Zal ik doen.'

'Betekent dit dat je nu gaat leren bergbeklimmen met mij?'

'Ik wil alles met je doen, Kiara,' zegt hij. 'Heb je het briefje dat ik in je kluisje heb gestopt niet gelezen? Ik ben van jou.'

'En ik van jou,' zeg ik. 'Voor altijd en eeuwig... en nog veel langer.'

EPILOOG

Carlos Fuentes kijkt toe hoe de vrouw met wie hij al twintig jaar is getrouwd de kas voor vandaag opmaakt. De zaken gaan goed bij McConnell's Garage, die ze hebben gekocht toen hij uit het leger kwam. Zelfs in de mindere jaren konden ze prima rondkomen. Zijn vrouw bleef altijd genieten van de kleine dingen, zelfs als ze wel wat meer konden betalen. Man, wandelen bij The Dome maakte haar gelukkiger dan wat dan ook. Die wandeling was een wekelijks ritueel voor hen geworden.

Skiën en snowboarden was een heel ander verhaal. Carlos nam Kiara en hun kinderen in de winter mee op skivakantie, maar hij keek van een afstandje toe terwijl Kiara hun drie dochters leerde skiën en vervolgens snowboarden. Ze genoten extra wanneer hun oom Luis langskwam, want hij was de enige van de broers Fuentes die gek genoeg was om samen met hen de zwarte pistes af te racen.

Carlos veegt zijn handen af aan een doek nadat hij de olie van de auto van zijn oude vriend Ram heeft ververst. 'Kiara, even over die jongen die we in huis hebben genomen nadat je vader me heeft omgepraat.'

'Het is geen slechte jongen,' zegt Kiara, en ze glimlacht haar man geruststellend toe. 'Hij heeft gewoon wat begeleiding nodig. En een thuis. Hij doet me een beetje aan jou denken.'

'Grapje zeker? Heb je gezien hoeveel piercings dat stuk tuig heeft? Hij heeft er vast nog meer op plekken waar ik niet eens van wil weten.'

Precies op dat moment rijdt hun oudste dochter Cecilia de oprit op met het stuk tuig naast haar op de passagiersstoel.

'Zijn haar is veel te lang. Hij lijkt net een chica die zich wel eens mag scheren,' zegt Carlos.

'Sst, aardig zijn,' berispt zijn vrouw hem.

'Waar hebben jullie uitgehangen?' vraagt Carlos op beschuldigende toon terwijl de twee eersteklassers uit Cecilia's auto springen.

Geen van hen geeft antwoord.

'Dylan, meekomen. Tijd voor een gesprek van man tot man.' Carlos ziet dat het stuk tuig met zijn ogen rolt, maar hij volgt Carlos naar zijn kantoortje in de hoek van de garage. Carlos doet de deur dicht en gaat in de stoel achter het bureau zitten terwijl hij gebaart dat Dylan in de stoel tegenover hem moet plaatsnemen.

'Je woont nu al een week bij ons in huis, maar ik heb het zo druk gehad in de garage dat ik de huisregels nog niet met je heb kunnen doornemen,' zegt Carlos.

'Luister, ouwe,' zegt de jongen loom, waarna hij achteroverleunt en zijn vieze schoenen op Carlos' bureau legt. 'Ik doe niet aan regels.'

Ouwe? Doet niet aan regels? Shit zeg, deze knul moet eens flink op zijn sodemieter krijgen. Eerlijk gezegd ziet Carlos inderdaad wel iets van zijn vroegere, rebelse zelf in deze jongen terug. Dick was de beste plaatsvervangende vader die Carlos zich ooit had kunnen wensen toen hij naar Colorado kwam... man, hij noemde de professor al pa voor hij met Kiara trouwde, en hij kon zich niet voorstellen hoe zijn leven zou zijn gelopen zonder de steun van haar vader.

Carlos duwt Dylans voeten van zijn bureau, en denkt dan terug aan die keer dat Kiara's vader net zo'n soort preek hield als hij nu zou gaan afsteken. '*Uno*, geen drugs of alcohol. *Dos*, geen gevloek. Ik heb drie dochters en een vrouw, dus hou het netjes. *Tres*, doordeweeks ben je om halfelf thuis, in het weekend om twaalf uur. *Cuatro*, je ruimt je eigen zooi op en helpt in het huishouden als we dat vragen, net als onze eigen kinderen. *Cinco*, geen tv voor je huiswerk af is. *Seis*...' Hij kan zich niet herinneren wat de zesde regel van zijn schoonvader was, maar dat maakt niet uit. Carlos heeft nog een eigen regel waarover hij geen misverstand wil laten bestaan. 'Je mag onder geen beding met Cecilia uit, dus zet dat maar uit je hoofd. Nog vragen?'

'Ja, eentje.' Dylan leunt naar voren en kijkt Carlos recht in de ogen met een brutale grijns op zijn gezicht. 'Wat gebeurt er als ik die kloteregels van je overtreed?'

DANKWOORD

Dit boek zou er niet zijn gekomen zonder Emily Easton, mijn redacteur, die de vele versies van Carlos' verhaal met me heeft doorgeploegd. Ik vind dat je hier echt een lintje voor verdient.

In het bijzonder wil ik Dr. Olympia González graag bedanken, voor haar hulp bij het verlevendigen van mijn boek met de Spaanse en Mexicaanse cultuur. Ik neem de volle verantwoordelijkheid op me voor eventuele fouten, want die zijn louter van mij afkomstig, maar ik hoop dat je trots op me bent.

Ik heb het grote geluk dat ik Ruth Kaufman en Karen Harris tot mijn vrienden en collega's mag rekenen. Jullie hebben me beiden van het begin tot het einde bijgestaan. Ik kan jullie niet genoeg bedanken voor al jullie steun op de momenten dat ik daar het meest behoefte aan had.

Alex Strong wil ik bedanken omdat hij mijn inspiratiebron was voor Tuck. Ik hoop dat Tuck in ieder geval half zo grappig en gevat is geworden als jij, Alex.

Ook wil ik mijn literair agent bedanken, Kristin Nelson, voor haar oneindige steun tijdens het schrijven van dit boek. Het betekende veel voor me dat ik werd aangemoedigd door een persoonlijke cheerleader. Je bent zelfs met me gaan raften in Colorado toen ik daar was voor research. Arme schat! Over literair agenten met complete service gesproken!

Andere mensen die me hebben geholpen met dit boek – en vrienden (en familie) die me geweldig hebben gesteund – zijn: Nanci Martinez, Dayna Plusker, Marilyn Brant, Erika Danou- Hasan, Meko Miller, Randi Sak, Michelle Movitz, Amy Kahn, Joshua Kahn, Liane Freed, Jonathan Freed, Debbie Feiger, Nickey Sejzer, Marianne To, Melissa Hermann, Michelle Salisbury en Sarah Gordon. Mijn ontmoetingen met Jeremy, Maya, Sarah, Koby, Victor en Savi hebben me erg geholpen een beeld te vormen van hoe het is om een tiener te zijn in Colorado. En natuurlijk moet ik ook Rob Adelman bedanken, voor zijn oneindige wijsheid.

Verder wil ik graag mijn fans bedanken. Zij vormen het leukste onderdeel van het schrijven van boeken, en ik krijg nooit genoeg van het lezen van alle fanmail die ze me opsturen en e-mailen.

Tot slot, maar zeker niet minder belangrijk, wil ik Samantha, Brett, Moshe en Fran bedanken. Zij zijn een grote inspiratiebron voor me. En ze waren echt geweldig en enorm geduldig toen ik dit boek aan het schrijven was.

Ik hoor graag iets van mijn lezers. Dus kijk vooral eens op www. simoneelkeles.net!

Lees van Simone Elkeles ook *Perfect Chemistry* en ontdek hoe Alex en Brittany elkaar hebben ontmoet en wat er voorafging aan *Gevaarlijke flirt*.

Kijk op www.simoneelkeles.net voor een filmpje over *Perfect Chemistry*.

Lezersreacties op Chicklit.nl:

'Dit boek is zó bijzonder. Het idee is heel simpel, twee tegenpolen die heel verliefd worden op elkaar. De familie van Alex is niet zo blij met Brittany en andersom hetzelfde, maar de romantiek in dit boek is zo echt, lief en begrijpelijk dat het alles goed maakt. Echt een topper!'

'Je kunt er om lachen en je kunt er om huilen een verhaal over wat we allemaal niet doen voor liefde het blijft je bij.'